D1246484

gebrauchsanweisung

sie sollen dieses buch sofort eigenmächtig ver ändern. sie sollen die untertitel auswechseln. sie sol len hergehen & sich überhaupt zu VERÄNDERUN GEN ausserhalb der legalität hinreissen lassen. ich baue ihnen keine einzige künstliche sperre die sie nicht durchbrechen könnten. ich hole sie ganz heran & zeige ihnen die noch unbemerkten hohlräume in ihrem organismus die bereit sind für völlig neue programmierungen.

sie brauchen das ganze nicht erst zu lesen wenn sie glauben zu keiner besseren gegengewalt fähig zu sein. wenn sie aber gerade daran arbeiten jene mas siven offiziellen kontrollen & ihre organe zu unter minieren zu zerstören dann ist es unsinnig & verfehlt diese zeit für das lesen des buches zu verschwen den.

elfriede jelinek
die verabschiedung
der begleiter

elfriede jelinek
das eigene nest

elfriede jelinek
liebe machen in geschützten
fichten

elfriede jelinek
ist das nicht schon krieg ?

elfriede jelinek
der zauber der montur &
sein nachlassen

elfriede jelinek
die vorübung

zu diesem buch

«elfriede jelinek verwendet werbespots, science-fiction, den stil von illustrierten-romanen, horror-filmszenen und comic-strips, montiert heintje, die beatles, james bond und batman und provoziert damit eine kurze reizwirkung. da neben agieren noch drei romanfiguren in den textpassa gen, otto, emanuel und maria, die jedoch ständig ihre funk tion wechseln. sie gestalten nicht die szene, sondern die szene gestaltet diese personen … elfriede jelinek verurteilt alles, was zur subkultur tendiert, was die revolution also ‹schick› macht. sie verurteilt das nicht zu unrecht. in ihren texten hat sie deshalb alles, was zur schick-revolutionären subkultur geworden ist, aber auch micky-maus und frau saubermann zu fantastisch verzerrten situationen verar beitet. sie prangert den kulturkonsum der fünfzehn- bis fünfundzwanzigjährigen an, entlarvt kitsch und kauflust der älteren und lässt das ganze wie einen underground-film vor dem inneren auge des lesers ablaufen.» (angelika mechtel in süddeutscher rundfunk)

elfriede jelinek, am 20. oktober 1946 in mürzzuschlag/ steiermark geboren und in wien aufgewachsen, studierte theaterwissenschaft, kunstgeschichte und musik. lyrik und prosatexte erschienen in anthologien und literaturzeit schriften vor ihrer ersten, hier erneut vorliegenden buch veröffentlichung «wir sind lockvögel baby!». 1986 erhielt elfriede jelinek den heinrich böll-preis der stadt köln, 1987 den literaturpreis des landes steiermark.

elfriede jelinek
wir sind lockvögel baby!
roman

rowohlt taschenbuch verlag

veröffentlicht im rowohlt taschenbuch verlag,
reinbek bei hamburg, juni 1988
copyright © 1970 by rowohlt verlag gmbh,
reinbek bei hamburg
umschlagillustration sandy skoglund
mit freundlicher genehmigung
von castelli graphics, new york
umschlagtypographie peter wippermann
gesamtherstellung clausen & bosse, leck
printed in germany
isbn 3 499 12341 X

6. Auflage Oktober 2004

gewidmet dem österreichischen bundesheer

RUN THAT UP YOUR PENIS & SEE HOW IT COMES!
(tuli kupferberg)
(steck das in deinen penis & pass auf wie es kommt!)

was bisher geschah:

dann wendet sich otto zu seinen begleitern um. seine augen funkeln seine gestalt strafft sich. und nun sagt er spöttisch bestimmen wir was getan wird. der lauf eines polizeikarabiners holpert über seine wamme am rückgrat bleibt an den krapfengeschwülsten weiter unten hängen und GEHT LOS!

die lockvögel wollen trotz des mangelhaften lichts ein neues gesellschaftsspiel beginnen unterstützt von robin und seiner herrlichen naturstimme. der einzige dem es nicht so recht schmeckt ist der white giant. der kann es nicht verwinden dass er heute nicht seine gewohnte ordnung und ruhe haben soll und ohne seine eigene popsch jacke und ohne lockenwickler zu bett gehen muss. wie können die jungen nur so sorglos sein wegen ihres heim kommens meint er kopfschüttelnd.

helmut bricht im schatten der fichten zusammen ein schmales bündel in schihose und rodelanorak die flocken schlagen ihn hart auf den kopf und die fäuste sein blasser naziprügler löst sich dort oben lautlos vom schanzentisch segelt die 300 meter über ihn hinweg und landet genau auf deinen brüsten den kampfgasbehältern baby. bald läuft einer ans fenster ob schon wieder licht brennt oder bald läuft der andre zur eingangstür mit der behauptung es hätte geklopft.

micky & minny trotten dahin und plötzlich sind sie mitten im tobenden verkehr angelangt und wissen nicht vor oder zurück. also vorwärts. schade robin dass dein geburtstag so beeinträchtigt war meint batman als er den napalm giesser am geziefer zu bett bringt. robin wichst noch ein mal den spürer und bedankt sich beim gutenachtsagen für alles. das mochte wohl auch die derbe jungenhand batmans dazu bewegen sich nach diesem zuckerbestreu ten robinschwanz auszustrecken und ihn gleich auf ein mal im mund verschwinden zu lassen. in diesem kriti schen moment gerade wendet sich superman vom fenster

7

in das zimmer zurück. eine sekunde steht er entgeistert dann aber fliegt er auf den missetäter zu und scheint nicht übel lust zu haben ihm den baumler wieder aus dem mund zu reissen. osterhase der junge grossstädter wagt sich nicht allzuweit vorwärts. luci nugget sitzt in der badewanne und läßt immer wieder wasser über ihr ver wundetes jesuherz rinnen es plätschert in dieser winter landschaft draussen vor dem fenster. ich wusste nicht sagt sie entschuldigend dass sie einen so unsauberen arsch haben polizist. die fichten gleiten an helmut hinweg und bei den hosenbeinen hinaus. er lacht und schluchzt durcheinander. noch ahnen die zuschauer nichts von dem unglück am start und ziel. sie langweilen sich unter den schmerzenden tritten.

1. kapitel die funktion ottos

die funktion ottos denn alles was er bisher gezeigt hatte war verstellung nun brach sein wahres naturell mit aller macht durch. so ein finzeliges wesen ist das sagt irma die magd erstaunt als er aus ihrem bauch kriecht wie soll sie sich mit diesem unbedachten ausspruch noch täuschen hoch otto steht es schon in kurzer zeit an allen pissoir wänden verankert mergel springt ab pfropfig so ein süd deutscher asterfang einer der bei der national hümne lacht der da gemacht worden war musste aller welt kund getan sein. otto ist das störende element im anwesen seines illegitimen vaters als fett hintersitziger schrecken kriecht er über die heide und fällt mit dem ratzekahlen hintern über eine versteckte würstchenbude dass alles weg schrie & john george paul ringo die hintermänner dieses bubenstreichs sich beinahe von ihm losgesagt hätten. diese chorknaben zu willenlosen werkzeugen zu machen ist freilich arg. die menschen beginnen sich zu langweilen sie wenden sich der uralten rummelplatz attraktion zu: otto mit unterleib und beriesler & als ob er damit noch nicht genug des schabernacks angerichtet hätte so packte er auch noch einen rammler mitten um den bauch & watete durch das trübe schlammige gewäs ser das ihm ob seiner riesenhaftigkeit nicht einmal bis zum knie reichte. das versöhnt john paul george ringo im handumdrehn unbefangen reichen sie ihm ihre rechten die er ergreift drückt umtut und ein fünffachdecker steigt so gen st. pölten in einer wolke dunkler krammetsvögel die dort zu nisten pflegen in au & haag. so eine umwand lung ist staunenswert und die melkerin taucht an seiner seite auf keuchend vom schnellen lauf und flussend so wie duftend. lasst mich los schreit otto derweilen aber der körper gehorcht dem willen nicht. alles wird schwarz um ihn dann schwinden ihm die sinne und sind weg. paul versorgte auch die andren mit mautnersenf purzelbaumte einigemale um das bedrückende gefühl der schwerelosig

keit wieder loszuwerden von den andren schlug ihm beis
sender rauch und der finkgeruch nach brennendem tuch
und schmorendem gummi entgegen. i am the walrus
dachte er tapfer und stürzte sich löschend und biersprit
zend in das getümmel von armen beinen köpfen rümpfen
& leibern. obwohl otto unter andrem auch praktischer arzt
ist hier weiss er sich doch keinen rat mehr als zu blasen.
sofort erhielt er vier schallende ohrfeigen. er hat also
wieder einmal das richtige getan: einen aufstand.
anschliessend gingen sie bummeln und weckten mit
ihrem süssen gemeindegesang die benachbarten klein
häusler die fröhlich miteinstimmten. ja auf otto ist verlass
wie wir noch des öfteren merken werden. otto zersetzt
jedes staatsgefüge mit seinem super durchbläser.

2. kapitel sie ist jung

sie ist jung & bildhübsch die fünfzehnjährige elisabeth f.
und sie hasst ihre mutter mit aller kraft ihres reinen noch
ungeweckten herzens weil die ihr den geliebten mann
weggenommen hat. noch ehe der wagen richtig hält
stösst elisabeth die tür auf springt heraus rennt über
den gehsteig zur kreuzung läuft bei rot über die strasse
verschwindet. helmut lässt sich in den sitz des wagens
zurückfallen schlägt die hände vors gesicht. seine schul
tern beginnen zu zucken. in einer kleinen züricher pen
sion versteckt sich elisabeth und ahnt nicht dass ein
junger arzt dr. bernd b. der in ganz kurzer zeit durch
seine assistenz bei der 1. deutschen herztransplantation
von sich reden machen wird mit seinem schneeweissen
karman ghia verzweifelt nach ihr sucht. immer wieder
steht das furchtbare bild vor ihren augen ihre mutter im
chinchilla hausanzug der sich verschiebt ein stück ihrer
blossen marmorkühlen elisabeth hat eine kühle mutter
haut preisgebend und ben ihr ben der ihr gerade mit der
rasierklinge ihres verstorbenen vaters ein kreisrundes

loch in den pelz zwischen den beinen schneidet. du tust mir weh flüstert trude in der dunkelheit des schlafzim mers und er kann das schmerzhafte einsaugen ihres atems hören. ist ja schon gut erwidert er und dreht sich auf die andre seite. das bett knarrt dann ist es still toten still. elisabeth jagt durch die nacht. vor ihr taucht das brackige wasser des kanals auf während sie dicht hinter sich die schritte der beiden männer hört. der gedanke trifft sie wie ein blitzschlag. meine mutter denkt sie voll scham und mein ben mit den harten fäusten. der geile pensionswirt unterbricht sie wieder einmal bei ihren über legungen. sein schrei gellt durch das haus ein spitzer fast weiblicher schrei.

diese deutschen sind rupert stoessli ein dorn im auge besonders wenn sie so schön sind wie die fünfzehnjäh rige mit dem erfahrenen gesicht einer achtzigjährigen und dem körper eines kindes. seine instinkte reagiert herr stoessli der osterhase ab indem er ein loch in elisa beths wuschelkopf bohrt und mit der kopfflüssigkeit die herausrinnt vergraute und vergilbte gardinen und herren wäsche reinigt. sind auch sie der ansicht dass frische duftige wäsche zum wohlbefinden der ganzen familie beiträgt? sicher finden sie es angenehm in einem frisch bezogenen bett zu schlafen. sorgen sie dafür dass ihre lieben wenigstens alle 3 wochen in frisch bezogenen betten schlafen. elisabeth fühlt sich auch gleich viel woh ler diese unanständigen bilder quälen sie nicht mehr so. herr stoessli will elisabeth demnächst in seiner trommel waschmaschine ausprobieren.

3. kapitel amstetten um mitternacht

amstetten um mitternacht ist eine gespenstische stadt. nicht im sommer wenn sich die turisten im breiten strom über bulevards und plätze ergiessen aber im herbst wenn stürme das laub vor sich her treiben wenn die alleen sich

11

schütteln. dann ist amstetten eine gespenstische stadt. der junge doktor fröstelte als er die gruppe von 3 mäd chen sah in jeans verwaschenen pullovern das blonde haar strähnig auf die schultern fallend die campingbeutel lässig über den rücken geworfen. jugendliche ausreis serinnen aus deutschland vielleicht oder aus england aus skandinavien. mädchen die wahrscheinlich als grund an geben würden meine eltern kotzen mich an. was soll ich mit einem reitpferd. in einer woche in einem monat in einem jahr aber würde die grosse reue kommen. dies soll aber kein reisebericht sein. von den dolly sisters schlug ihm ein sonderbarer geruch entgegen der wilde stepptanz hätte wärme in die erstarrten glieder bringen sollen stattdessen ermattete er nur mit mühe konnte er der langgliedrigen portugiesin widerstehen die ihm aus einem erleuchteten parterrefenster der fremdenverkehrs zentrale eifrig zeichen zumorst. die tasche mit seinen kostbaren medizinischen instrumenten und der teufels droge Ist an die brust gepresst betrat er den raum. er wusste was er zu tun hatte als arzt & als mensch. dies soll keine reisebeschreibung sein sondern der bericht einer kosmetischen operation an der verwachsenen eurasierin (siehe bd. 25 seite 368) die kang fo der führer der gelben messer die im raum von amstetten industrie spionage für rotchina zu betreiben pflegen auf den leitenden inge nieur als lockvogel ansetzen möchte. das geht nicht ge gen die ärztliche berufsehre & während im vorhof ma schinengewehre hämmern & der riesige kang fo den mit gliedern des kameradschaftstreffens brennende bambus splitter unter die fingernägel steckt setzt der arzt mit ge wohnt ruhiger hand sein berühmtes radioaktives platin skalpell an das unbewegliche gelbe gesicht der schönen eurasierin. da ein schrei! zwei hünenhafte dicke gelbhäu tige ringer schleppen eine sich wehrende zarte weisse beute durch die nacht ein sogenanntes opfer. das messer stockt dem arzt sofort. alle revolvermündungen richten sich wie auf kommando auf ihn. war das nicht elisabeths

12

stimme seine elisabeth oder war es nur eines der zahl losen opfer die kang fo der herrscher für seine dienste benötigt (der teufel in menschengestalt). er will gewiss heit. so eilt er ein rudel schreiender wurmartiger chinesen an sich überall nachschleifend an seinem schlanken weiss gekleideten sterilen körper in die finsternis. die frisch operierte quiekt wie ein schwein durfte der doktor sie hier in dieser wenig vertrauenerweckenden gegend allein lassen? nein. sein gewissen als arzt und helfer bäumt sich auf aber da ist elisabeth vielleicht in gefahr. sie braucht ihn. mit jähem übermenschlichen ruck fliegt das schlatzige geschmeiss ins gebüsch der blutige ärzte mantel eilt davon. elisabeth ich komme halte aus. diese voreiligkeit soll dr. b. denn um diesen und keinen andren handelt es sich tatsächlich noch bitter bereuen denn eben quetscht kang fo durch sein vergoldetes gebiss go! & folgt dem weissen teufel bringt ihn tot oder lebendig besser tot denn tote halten den mund der bereitschaftswagen prescht mit quietschenden reifen durch das haupttor scheinwerfer tauchen alles in taghelle. suchhunde he cheln. er hat fast schon die deckung erreicht als eine der schweren kugeln klatschend in seine schulter schlägt und ihn aufs gesicht wirft. er hat es lediglich dem glück zu ver danken dass er in eine bodenmulde gefallen ist und die übrigen geschosse dieser gefährlich nahe liegenden salve um ihn herum in den schlamm schlagen.
dies soll aber kein reisebericht sein.

4. kapitel ist dieser otto nicht

ist dieser otto nicht ein wahrer einwandrer hören sie selbst. über ein perückenfeld gehen durch das gebück schleichen das sieht ihm ähnlich davon versteht er was. da er also war und gefieder besass schwanz & schenkel wie ein rechter spechtkönig so schnitt er denn mit der sichel allem was da flügelte waldeswebte wehte etc. die haare ab und liess sie im wind flattern nach geckenart. stand da nicht eine auf riss ihm ihr büschel wieder aus der wurfbereiten schwieligen arbeiterfaust und verschlag es geschwind wie möglich. da war denn auch nicht nur ihre perücke sondern ihr ganzer kopf verwirkt denn otto ging nicht gerade sanft um mit dieser PRESTIDIGIATEU RIN. das haupt aber klemmt sich otto zwischen sein ge wulst und in der nächsten brise steigt er auf DER SONNE ENTGEGEN. so geschieht endlich was in diesem schönen mutterroman es soll nicht das letzte bleiben. fragen sie angelika (94 20 463).

5. kapitel genialer chirurg und dämon

genialer chirurg und dämon. idol der frauen schrecken der welt. roman um eine unheimliche liebe. die maultier karawane zieht ruhig ihres wegs über das grossglockner massiv dahin von europa nach brasilien. die passagiere sind sorglos und fröhlich weltenbummler kosmopoliten schöne frauen die besatzung tut in gewohnter routine ihre arbeit. und dennoch geschieht etwas unheimliches. der uniformierte neben dunja fällt nicht drauf herein auf diesen trick. sondern bricht durch denn der parkettfuss boden besteht aus dicker bemalter pappe. vor entsetzen brüllend stürzt der polizist sechs stockwerke tief. im kel ler prallt er auf den steinfussboden und ist sofort tot. es ist jetzt 15 uhr 3 minuten. ein andrer spitzel klingelt auf dem tisch. nur ein gedanke hält dunja die exilgräfin auf

14

recht rache. jeder der sie so sieht würde in ihr nie die leere leblose puppe vermuten die sie ist hat sie doch der geniale arzt forscher und rennfahrer manuel cortez maria y mendoza als mumie in seinem mausoleum mit klimaanlage ausgestattet für sich selbst konserviert. wäh rend er zur gleichen zeit mit der menschheitsvernichten den wunderdroge lst der jungen deutschen kranken schwester maria das gesicht dunjas aufgepflanzt hat. scheinbar ungerührt von diesen greueln reitet der poten tielle verbrecher auf seinem kostbaren schimmelhengst maestoso austria gegen das burgtor. sechs uhr morgens. die nacht steht noch um die zinnen. schwarzgrau liegt der nebel über den wiesen und wäldern des bergischen lan des. dschingiskan fröstelt etwas trotz des pelzmantels in den er sich gehüllt hat und der aus den schamhaaren sei ner schönsten mädchen besteht. vor dem schweren eisen tor hängen kopfüber zwei lieblingssklaven die brennende fackeln in ihren bebenden mündern halten. stürzt einer vor erschöpfung in den bodenlosen abgrund so ist gleich ablösung zur stelle. und immer wieder blicken sie sehn süchtig zum himmel. doch: kein hubschrauber kein flug zeug. nur hohe bäume & darüber die geier. die männer werden immer apathischer. dann kommt der elfte tag nach dem absturz. plötzlich hören sie ein brummen. aus den fenstern sausen leichenteile mit überschallgeschwin digkeit eingeweckte kainiten kaduken seldschuken. stolz und lenksam schreitet der weisse lipizzaner der wiener über das elend hinweg.
hat das schicksal diese beiden unschuldigen menschen nicht schon genug geprüft? nein. aus dem lautsprecher tönt eine durchsage dschingiskans die musik stoppt so fort dunja wird klar und klipp als blutzoll für den schreck lichen zerfleischenden krieg zwischen amerikanern und gelben zwischenmenschen angefordert. zur bekräftigung schiessen in dieser sekunde wheels on fire aus allen fen stern über die road. das ist das alte eiserne gesetz. da schreit maria plötzlich auf fast wie ein tier in todesnot nur

viel lauter. sie ist aus ihrer tödlichen letargie erwacht vater! und wirklich das wunder geschieht tschingiskan ist der schon als kleines kind geraubte langentbehrte vater mariens. vater gib uns endlich deinen segen nur so kön nen wir wirklich glücklich werden und gerührt schliesst der grosse gefürchtete kan der schrecken des ostens seine kinderl in die weit ausgebreiteten arme. auch der österreichische rassehengst bekommt seinen wohlver dienten lohn. für diesmal ist das verbrechen der teilung einer freien stadt noch ausgeblieben. adolf macht schwer mütige musik auf seiner mundharmonika. die landschaft wehrt sich gegen das wegkippen die uniformierten be trachten sie durch lesebrillen. und während oben im schloss das schon lange nicht so fröhliche gesichter sehen durfte der wiedergefundene vater seine tochter dem sohn zuführt klettert der mann in schwarz über die mauer lässt sich fallen und rennt wie ein wiesel zur polizei. darf das sein? darf das glück dieser schwerge prüften jungen menschen wieder in gefahr gebracht wer den? die antwort wird das schicksal noch bringen indem es die rechnung präsentiert.

6. kapitel ist es wirklich liebe

ist es wirklich liebe die ihnen zum verhängnis wurde. allen ginsberg und david medalla die grossmeister des ordens der leiermänner stehen einander in der telefon zelle beim londoner hydepark so sehr gegenüber dass ihre langen bestickten kaftane in einem einzigen zusam menzuschmelzen scheinen. ihre schönen ernsten gesich ter sind von einer inneren erregung verzerrt. sie trinken das freie sonnenlicht aus der regenrinne und spüren fliegen ihre eier aufstechen um larven herauskriechen zu lassen (zu lassen). stechmücken spazieren über ihre rücken fast ohne den boden zu berühren schlafwandle risch. allen starrt einen augenblick auf die toten und das gewimmel von ameisen auf den halbnackten körpern auf den gelbhäutigen dingen die ehemals menschen ge wesen sind. dann schüttelt er sich stolpert eilig hinter seinen kumpan her. der boden ist klebrig von blut. ein geistlicher kniet bei den toten betet mit verletzten. jetzt erst erfahren auch die menschen auf den rummelplätzen dass etwas schreckliches geschehen ist: die drehorgeln verstummen eine heisere lautsprecherstimme ruft frei willige auf. blutspender werden gesucht.

viele obliegen ihrem wunsch zu vernichten auszulöschen zu töten mit beinahe heiliger inbrunst.

dann vernimmt david die fürchterlichsten schreie die er in seinem langen leben jemals gehört hat. es beginnt mit einem donnerartigen grollen steigert sich zu einem tosen und endet in einem röcheln als wäre soeben ein unge heuer der vorzeit an schrecklichen wunden verendet. da vid rennt wieder. als er die steuerzentrale erreicht sieht er gerade noch wie sich allen in fürchterlichen krämpfen auf dem boden windet. er schreitet vorsichtig näher und berührt ihn. sein körper ist hart wie stone.

in seinen augen und auf seinem gesicht steht der wider schein der über den himmel segelnden an den rändern von der sonne blutrot gefärbten wolken und sein schma

ler schmeidiger körper passt sich unbewusst den stamp
fenden und schlingernden bewegungen des partners an.
helmut ist nichts als ein blonder schatten am horizont der
aber immer grösser wird da taucht er auch schon auf.
seine himmelblaue gestalt im dehnbaren schidress springt
kraftvoll über eine bodenwelle zeichnet sich einen mo
ment lang klar gegen die verschneiten fichten ab ver
schwindet wieder mit einem ju hu aufschrei in sausender
schussfahrt talwärts. einen schneeschweif zieht er hinter
sich her dann hört man wieder nichts als das knirschen
der kanten im firnschnee.
munition? sie müssen sich irren helmut. vergessen sie
nicht allen ich war bis vor kurzem selbst noch soldat. ein
einziges torpedo eine rakete in den laderaum und pfffft!
ich wollte schon immer mal wissen wie die wolken von
oben aussehen.
allen und david halten einander eng umschlungen wickeln
den wolfsfellmantel fester um sich und schauen in ihren
orangensaft. da tritt ein schwarzglänzender militärstiefel
zwischen sie aus der kleinen wunde tröpfelt blut in den
schnee. herr ist ihnen noch nicht aufgefallen dass sie
nach ihrer wiederverstofflichung durch eine neuartige
waffe getestet worden sind?
die beiden burschen die sich vor der kaserne trafen schie
nen von der sonnenglut nichts zu merken. die glühten
selbst den freuden des heutigen übungstötens entgegen.
die merkten auch nicht dass sich der himmel mit einem
feinen weisslichen schleierdunst bezogen hatte. regen
ausgeschlossen! keiner hatte einen schirm bei sich denn
wie hätte sich solch ein ding wohl zu den zarten hellen
uniformen ausgenommen! david medalla und allen gins
berg gehen über die dächer still davon frierend haben
sie die mantelkragen hochgeschlagen und die mützen in
die gesichter gezogen. viele tiere sind ihre einzigen be
gleiter. wie die wiesel rennen sie durch die höfe um die
nächste mauer mit rasantem anlauf anzuspringen und
sich hinaufzustemmen. anders wären sie nie hingelangt.

hier oben hängen sie nur an ihren zähnen im trikot. ohne sicherheitsnetz nur auf ihre kraft angewiesen. sie öffnen ihre münder für das erste licht des mondes.

7. kapitel zeit wird es nun

zeit wird es nun dem geneigten leser eine reise durch die grüne steiermark mit all ihren schrecken gefahren hinder und fährnissen zu schildern. dies soll aber eine reisebe schreibung werden und kein gemütlicher sonntagsaus flug. luci nugget tritt vor das grosse zelt das sie mit ihren 60 jagdhunden und einem eiskrem automaten bewohnt und reckt sich geschmeidig dass ihre brustwarzen unter der hauchdünnen rosa seidenbluse deutlich hervortreten. sie hört den überschwenglichen schilderungen ottos nachdenklich aber nicht ablehnend zu. an den beinen trägt luci nugget hautenge lederhosen und stiefel in der hand eine reitpeitsche. ihr markiger schlag bleibt im an satz stecken. aus der schützenden deckung macht sie einen satz vorwärts. ihre handkante landet glashart auf dem nacken des hundes. der sackt zusammen wie ein ballon dem die luft ausgeht. die pfoten zucken. von nun an nimmt otto an dem gespräch nicht mehr teil.

er verwendet viel zeit auf sein äusseres und spielt gern jenen liebenswürdigen alleinunterhalter den charmanten schwadroneur den eleganten damenfreund den distin guierten geschäftsmann und weinliebhaber den kenner.

aber was otto noch mehr elektrisierte war etwas andres: dort wo luci nuggets schamlippen zusammenstiessen zeichnete sich vorn in dem sonst völlig ebenen beton eine art winziger stufe ab. eigentlich nicht der rede wert. aber wenn man sich daran festklammerte.

otto mass die entfernung die seinen ausgestreckten arm von der kleinen feuchten unebenheit trennte. mindestens ein halber meter. er musste versuchen durch einen sprung nach oben zu kommen. dann federte er auch schon hoch. seine finger berührten die kante von lucis schacht. aber es gelang ihm nicht halt am kitzler zu fin den. er landete wieder auf dem boden. wenn er erst da oben war konnte er sich hochziehen die schultern ein stemmen und in dem schacht weiter in die höhe klimmen.

wie bergsteiger in einem kamin. irgendwas begann bei luci hektisch zu zucken. das erschwerte das bergungs manöver sehr.

die steiermark ist nicht grün die steiermark ist vielmehr gelbes unfruchtbares wüstengebiet muss ich voraus schicken. die alte lady braun wie ziegenleder geboren und aufgewachsen in leoben/kenia erzählt gerade eine fröhliche geschichte von dem berühmten mau mau. luci erschauert mit kleinen spitzen schreien hüpft sie unter der dusche. die jagdhunde und windhunde jagen wie ein riesiger heller schatten quer durch den buschbrand dem rettenden ozean entgegen. lucis weisser körper krümmt sich noch immer lachend unter dem lauwarmen cocacola strahl der aus den künstlichen torgamenten die die alte lady um den brustkorb geschnallt trägt heraussprüht. ihr roter mund glüht gleich einer wunde im zarten braunen oval des gesichtes aus dem 2 blaue augen schelmisch funkeln und blitzen. die leittiere sinken tief ein im staub. die sonne brennt zum verschmachten die treiber schreien und knallen mit den peitschen.

zweimal ist der betölpelte otto nahe dran sich an lucis klitoris festzuklammern. aber er rutscht immer wieder ab. er kommt sich vor wie ein hochspringer der zweimal ge rissen hat beim letzten versuch der über sieg oder nieder lage entscheidet. abermals federt er mit einem gewalti gen satz in die höhe. seine finger packen zu. jetzt hängt er an dem zuckenden vorsprung. ein riesiger patzen vanilleeis der gerade von dem kleinen quirl lucis gerührt wird fällt ihm ins gesicht dringt ihm in alle öffnungen aber er denkt nur nicht lockerlassen!

seine hand zittert. lucis ganzer unterbauch zittert mit ihre zähne schlagen wie im fieber aufeinander ihr gewitzel macht unerhörte bocksprünge sodass otto durchgeschüt telt wird. aber er rutscht nicht ab.

alle werden fetter & fetter unter diesem schönen blauen himmel schliesslich lassen sie los und fallen in die suppe. pow!

otto trinkt bier. dies soll noch immer eine reisebeschrei bung werden und kein überflüssiger firlefanz. vorsichtig packt er noch fester zu ungeachtet der flüssigkeit die ihn bei jedem hin & her überschwappt. und zieht sich in einem klimmzug nach oben. seine schultern sind am un teren ende des schachtes angelangt. er muß sie krümmen und nach oben rutschen.

das schiff schaukelte & schlingerte leicht die schneeweis sen planken des oberdecks glitten unter den sandaletten lucis dahin blau wogte das mittelmeer unter einer unbarm herzigen alles versengenden glut. schön ist mein steiri sches heimatland so schön sang erzhzg. johann. das wort schön muss unter allen umständen in jedem kapitel dieses bildungsromans wiederkehren. der steward eilte mit getränken durch die reihen der unbeweglich in der hitze ruhenden passagiere aller nationalitäten rassen farben und berufe. von unten aus dem schankraum drang der lärm betrunkener männer und das unfrohe lachen von mädchen auf das oberdeck. hermes 3 an hermes 2 bitte kommen. inspektor p. von der hafenpolizei wartete auf antwort von der esperanza die irgendwo überfällig auf dem atlantik schwamm. station auflösen absetzen wie verabredet. ende. jetzt klemmt sich otto fest in die schachtöffnung. sein oberkörper ist bereits darin ver schwunden. zentimeter um zentimeter arbeitet er sich höher. er spürt dass er es schaffen wird. luci ist ein schau kelnder eisberg im blauen gewässer sie verdeckt allen die sicht auf die sonne. der wachsende berg zwischen ihren gebräunten beinen macht ihr jede fortbewegung unmöglich. helmuts rosa zunge kommt unaufhörlich aus den knabenlippen hervor und leckt an der eismasse luci. unter tausend wirbelnden hundepfoten wird das wasser aufgewühlt als ob es koche. der junge mischling mit orden und stempeln behängt sprach den beinahe unver ständlichen slang der weiten küstengebiete er trug khaki farbene bermudas das hemd der hitze wegen geöffnet die nackten füsse in einem schaff lucischmelze sipping

22

martini on the rocks. in geläufigem leicht fremdländisch lingelndem türkisch wiederholte er seine aufforderung indem er noch dazu unmissverständlich auf seinen 45 peacemaker wies. ja richtig das soll eine reisebeschrei bung sein. der halbe kontinent steiermark ist schon von luci überschwemmt die städte & dörfer sind evakuiert ordnungshüter treiben in ihren schmucken booten vor über. wie sprechen sie mit sir benjamin franklin cow arse zischte otto durch die goldzähne spärliche kiefern warfen spärliche schatten ein bussard zog hoch droben in der alpenluft seine gleichförmigen kreise. eben verschwand der papst in rom mit der windischen fremdarbeiterin branka hinterm brennesselgebüsch. wie schön(schön) war es doch wieder zu hause zu sein. ein tuareg jagte auf seinem weissen rennkamel mitten durch die fata mor gana so dass die mitglieder der engel familie auch noch ein stück luci in die offenen probemäuler bekamen.

john & paul die schelme machten george & ringo den platz an der sonne streitig. ich heisse helmut sagte otto ungewohnt höflich und bin endlich die reisebeschreibung auf die sie schon so lange warten anstatt das ganze buch einfach anzuzünden sie idiot. die dicke wirtin schenkt einen dreifachen enzian ein sie schwebt als fesselballon über dem eisberg der einmal die ganze steiermark war. sie bewegt sich feenhaft leicht in dem ungewohnten element. ein schöner schneeweiss gepuderter eintänzer schleift eine glasierte amerikanerin über das glatte par kett. luci schrie gellend als ihr gletscher plötzlich zu leben begann. jetzt endlich bin ich wirklich daheim ich erkenne alles wieder. otto ist ein mann der noch in der entwicklung ist und trotzdem für sich einstehen muss. luci wächst auch noch eiskalt durch alle rettungsringe. ihr geruch schmeisst alles um das in ihre nähe kommt. otto postiert sich genau darunter und lässt den schein der lampe durch lucis scheide wandern. es geht weit nach oben. vielleicht sogar bis hinauf zur spitze des kopfes.

unter triumf wird luci eisberg vorbeigefahren. ihre

hunde halten einsame wache und von den fichten stäubt
der pulverschnee. kichernd putzt sich helmut die weisse
pracht aus hemd hose und fäustlingen. die unerträglich
rosa färbung des abendhimmels färbt schon auf luci ab
ihr geschmack ist voll fruchtig köstlich erfrischend.

denn das licht von unten versperrt otto selbst mit seinem
körper. cowboy was hast du mir für ein zeug gespritzt ich
werde nicht high. ich fühle überhaupt nichts.

COWBOY WAS HAST DU MIR FÜR EIN ZEUG GE
SPRITZT ICH WERDE NICHT HIGH! ICH FÜHLE ÜBER
HAUPT NICHTS!

8. kapitel im küssen herabsinken

im küssen herabsinken in eine zirkuskuppel oder ein
karussell über den mullbausch die biblische jenny im ge
päck schwarzen pagenkopf sechserlocken ondulation
stirnbänder in störfett getränkt augenschalen voll haft
barkeit die wimpernränder getuscht cherrymouth eine
bewegliche schlinge leuchtenden topfens weissglätte sie
die filzfigur ihm ihr fiebriges pfröpfchen bietend im plu
dern durch eigentlich windkanäle von hinten herauf
schlingung leuchtenden topfens in barrenstellung frank
zappa das tanzbein geschwungen tango frisch den giess
bach das luftröhrengeräusch des komödianten beim salto
leichtsinn ertappt kirschengarnierung auf exotenstroh
hinterrücks einschleichung der saugpfropfen aus purzel
baum & lipstick eine rastende trikotschwindlerin eine tri
badin aus uraltem port saidschen honig eine meissner
safrangrube eine schwerböhmische stutenblüte ein putz
aus unschlitt und ribiselsaft in einem gelblichen porzellan
lavoir. (lavoir). ein echt wiener kadaver. schön.
mit einem blick taxiert otto den artisten. er sieht sofort
dass der mann kein problem für ihn ist.
der lift senkt sich abwärts und zerschellt.

9. kapitel die achte etage (die achte etage)

die achte etage schien dem hotelbesitzer teilweise als wohnung zu dienen dazu war ein gebäudeflügel abgeteilt und mit einem schild privat (privat) versehen. dort oben brannte kein licht. der mann in schwarz hatte auch keine grosse sorge dass überhaupt jemand licht machen würde denn er war jetzt fest davon überzeugt zumindest in die unterzentrale einer spionageorganisation geraten zu sein. selbst wenn seine aufmerksamkeit unglücklicherweise einem der ständigen hausbewohner aufgefallen wäre hätte man vermutlich versucht den einbrecher unauffällig zu beseitigen und dabei kein licht gemacht. der maskierte hatte gerade die holztreppe verlassen als im korridor das licht einer taschenlampe aufblitzte rasch griff er an die genau in seinem rücken befindliche türklinke mit einem leisen fast unhörbaren knarren ging sie auf. alle lachten nur elisabeth blieb ernst. das getrampel vieler genagelter stiefel donnerte über die holzstiege irgendwo ging eine tür auf und man hörte einen aufschrei der jäh in trost loses wimmern überging. helmuts reitstiefel trifft den kinderkopf mit allergrösster präzision leise quetscht er zwischen den lippen hervor: sie bilden sich doch nicht ernsthaft ein wir liessen uns bei unsrem verzweiflungs kampf gegen die gelbe gefahr vor den karren irgend welcher revolutionäre (revolutionäre) spannen. die dank unserer transmitterabsicherung in der nachbargalaxis in sicherheit sind. die porzellanvase mit dem aufgemalten veilchenkranz liegt in scherben vor dem marmorkamin dessen glut am erlöschen ist eine schwarzwälder uhr tickt leise und verspielt. das hat der böse helmut gemacht das kardätschen der einrichtung. wieder und wieder wan dert sein schwanz über die wein und efeuumsponnene wand und pisst in die feuerroten pelargonien mit etwas weniger hoffnungslosen augen. er erschrickt. ach gott daran hat er in seiner ersten freude nicht gedacht. es liegt wieder einmal etwas in der luft.

lautlos hält der schimmernde cadillac vor dem eingang.
in dem polierten metall spiegelt sich das gesicht des
wundermenschen sein zerzauster schössling sein wirres
haar.

elisabeths gutes friedvolles gesicht und die frische mor
genluft beruhigen helmuts nerven augenblicklich und füh
ren ihn sacht in die wirklichkeit zurück. es herrscht eine
schwüle ungesunde atmosfäre wie es eben im ausland
zu sein pflegt. die beiden halbverwesten leichen von de
nen man kaum mehr sagen kann ob kind ob mann ob
ausländer erregen kaum seine ungeteilte aufmerksam
keit. die bettstatt. hat king kong hier endlich seine bleibe
auf dieser unruhigen welt gefunden? solche zwangsmass
nahmen sind ein sehr übles mittel. aber plötzlich bricht in
dieses gefühl der resignation hinein der gedanke king
kongs: mein sohn ein verbrecher. ja bin ich nicht auch
schuldig geworden? ich habe mich zu wenig um ihn ge
kümmert. als er es zu bunt trieb habe ich ihm das taschen
geld gekürzt. das war alles. lauter fragen auf die der
fledermausmensch keine antwort weiss die jedoch tief in
ihm wühlen bohren und brennen. rechts neben der echten
perserbrücke steht ein schweres silbernes tablett mit ver
schimmelten stinkenden speiseresten kaviar hummer à
l'americaine weissbrot käse ein stück ranzige butter in
elisabeths butterdose zwischen den schenkeln. das glas
ist von fingerabdrücken förmlich übersät. der wunder
mensch fühlt wie seine handflächen feucht werden auch
auf der von einer schwarzen kapuze bedeckten kopfhaut
breitet sich ein sonderbares kribbeln aus. er fühlt einen
langen dumpfen schmerz im herzen als ihm mit furcht
barer klarheit bewusst wird: ich habe als vater versagt.
ich habe zwei kinder gezeugt aber sie nicht erzogen.
väterliche strenge robin hätte sie nie nötig gehabt denn
sein karakter ist fest und stark. aber hans mein sohn
hans. mit seinem baumelhans. da ist nicht king kong da
ist die weisse frau am werke.

die klingelschnur ist abgerissen & baumelt haltlos ihre

wangen glühen vor beschämung. das weisse telefon mit der goldenen wählscheibe gibt keinen laut von sich. eine weisse riesenhand wirft die autotür mit aller riesenkraft ins schloss ein zarter kleiner körper wird dabei in zwei zarte kleine hälften geschnitten von denen eine in die lederpolster sinkt und die zweite in den rinnstein. king kongs oberlippe ist mit schweiss bedeckt sein volles schlaffes kinn zittert. wir müssen amputieren flüstert er wir müssen den kopf amputieren.

in das lange schweigen das keiner zu durchbrechen wagt springt elisabeth mit einem einzigen gigantensatz auf er wacht aus ihrer erstarrung und eilt zur tür hinaus. sosehr er auch will das bild der vollschlanken neunzehnjährigen im eleganten pepitakostüm wie er sie zuletzt gesehen hat in glücklicheren tagen hat sich ihm unauslöschlich einge prägt.

der halbblinde spiegel wirft dem fledermausmenschen das bild eines mannes in mittleren jahren im mittelgrauen anzug mit mittelscheitel mit mittelnase & mittelschwen gel kurz eines durchschnittsmenschen mit gutem ver dienst zurück. die aasfliegen grünlich schillernd & sum mend beginnen unerträglich zu werden. der verbrecher jäger wischt sich ohne es zu merken über die feuchte stirn. draussen klappert das zimmermädchen mit dem geschirr. die ersten gäste regen sich autotüren klappern. der alltag beginnt. der maskierte hat nicht mehr viel zeit. die ausbeute war für diese nacht mehr als kläglich. die goldene herrenarmbanduhr kann die mordwaffe sein aber auch nicht.

der fledermausmensch hat offensichtlich keine ahnung mit welcher schlauheit hinterlist tücke ja kühnheit seine gegner zu werke zu gehen pflegen.

der maskierte will nach seinem meisterstück möglichst rasch entwischen. nach etwa zwei minuten richtet er sich jäh auf und wendet sich king kong zu. sein gesicht hat all seine rosigkeit verloren. er räuspert sich wischt sich mit der linken über das schüttere blonde haar das in po

madigen strähnen zurechtgekämmt die blösse des kah
len schädels zu verdecken sucht. er versucht die leute zu
warnen dass er es ist.

eben taucht rechts ganz rechts dunja wieder im bild auf
die alte russische exilgräfin. der maskierte fledermaus
mensch sieht sie scheel an wie sie auf dem hotelbett
kniet von wütenden messerhieben eines fanatikers eines
politischen fanatikers aufgeschlitzt wie der kenner sofort
feststellt. sie scheint selbst noch nichts gemerkt zu haben
denn sie stopft wie wir sehen eilig sommergarderobe in
den schrankkoffer. wir werden sie später wenn die erzäh
lung an diesem punkt wieder aufgenommen wird an bord
wiedertreffen.

king kong schiebt den zerteilten proletenjungen der von
der autotür getroffen wurde stück für stück in den flur.
er ergreift endlich den freien linken arm. zusammen führen
die beiden männer den jungen in die ordination. er geht
zum kopf hinüber der teilnahmslos auf der ledercouch
sitzt. tränen rinnen dem jungen aus geschlossenen augen
unter der brille hervor über die wangen. er hat so gern
studieren wollen wie die andren auch jetzt ist es vermut
lich aus damit. wie ein hochstapler sieht der bub nicht aus
entscheidet auch der doktor.

der fledermäusler in dunkelblauer hausjacke aus samt
streift einen weissen kittel über tritt an das handbassin
in der ecke wäscht sich geräuschvoll und ausgiebig die
hände trocknet sie an einem papiertuch ab das er in einen
weissemaillierten abfalleimer fallen läßt.

aber die augen machen einen ganz besonders ehrlichen
eindruck. der kleine weint noch immer nach seinen ver
wandten und seinen schönen büchern. der tote affen
mensch liegt zu füssen des besudelten lagers. abdrücke
riesiger füsse krallenbewehrter klauen finden sich über
all. der erbauer dieses spätklassizistischen hauses hatte
eine schöne (schöne) frau die plötzlich wahnsinnig wurde.
aber er liebte sie abgöttisch und er wollte sie deshalb
nicht in eine anstalt bringen. daher traf er vorkehrungs

maßnahmen dass sie in ihrem haus sicher verwahrt wurde. starb sie hier fragt elisabeth ein lüsternes lächeln glitt über ihre lippen ein hektischer glanz trat in ihre augen ihr gesicht war mehr denn je von grausamer schönheit. armer king kong tier der wildnis so jung und begabt und alles. ja sie starb hier. sie zwängte sich durch die einzige unvergitterte dachluke. erschüttert drehte der maskierte verbrecherjäger dem schauplatz des letzten aktes einer menschlichen tragödie den breiten rücken zu und zündete sich eine camel an. dieser kräftige racker!

endlich hat sich herausgestellt dass die prominente tv schwester (christ in der zeit) irmgardis strauss unschuldig ist. es stellte sich heraus dass alles nicht wahr ist was man über sie gemunkelt hatte. aber gewirkt hat es trotzdem. wir werden sie auf unsren heimischen tv schirmen nicht mehr wiedersehen. gutes können zeitungen selten bewirken aber übles bewirken sie doch wie man sieht. und zu diesen kessen burschen aus der boulevardpresse denen nichts heilig ist sollte man dann womöglich noch herr kollege sagen. ich tue es nicht!

10. kapitel das soll kein

das soll kein ernstes werk sein wie so viele sondern mehr beschwingten karakters. eine leichte fröhliche reiselektüre für unbeschwerte ferien fürs sommerliche urlaubs gepäck. ein büchlein das sie auch während der sogenannten hundstage wenn sie gemütlich in einem liegestuhl am badestrand oder auf einer wiese in einem wald sitzen gerne zur hand nehmen werden das sie gewiss nicht belasten wird mit hoher politik grausamkeiten in der welt oder im inland oder mit schweren problemen. ein buch das endlich nicht anstrengt sondern entspannt und unterhält. ausserdem enthält es viele nützliche informationen und tips wie sie ihr leben einfallsreicher gestalten können. schön. (schön)!

11. kapitel aber otto konnte auch anders sein

aber otto konnte auch anders sein. ehe man ihn noch provo oder gammler ohne zukunft schimpfen konnte war er schon blitzschnell abgezogen seine spielkameraden herbeizuholen die dunkelsten existenzen der jugend wiens kleine angestellte die er durch schmutzige erpres sungen hörig machte unbefriedigte beamte kiffer säufer lehrlinge homos abschaum straßenbahner postler kellner alle ohne stellung im leben ohne elternhaus ohne was rechtes zu sein die für ein gutes wort alles aber auch alles tun. als hauptquartier diente eine idüllisch gelegene bedürfnisanstalt im zentrum unter dem ringstrassen niveau die über einen betonierten zubringer mit den schwersten lastern befahren werden konnte diesen weg nahm das diebsgut aus den selbstbedienungsläden und mariahilfer kaufhäusern die gestohlenen umzuspritzen den autos von dort fuhren die handgezogenen wagen mit obst gemüse burenwurst senf gebäck bier und soda cola süssigkeiten. hier wächst der fötus in mancher jungen hoffnungsvollen friseurin um das licht einer kalten feind lichen umwelt zu erblicken. bald gehen hier die geknick ten jungen menschenblüten zugrunde. von hier unten sind so manche dinge grösser als der mond oben. hier unten spricht ottos mama die denkwürdigen sätze: aber kinder schämt ihr euch denn gar nicht ihr grossen men schen euch wie die kinder zu betragen! was sollen deine freunde nur davon denken wenn sie hier das wüste durcheinander sehen. und meine ersparnisse hast du auch wieder gestohlen. vorwurfsvoll blickt die mama auf den wenig einladenden ort. da legt otto der mutterficker die letzten schritte beinah im laufen zurück. viele dinge sind nicht. hier geschehen auch sonst noch viele uner hörte schweinereien in der nähe historischer bauwerke und deren tradition.
daraus folgert
20 jahre in den fiebergebieten indiens verbringen billiges

rohopium konditern sich in wien weiter ruinieren mit preisvögeln in dem aus mehreren kabinen gebauten klei nen kaffee in hernals für fremde billige stimmungsmusik aus dem darm hervorbringen turisten fesseln und in den nahegelegenen osten verschleppen. aber was das schön ste ist auf jedem penis ein fesches resches schwarzes mädel herumschleppen oder auch im wasser einfach ste henlassen den schalk im nacken. hoffen wir dass wir erst gar nicht in die situation kommen auf ein deutsches uboot schiessen zu müssen!

die junge dame war das sei gleich verraten unser otto.

so tun als hätte man bauchweh und einen hilfreichen polizisten mit der eigenen dienstpistole kaltblütig er schiessen. seine flehend geöffneten augen mit toilette papier putzen und dann wieder die hosentür schliessen. hoffen wir dass wir erst gar nicht in die situation kommen einen amerikaner in der ecke unsres badezimmers zu erschiessen. dies ist eine rohe auswahl von ottos karita tiver tätigkeit im dienst seines nächsten. es folgen prak tische erläuterungen.

privatgelehrter berühmter biologe und leukämieforscher kleiner schmutzfink mit vorliebe für inzersdorfer streich wurst. ein mann mitte 40 im besten alter seit 20 jahren im fiebergebiet indiens fern von seiner frau otto die ihn betrügt. er will nach deutschland zurück. er hat immer noch das krächzen der knochensäge in den ohren. aber die wolken verhindern dass ein flugzeug im weltvergesse nen chandara tal landen kann. dies ist die erste menschl. tragödie in diesem jugendbuch. das ist auch der grund warum er nicht mehr vorkommt in diesem buch vergessen sie ihn er ist selbst schuld dran.

als otto die spülung zögernd betätigte floss das entsetz lich stinkende wasser nach oben statt in den kanal hin ein. er und seine gegenwärtige freundin eine sprach studentin wurden ganz nass. er muss in der heutigen zeit vorsichtig sein einen fremden ins haus zu nehmen. man unterzieht daher wenn otto in der küche glas und silber

32

abtrocknet seinen rucksack einer eingehenden prüfung. dabei kommen allerdings merkwürdige dinge zum vor schein. dabei erlebt man die überraschung seines an überraschungen nicht armen lebens.

otto ist das jüngere ebenbild seines vaters. nur etwas unterscheidet ihn von ihm: der faschisten bart die tannen nadeln im haar der allzu glatt polierte schrammstock. nur kleinigkeiten aber sie fallen auf. überlegen und doch un sicher so paradox dies scheint.

ottos und seiner freunde schwänze waren von jeher mit einem spitzen angelhaken versehen steif wie kleine ge wehrläufe ragten sie oben über die begrenzungsmauer. griff ein ortsunkundiger fetter nazi aus neugier danach so schleuderte ihn ein hüftstoss des besitzers über die brüstung hinein zu den schrappen die ihn beraubten und mit einigen löchern im mastdarm fliehen liessen. das kind das man der frau machte kam über und über mit schuppen bedeckt auf die welt und fiel seinen eltern nur unproduktiv zur last der hascher.

im gekachelten pissoir vorraum werden tische und bänke emsig herbeigeschleppt von den heinzelmännern ottos und für die friedlichen amerikanischen gäste der stadt in völkerverbindender mission eine jause gerichtet. ottos hauptanliegen ist von jeher der fremdenverkehr gewesen auch wenn er eine etwas andre auffassung davon hat als gemeinhin angenommen wird. das schönste gefurze macht ihm keinen spass spielen nicht zitter hackbrett klampfe maurerklavier dazu. kreischend schwimmen die us bürger in der siedendheissen suppe dahin keiner ist dabei ein held. bald wissen die lieben eltern im fernen land die sich mit recht grosse sorge um den verbleib ihrer nesthäkchen in vietnam gemacht haben dass diese sich wohlbehalten in wien bei ehemaligen gefährten aus fröh lichen studentenzeiten befinden. und dort krebsrot als nacktschreier in der suppe plantschen. der wehrdienst pflegt sich immer von selbst zu zersetzen aber da otto nun da ist kann er das auch selbst besorgen. er trennt die spreu vom weizen. sogar die kirchen stinken nach all den geburtstagsfeiern.

der gemeindebau löst sich einfach von seiner fensterfront los und bröckelt zusammen. wir sind zu tode erschrokken. nur gut dass mein mann bei der wohnzimmerwand schläft da hat er nichts bemerkt aber gleich schreit das ganze haus. da keine familie mehr beisammenliegt sondern nur mehr fernsieht mustert otto seinen ausfahrer mit ganz neuen augen.

otto hat einen starken bartwuchs wie viele schwarzhaarige und sein gesicht ist bereits wieder mit schwarzem flaum bedeckt. er ertappt sich bei einem schmunzeln vor dem spiegel.

die unsittliche attackierung von frauen und mädchen dieser stadt ist immer der hauptspass dabei für otto der die eleganz des papstes in rom mit der geschmeidigkeit eines gescheiten ali baba des freistilringers verbindet. sein einmaliger stoss tötet sofort. das macht die sache erst reizvoll und schick.

die hausfrau wird unerbittlich sosehr sie auch winselt vom mann und den kindern zuhause und vom büro und dem essen auf dem herd in den schraubstock von ottos beinen benommen geknackt und entmarkt. der stoss reisst sie von den füssen. wie vom blitz getroffen sinkt das bündel mensch lautlos in sich zusammen. aus ist es mit dem kindergebären. so schnell geht das manchmal.

das jungarbeitersümbol eine lebendige ausrede vor dem teseustempel soll aus ottos beute einige neue hemden krawatten sakkos schuhe socken einen hut mit gamsbart und einen wanderstock erhalten. keine frau wird ihm widerstehen können meint otto unruhig mit einem blick auf sein vis a vis. vor dem bahnhofsbüffet findet man endlich den 35 jährigen revierinspektor helmut k. einen wachbeamten den man schon seit beginn dieses kapitels sucht und der trotz seiner jungen jahre als äusserst fähig und pflichtgetreu und beförderungswürdig und was weiss ich sonst alles beschrieben wird in einer blutlache tot auf. er wurde getötet durch: schüsse in die stirn die schlä fen in den unterleib in die gliedmassen in den mund die brust die nieren. ausserdem durch tritte stiche und bisse. er bietet ein grausames bild seine hände sind mit kot beschmiert die armen weissen hände helmuts an denen noch schneekristalle hängen. die armen roten lippen hel muts an denen blutstropfen wippen die armen blonden locken mit denen kein wind mehr spielt der arme kleine helmut schwanz der irgendwo in den fichten hängt. die armen füsse helmuts die noch immer auf einer rodel zutal sausen und nicht wissen dass der helmutbub nicht mehr ist.

die erbitterten polizeikollegen des ermordeten inspektors vermuten den täter in homosexuellenkreisen. die suche nach dem unerhört brutalen mörder dem die lynchjustiz angedroht wird geht unter stärkster bewachung auf vol len turen weiter. oh der schreckliche schmerz in helmuts weissen polizistenkörper unter dem weissen leintuch.

otto ist nicht tot. otto ist nur untergetaucht um sich dem zugriff der polizei zu entziehen. jetzt kommt er wieder um die herrschaft über die welt zu erobern. in seinen händen hält er die mittel zur macht. aber hätte er anders handeln können? in jedem von uns ist ein stück otto wo kinder lachen und scherzen wo frau und mann glücklich zusam- menliegen und pflichten wo eine frohe mutter unter schmerzen noch lächelt wo eine greisin sich mit einem greis an der frühlingssonne freut überall ist otto zu haus in stadt und land. armes burgenland.

12. kapitel keuchend rang otto

keuchend rang otto nach atem und gleichzeitig spürte er nach der eiskalten furcht die ihn vorher beseelt hatte eine welle der wärme in sich aufsteigen des stolzes. er war in letzter minute der falle entkommen und der hang breitete sich rettend vor ihm aus. auf ihm standen der grösse nach geordnet einige häuschen ländlichen aborten ähnlich mit herzen in den türen aus den schindeldächern qualmte rauch und little john little paul little george little ringo streckten ihre fröhlichen gesichter zum fenster hinaus. ladymadonna. über ihnen schwebten farbige ballons die tuckerten wie tommy guns und spien ladungen blei auf die vorübergehenden dass sie wie von der sense des schnitters getroffen umsanken. john sprang auf die blumenbesteckte brüstung und sagte jetzt habe ich nur noch euch & mein lebenswerk. über den himmel ziehen die scharen der widersacher eine bronzene schar von raudis. dem feindlich uniformierten bürgermeister machte little paul inzwischen eine doppelreihe kirschroter knöpfe auf seinen sergeantenrock so dass der sein jesuherz krampfhaft an sich pressend in das unglaublich green grass stürzte. eine hölzerne nackte frau stakte stereotüp vom brunnen zum krug und vom krug zum brunnen der guerillakrieg machte ihr arg zu schaffen klack klack see how they run! otto der führer der befreundeten rotröcke ging auf tuch fühlung als der winter dann endlich kommt bedeckt hoher schnee den autofriedhof und seine bewohner die sieger jedoch sitzen im türkensitz auf ihren dächern rauchen ihre joints und geniessen die nacht der langen messer. so ist auch diese stätte der erinnerung dahin sinniert otto. über den himmel marschieren die kommenden freun de eine bronzene harte schar von raudis.

13. kapitel der luxusdampfer esperanza
(2. folge)

der luxusdampfer esperanza zieht ruhig über den atlantik auf dem langen weg von europa nach brasilien. die pas sagiere sind fröhlich & sorglos. die schiffsbesatzung tut in gewohnter rutine ihre arbeit. von den passagieren un bemerkt übernimmt der abenteuerliche spanier manuel cortez maria y mendoza der geniale arzt forscher und rennfahrer teufel und idol das kommando über das schiff. der anschlag misslingt sofort auf dem b deck bricht feuer aus. wird sich manuel in die flammen stürzen um dunja zu retten oder hat endlich das herz über den eiskalt kal kulierenden verstand gesiegt? ein installateur der von den luxuspassagieren zärtlich nur otto gerufen wird re pariert in fieberhafter eile alle schadhaften abflüsse schraubt badewannenhähne aus der halterung zerschlägt klomuscheln mit der zange schneidet kacheln füllt bidets mit hundescheisse verbiegt duschevorrichtungen. er ist ein erbitterter klassenkämpfer unter der maske des aller weltskerls gutmütigen arbeiters und biedermanns. maria und andre ehrenholdinnen greift er aus dem dunkel der haupthahnkammer kräftig an die brust oder dorthin wo gerade sonst platz ist.

in manchen der privatbäder steht den leuten das wasser mit ottos pisse angereichert bis zum hals darin schwim men zigarettenstummel speisereste kotze etc. der druck in den heizkesseln in den maschinenräumen sinkt rapid. sabotage. alarm. wo sind die dichtungen die schrauben schlüssel die schwimmwesten. schöne vornehme frauen raffen kreischend ihre kleider und laufen in irgendeine richtung davon. otto erzählt da war auch eine grosse feuersbrunst viele häuser selbst die kirchen und sünago gen mit allem was darin war sind bis auf den grund nie dergebrannt. meine geburtsurkunde natürlich mit. otto war ein lediges kind ohne spielkameraden. seid froh dass ich nicht das schiff ansäge. so sprach otto der installa teur. wann genau erreichen wir die küste des freien süd amerika? da verging auch den beherztesten das lachen. der vater ein aus russland in die russische zone heimge kehrter plenni die mutter eine ostpreussische bäuerin mit dickem hintern wie sie aus vielen echten heimat romanen ein begriff geworden ist die treue tapfere frau. es nieselte. wachswetter sagen die bei uns zuhause. das mädchen hiess dunja und war kräftiger entwickelt als andre in ihrem alter. schon wieder eine dunja. diese menschen machen unglaubliche entbehrungen durch ver lieren aber nie ihren erdgebundenen humor. was soll man von derlei machenschaften intrigen ränkespielen schon halten? otto unterdrückt die aufsteigenden tränen & verschmiert die heisswasserzuleitung anschliessend mit grammelschmalz das sofort schmilzt wie schon der name sagt und den boden glitschig macht. er fasst daher das zuleitungs hauptrohr lässt sich von dort hinunter gleitet und hangelt sich in schwindelnder höhe zu num mer 1764 hinüber. keine blumen in der verängstigten luft. als er drüben angekommen war kam das schwierigste. während der letzten stunden war es noch wärmer gewor den. schnee & eis tauten ab er durfte das dach also nicht betreten solange er noch die hochspannungsleitung be- rührte. infolgedessen blieb ihm nichts andres übrig als vorher loszulassen. er stürzte zwar nur einen halben me ter tief rutschte aber aus und fand nirgends einen halt. (einen halt). die wasserschifahrer bildeten in der blauen bucht von maracaibo ein lärmendes buntes fröhliches völkchen. die gischt spritzte unter eleganten kurven braungebrannte mädchen in knappen bikinis lächelten strahlend in die kameras. unbemerkt von den meisten ging ben chander an bord des ölfrachters. er ist eine neue figur. in seinem gepäck befand sich nichts als eine deut sche mauser pistole. er ist der osterhase bei einem auf trag mit decknamen. der white giant blickte den sterben den tauben otto den vogel am dachfirst an kein muskel zuckte in seinem männlich hartgeschnittenen gesicht

dann streckte er wortlos seine riesenhand aus dem men
schenkind zu hilfe alle milde der welt scheint sich in
seiner miene gesammelt zu haben. er sagt nur ein wort
komm. erleichtert aufschluchzend liess otto dieser trotz
kopf sich fallen. unternehmen werwolf. das losungswort.
endlich. schweigend drückte er ben die hand und musterte
die agentin mit schulterhalfter an dessen seite. das was
ser. ist abgesperrt. das deck. ist präpariert. der fluchtweg.
ist abgeschnitten. die ordnung. ist wiederhergestellt. die
ruhe. ist geschaffen worden. amerika. ist faschistisch.
russland. ist revisionistisch. mao. ist unsre zukunft. ho.
ist unsre zukunft. der erlöser. ist donald duck. neger. sind
potent. chinesen. sind alle schauspieler.
du lieber gott zeig mir einen weg zeig mir irgendeinen
weg damit ich dieses kleine wesen hier beschützen kann
sagte otto. sie waren doch fachmann für sprengstoffe im
widerstand sagte ben. ja. dann gehen sie ins depot und
lassen sich das material geben. so zart so klein und
in eine welt hineingeboren die niemals niemals gut zu
ihm sein konnte. du lieber gott zeig mir einen weg einen
weg damit ich dieses kleine wesen hier beschützen kann
sagte otto.
meine mutter war etwas ängstlich sagte otto.
nicht alltäglich sind an der geschichte nur die personen
und die äusseren umstände. rauschgift und lebensüber
druss sind alltäglich. und die leute lesen diese sachen
gerne in der zeitung.

14. kapitel verdächtigen sie ihn nicht gleich

verdächtigen sie ihn bitte nicht voreilig für sein aussehen
kann er nichts die beobachtungen die sie erwähnen sind
kein beweis und kaum ein hinweis es gibt nun mal män
ner die irgendwie weiblich wirken das rührt daher dass
in ihrem blut etwas mehr weibl. hormone kreisen als es
durchschnittlich der fall ist mit einer verkehrten veranla

gung hat das nichts zu tun er würde sich wenn es bei ihm so wäre schon bald verraten zum beispiel würde er einen ganz bestimmten tüp sehr bevorzugt & liebevoll behandeln in diesem fall den männlich herben und betont harten tüp der gegensatz würde ihn anziehen. in diesem fall müssten sie ihn natürlich sofort entlassen! braucht man einen nerv um die gebrauchsfähigkeit der hand wieder herzustellen dann kann man diesen wadenbeinnerv als ersatz für den verlorengegangenen armnerv benutzen man muss allerdings in kauf nehmen dass die fussspitze nach dem eingriff beim gehen nicht mehr gehoben werden kann dieser fehler lässt sich aber durch moderne ortopädische schuhe mit einer stahlfeder wieder ausgleichen. meine frau macht mir auch vorwürfe weil ich so gern und so viel bastle aber was soll ich in meiner freizeit denn sonst tun? ich habe im keller wo ich niemanden störe einen hobbyraum dort kann ich sägen und feilen und kleben und das macht mir eben spass. immer vor dem fernseher sitzen das ist doch witzlos. ich baue sogar möbel. vorige woche war es eine birkenbank für den garten übrigens sehr hübsch jetzt mache ich eine blumenbank.

otto bejahte mit missvergnügtem gesicht. (otto konnte gerade noch zur seite springen da traf ihn auch schon das brett mit voller wucht und die welt versank in wirrem taumel für stunden für minuten. wer weiss.)

15. kapitel wenn wir den vater umbringen

wenn wir den vater umbringen wird für uns alles wieder
einfach soll maria eines nachts zu o. gesagt haben. sie
stiehlt ein flaubert gewehr vom grossvater und bringt es
ihrem geliebten. o. schiesst damit ein paar tage lang auf
vögel er verschiesst die ganze munition die maria ge
bracht hat bis auf eine patrone. die bewahrt er auf. im
gleichen augenblick dröhnt der schuss. er hat sich beim
laden gelöst. als vater hört dass o. nachher noch kanin
chen jagen will bietet er ihm 30 schuss munition an die
er noch zu hause hat munition die für seinen eigenen tod
gedacht ist.
zu welchen träumen wird das alles hinführen dieses hau
sen in selbstgegrabenen erdhöhlen immer auf der flucht
vor kindern die comics zigaretten bierflaschen zünder
stehlen ihnen buchstäblich das letzte nehmen diese ban
kerte aus behüteten häusern. dieses argwöhnische tier
ähnliche lauern im miefenden kleiderkasten des vaters
hinter verrotteten unterhosen armeejacken stiefeln kno
belbechern lodenmänteln begraben in lederhosen wad
stutzen socken unterleibchen schnürriemen. betrachtet o.
einmal intensiv marias votze so erstickt er auch schon im
bodenlosen haufen von modernden anzügen hemden vor
kriegsschlipsen arbeiterkappen. das wird zu keinen gu
ten träumen von fettem wild und delikatess tüten im
schnee führen.
verfaulte unterhosen armeejacken stiefel knobelbecher
lodenmäntel lederhosen wadstutzen socken unterleib
chen schnürriemen anzüge hemden vorkriegsschlipse
arbeiterkappen treiben sie schliesslich unters klavier mit
der perlfransendecke aus mutters zeit hinter das gute
brokatsofa über 2 bauernsessel neben das massiveiche
ne ehebett mit einlegearbeit in das nachtkastel wo das
dazuduftet was vaterl unter sich lässt. seinen weg säu
men nämlich zigaretten stummel spucke biergläser pan
toffeln brillen gebisse hämorrhoiden zäpfchen herztrop

fen scheisse pisse auswurf. durch all das müssen sie sich durcharbeiten denn sie sind jung. durch all das mussten sie sich durchkämpfen denn sie waren jung und sollten den hof einmal übernehmen. bald war die schmucke wirt schaft unter einer schicht dreck & den maden im dreck wie konserviert. wie in aspik eingefroren und nicht mehr aufgetaut wie helmuts fallschirm über dem polarmeer.

bald waren verfaulte unterhosen armeejacken stiefel kno belbecher lodenmäntel vorkriegsschlipse arbeiterkappen lederhosen wadstutzen socken unterleibchen schnürrie men anzüge hemden hirschgeweihe unter einer gestock ten samenschicht wie konserviert.

der alte wich nicht machte nicht platz reiste nicht ab übergab nicht setzte sich nicht zur ruhe räumte sich nicht weg räumte nicht das feld verkroch sich nicht rückte nicht kratzte nicht wetzte nicht ab macht nur spazierfahrten mit dem moped seinem ganzen stolz der abwechslung in seinem alter. ich kann das haus nicht zu lang allein las sen. er kommt nicht weit. o. hat das gewehr angelegt spielerisch zielt drückt ab. der schuss des gewaltigen schützen trifft den vater in die lendengegend er stürzt vom moped schreit um hilfe. in höchster panik stürzen o. und maria auf ihn zu. mit dem gewehrkolben schlagen sie so lange auf den wehrlosen ein bis er tot ist. den blutüberströmten körper schleppen die beiden dann in ein kornfeld wo er erst 9 tage später von spielenden kin dern gefunden wird.

turok versucht den felsblock in die schluchtöffnung zu zwängen doch der honker kommt näher. während turok noch versucht den felsblock in die schluchtöffnung zu wälzen bereitet sich der honker zum angriff vor. der hon ker geht ohne vorbereitung zum angriff über während turok noch verzweifelt versucht den riesigen felsbrocken in die schluchtöffnung zu wälzen das schreckliche gebrüll sagt turok der eben verzweifelt den schweren felsblock in die schluchtöffnung stemmen will dass der riesenhafte honker jetzt zum angriff übergeht. da turok noch damit beschäftigt ist den riesigen felsblock in die schluchtöff nung zu zerren merkt er nicht dass der honker jetzt sei nerseits zum angriff übergeht. der honker merkt dass turok durch den riesigen felsblock den er in die schlucht öffnung wälzen will abgelenkt ist und geht blitzschnell zum angriff über. der honker geht überraschend zum an griff über während turok noch verzweifelt versucht den riesigen felsblock in die schluchtöffnung zu zwängen. die verzweifelten bemühungen turoks den honker durch ei nen riesigen felsblock den er in die schluchtöffnung stem men will aufzuhalten scheitern der honker geht zum an griff über. turok der einen riesigen felsblock in die schluchtöffnung zwängen will wird dabei von einem hon ker angegriffen. ein honker greift turok der einen riesigen felsblock in die schluchtöffnung zerren will an.

16. kapitel das blendend weisse licht einer südlichen

das blendend weisse licht einer südlichen sonne bricht sich an den weissgekalkten mauern die der hitze wegen an der strassenfront keinerlei fenster aufweisen. unsre reisegruppe geht dem lachen geschrei und stimmenge wirr nach. lachen geschrei und stimmengewirr führen uns in die hauptstrasse wo ein grosses heiteres fest gefeiert wird wir sind alle wieder beisammen wir die freunde sind alle wieder beisammen. aber der giftige stachel der aus der schuhkappe schnellt verfehlt sein ziel nicht. an den schiessbuden drängen sich zwergenhafte zigeuner lachen geschrei und stimmengewirr erfüllen die luft wie ich schon sagte man balgt sich um türkische süssigkeiten und zuk kerwasser. das bierzelt die volksbelustigungen tragen viel zum lachen geschrei und stimmengewirr das die luft erfüllt bei. vor einer riesigen papptafel steht ein fotograf mit seinem schwarzverhüllten fotoapparat. auf die tafel sind figuren gemalt und zwar: ein komparse im schnee micky mouse der roy black schlagersänger die riesendame mit einer kobra eine quizassistentin ein goldener schuss als randfiguren. in der mitte das religiöse oberhaupt die ser sommerfrische der white giant ein glatzköpfiger mann in zuavenuniform ein dutzend langer mertürernägel in der kopfhaut als foto. die überlebensgrossen figuren haben ein loch für gesicht und geschlecht die männer die frauen 2 löcher für die brüste und je eines für gesicht und geschlecht. unter lachen geschrei und stimmengewirr dür fen sich die leute ausziehen und die tafel selbst auspro bieren indem sie sich dahinter aufstellen und die jeweili gen passenden körperteile beim jeweils passenden loch heraushängen. waren einer oder die andre zu klein so stiegen eben zwei aufeinander bei geteilten kosten. meist übernimmt ein guter freund die rolle des weniger belieb ten untermannes die unsren otto derweil so begeistert dass er freiwillig den halben ort auf seinen nackten hin

44

tern steigen lässt meist ist dann sein schwanz grösser als das gesicht darüber was anlass zu viel lachen geschrei und stimmengewirr bietet. am teuersten muss der white giant bezahlt werden nur die reichsten grossbauern kön nen sich das leisten. oft müssen 3 familienmitglieder für diese ungeheure ehre aufeinander herumtreten. aus pietätsgründen ist wenn fremdgläubige anwesend sind sein penisloch mit einem weissen schleier verhüllt. hel mut liegt vor dem gnadenbilde auf den knien. seine land sertracht weist flicken und löcher auf aber dass er nur wieder daheim ist! die sonne webt einen unsichtbaren strahlenkranz um sein haar. er achtet nicht der menschen um ihn her. kif.

unangefochten erreicht otto der die andren an der schau kelbude zurückgelassen hat auf dem umweg über 3 rückgebäude und einen hinterhof die mauer des hotel hofes um seine auftraggeber zu treffen und zu kassieren. in einem briefumschlag befinden sich die bilder die alle das gleiche zeigen das oberhaupt giant mit ottos treu herzigem gesicht und ottos unverkennbarem schwanz (da otto von riesengestalt ist passen ihm die löcher). an schliessend vögelt er 2 jungbäuerinnen die alle eine ein zige spanierin glutvoll darstellen die dritte das spanierin nenunterteil kann er aus diesem grunde nicht. nun war es aus jede hoffnung zerstört. kein erbe. wozu hatte er ge heiratet wenn er nicht einmal einen sohn mehr bekam?

er nahm einen kurzen anlauf sprang in die höhe bekam den ersten träger zu fassen und zog sich mit einem kräf tigen klimmzug hinauf. kurz vor der ersten stufe war in etwa 7 cm höhe ein hauchdünner schwarzer draht ausge spannt eine primitive aber wirkungsvolle sicherung. jeder andre als der fledermausmensch hätte ihn nicht bemerkt und im vorübergehen zerrissen. der maskierte stieg darüber hinweg & erklomm die treppe. in unregelmässi gen abständen waren 7 weitere drähte gespannt er fand sie rechtzeitig und vermied es sie zu berühren. wie ein ertrinkender taumelt der bewährte verbrecherjäger zum fenster und richtet die automatische mpi so dass er die statue im fadenkreuz sah die chinesische spionin die er von vielen fahndungssendungen im fernsehen vom bild schirm her kannte. nur sieht sie viel jünger aus als im tv. kif. bleich und übernächtig sitzt elisabeth auf dem trag gestell das von vier geschmückten weissen maultieren dahingetragen wird. er merkt wie sie ihm schritt für schritt mehr entgleitet die schöne zweisamkeit ist ausge löscht nie dagewesen er schlüpft in die riemen und war tet. murmelnd schleichen schwarzgekleidete alte weiber mit seidenen kopftüchern hinter der statue einher es folgen kleine mädchen mit weissen langen kleidern und offenen korkzieherlocken. elisabeth ist wie er erst jetzt bemerkt ganz in weissen zuckerguss eingebacken fleissi ge hände haben aus pastellfarbener windbäckerei blu menmuster als verzierung angebracht. der kandis kopf putz erreicht die stattliche höhe von mehreren metern dunkle schokolade stellt haare augen mund und scham dar. die maultiere erwehren sich der fliegen. cowboy das zeug heute war ganz gross.

cowboy gibt ihm indessen die nächste spritze. sehen sie völlig fehlerfrei fragt er. es ist noch ein dünner schleier vor meinen augen. das wird sich bis zum morgen gelegt haben. ich wünsche ihnen jedenfalls noch eine gute nacht ruhe. dem maskierten rinnt der salzige schweiss hinunter jetzt gleich muss der augenblick kommen seine finger verkrampfen sich die rechte mula zieht.

elisabeth zittert daher eine ungeheure puddingwolke ohne ein einziges wort gesagt zu haben verschwindet sie. der einsame mann am fenster weiss was seine pflicht ist aber er kann es nicht tun. ich kann das nicht tun sagt er. ich kann diese schweinerei nicht tun. sollen andre diese schweinerei für mich besorgen. keiner kann das von mir verlangen. meine eigene schwester! er starrt blicklos auf den zug der sich an der ecke umbiegt als ob er nie ge rade gewesen wäre sondern ganz dehnbar und flexibel. was ist in nüchternen worten geschehen? in nüchternen

46

worten ausgedrückt ist gar nichts geschehen. das ist es ja.

ein älterer gangster hielt in der linken hand seine taschen lampe und in der rechten eine kurze kette die zu hand schellen führte mit denen eine junge vielleicht zwanzig jährige frau gefesselt war. das gesicht des mädchens war verschwollen und blutunterlaufen man hatte sie offen bar misshandelt. auch ihre kleider waren teilweise zer rissen so dass die nackte haut durchschimmerte. 2 tage ohne wasser werden dich gefügig machen sagte der hüne in einem AMERIKANISCH. und dann haben wir auch noch andre mittel für verstockte sünderinnen bereit. es wäre ein leichtes gewesen für den maskierten verbrecher jäger o. mit seinem unvergleichlichen ziel die kette durchzuschiessen und das mädchen zu befreien. aber er war erledigt seine nerven waren verbraucht. die nacht in der kiste mit den afrikanischen termiten hatte ihm mehr zugesetzt als er wahrhaben wollte. ein schlechter gangsterjäger ist ein toter gangsterjäger. machtlos muss er zusehen wie elisabeth seine elisabeth davongeht einem greulichen schicksal entgegen. (einem unvorstell bar greulichen schicksal entgegen). was reden sie denn vor sich hin? fragt im nächsten moment eine sanfte und doch metallisch harte stimme. tschapperl antwortet otto nachsichtig dem heerzieher. wohin monsieur? quai itali enne. sie fuhren. hinter ihnen dröhnte eine explosion auf. was war das fragte der taxifahrer erschrocken. weiss nicht sagte der verbrecherjäger und lehnte sich mutlos in die polster zurück. was würde sein chief commander zu seinem fehlschlag sagen?

das loch in seinem bauch wird von einer vorbeitreibenden wolke schnell verdeckt. die wolke ist so groß wie das loch in seinem bauch. ein agent der sich beim anblick einer schaumrolle eines lebzelterzens sofort erbricht ist kein tauglicher agent das wusste o. nicht einmal cowboy konnte ihn darüber hinwegtrösten und der gab sich doch solche mühe mit schicken platten und allem.

er verbarg das gesicht im feuchten kissen und weinte
dass seine schultern zuckten weinte wie er seit den tagen
seiner lang vergangenen kindheit nicht mehr geweint
hatte.
KING KNOKKE KILLT KESSE KRABBEN!

17. kapitel noch besser

noch besser als bestrahlungen mit rotlicht helfen katzen
felle sie erzeugen auf den von ihnen bedeckten hautpar
tien eine trockene warmluftzone die durch den mechani
schen kitzelreiz der katzenhaare noch verstärkt wird.
in tanger und amstetten leben viele hübsche mädchen
diese und auch andre leute folgen mir wöchentlich zwei
mal in den wald. der dichter des waldes mitten im wald
der den natürlichen menschen gewissermassen reinigt.
auch für den törichten helmut gilt das.
vor seinen augen werden vergangenheit und zukunft
gegenwart unter seinen händen sind hunderte gesund
geworden. otto hat internationale berühmtheit erlangt.
fast ein jahr lang war er untergetaucht jetzt taucht er
wieder auf zooooooooom! und jetzt kennt sein teuflisches
genie keine grenzen keine skrupel mehr jetzt will er alles
herrschaft über die ganze welt.

18. kapitel ein dichter kreis

ein dichter kreis von zuschauern hatte sich bereits um jene stelle gebildet eine scheinbar undurchdringliche mauer von köpfen leibern und gliedern. die nacht zieht herauf schwarz und unheildrohend der himmel ist nachtblau der himmel ist wie eigelb mit milch vermischt der himmel ein schwarzes prachtstück der himmel ist lind und lau der himmel ist doch mehr rosa überhaucht sagen die meisten.

der weissgeschminkte kopf einer seiltänzerin erschien in den pupillen der umstehenden sie stieg mit ihrem be gleiter einem ernsten messerwerfer in cowboytracht über die mauer stellte sich in die hinterste reihe und sah zu. helmut schwingt knapp ab hängt seine gitarre um steigt über den dichten kreis der zuschauer gebildet aus köpfen leibern und gliedern hinweg stellt sich in die hinterste reihe und sieht zu. der hohe offizier hebt seinen fetten hintern vom sitzbrett läßt das verschmutzte papier ein fach liegen steigt kurzsichtig über die köpfe der zuschau er hinweg und sieht zu. batman reckt sich im vollgefühl seiner kraft nimmt robin huckepack steigt über die mauer der zuschauenden hinweg und sieht zu von der letzten reihe aus. der osterhase verbringt das ganze wochen ende in seinem sommerhaus am starnberger see. es ist noch diese einzige nacht mit ingeborg und sie ist ohne freude ohne glück. am nächsten tag bringt er das mäd chen zum bahnhof steigt über die menschenmauer aus leibern rümpfen gliedmassen stellt sich auf und sieht zu. der fledermausmensch schaltet die leselampe aus nimmt die brille ab legt das buch auf den nachttisch steigt über die mauer bleibt stehen und sieht zu.

superman liegt bauz da. er war über seine dicken bein chen gestolpert. er wurde von zwei väterlichen armen liebevoll emporgehoben. superman und die väterlichen arme steigen über die köpfe leiber und glieder der um stehenden hinweg stellen sich hinten an und schauen auch zu. sag deinem offizier schön guten tag liebling. der white giant hält das zierliche blondlockige ding sei nem vorgesetzten hin. wieder erfolgt eine lachsalve. der white giant der vorgesetzte und der nachgesetzte steigen über die menschenansammlung hinweg stellen sich an und schauen zu. ein erschossener soldat steigt gleich ohne viel umstände darüber und sieht zu. king kong stemmt die weisse frau über die dichte menschenmauer springt selbst nach und schaut zu. frank zappa sieht etwas und hört etwas er und das was er sieht und hört steigen über die lebende mauer stellen sich ruhig auf und sehen zu.

hans der mitarbeiter bringt sich mit einem sprung aus dem bereich der messerscharfen klauen und reisszähne. er schleudert sein gegenpolgewehr davon und reisst das vibratormesser aus der scheide. die beiden gegner pral len in der luft aufeinander lassen ihre herzen vor triumf schneller schlagen steigen über diese lebende mauer aus menschen nicht aus dingen hinweg stellen sich auf und schauen zu.

der fledermausmensch entsichert die waffe und gleitet beinahe geräuschlos hinter den starken stamm eines baumriesen. ein lächeln huscht über sein gesicht als er den gelbhäutigen untermenschen sieht der an einem herabhängenden zweig kauert und ihn beobachtet. er er ledigt ihn schnell im kampf mann gegen mann steigt über die mauer aus leibern rümpfen und gliedmassen wischt sich die blutigen hände in die schürze und schaut zu. luci nugget empfängt mr. nugget in ihrem rosa schlaf zimmer lässt ihn aber nicht an sich heran sondern stösst ihn über die mauer aus köpfen leibern und menschlichen gliedmassen hinweg befiehlt ihm zuzusehen. mit elasti schen schritten gehen die beatles zu ihren auf dem boden liegenden gewehren heben sie auf und begeben sich an schliessend auf beutezug. sie bockspringen heidi über die menschenwand stellen sich in reihe und glied auf und sehen zu.

nach einer halben stunde verlässt otto das atelier. beim
ersten blick in den spiegel erkennt er sich selbst nicht
wieder. er trägt einen schnauzer eine perücke die die
hälfte seines haares bedeckt und ihn um 20 jahre älter
macht. in dieser aufmachung steuert er über die men
schenansammlung hinweg stellt sich auf und sieht zu.

alle übrigen steigen über diese menschliche mauer aus
gliedmassen rümpfen und leibern hinweg und sehen auf
merksam zu.

sehen nur die schmerzgeplagten die kranken die vom
schicksal getroffenen zu fragt o.

keineswegs antwortet man ihm kurz alle sehen sie zu.

die salve dringt mit hämmerndem stakkato in die
lebende menschenmauer ein in köpfe leiber bäuche glied
massen und wirft sie aufs gesicht auf den rücken auf den
harten bretterboden hin. die machthaber haben gespro
chen glotzmünder und glotzaugen schliessen sich sofort.

da sieht auch o. von der hintersten reihe aus der deckung
zu einen solchen mann gibt es nur einmal.

o. diese heilige dreifaltigkeit hat den kopf ganz & gar
verloren. er schwirrt in der gegend umher und bricht der
niedergemähten menschenmauer die goldplomben aus
den erstarrten mündern. da waren sie gleich gut freund
miteinander.

19. kapitel lasch (lasch)

lasch sich eines gestreiften turntrikots entledigen ein handgriff darunter wie von zauberlaternen eingeblendet massicotgelb die eier lackiert zur kerze hochsteigen zur brücke mit dem obergeäst über rosigen korken der ko mödiantin aus sehne & levade hochstellung leisten. das hengstgesäss über saugköpfe der klingelfee aus gnesen von vorn wieder heu gabeln gelocktes wundholz wieder aufreissen die lockerungsübung vor aufgepeitschten rän gen wiederholen pudern vanillezucker pudding kurz dar auf abschiessen zusehen wie es kommt. ergibt eine rauhe stelle in jemandes herzen berühren eine machandel einen lattich einen holler vielleicht am reck sich ganz als ein böh misch sämiger vorwärmer erweisen vorn wieder heu ga beln gelocktes kotzholz damit schliessen auf den vorder beinen zwischenruhen die spalte erbreitern eine eintrü bung des gewölks begehen & als nachkind zur welt kom men schreiend in gestocktem stigma rotieren stolz auf die hübschen bunten trachten. einen joppenstich von hinten tun das alles nennt sich: handstand eines gauklers auf einer gauklerin inmitten einer tschechischen pergola.
die männer suchen gemeinsam nach überlebenden. aber keiner der sichelköpfe hat den absturz lebend überstan den.

20. kapitel der geniale arzt (folge)

der geniale arzt forscher und rennfahrer der abenteuer
liche spanier manuel cortez maria y mendoza der kühne
experimente an lebenden menschen unternommen und
in einem anfall von wut versucht hat die millionenstadt
amstetten bei nacht zu vernichten muss fliehen. doch er
schwört er der als anwärter auf den nobelpreis für medi
zin gegolten hat schwört ich komme wieder und das un
glaubliche geschieht er kommt tatsächlich wieder. die
esperanza willenlose sklavin seiner skrupellosen wün
sche läuft auf dem weg nach rio de janeiro lissabon an.
plötzlich durchzuckt es ihn siedendheiss ein mädchen
von traumhafter schönheit (schönheit) kommt an bord
ein mädchen mit den gleichen meergrünen augen wie
dunja sie besitzt. manuel ist elektrisiert wer ist sie. sie ist
maria 19 jahre alt krankenschwester deutsche verlobt mit
einem brasilianer sie reist allein. doktor mendoza dringt
in ihre kabine ein er sagt sie kennen mich aus ihren träu
men maria und wie unter dämonischem zwang erwidert
sie ja ich kenne dich.
helmut reisst der fliege auf seiner hand sorgfältig erst
die beine dann die flügel aus. er macht ein unglückliches
gesicht dass seine geburtstagsfeier so früh abgebrochen
wurde. der fliegentorso wälzt sich vor qual. helmut greift
bereits nach seinem hut. guten tag. die kabinen der lili
putanertruppe sind in form von bienenwaben gebaut
jeder abgegorene sechseckige zwerg erzielt wertvolle
geld und sachpreise. manuel setzt wie meistens sein köpf
chen durch. auch die eltern geben ihr einverständnis. er
will nicht töten er will sich aber auch nicht töten lassen.
schläfrig onaniert der schwächliche installateurlehrling
emmanuel gegen eine vom regen ganz dunkle wand an
der das wasser in dünnen rinnsalen herabläuft der rotz
sammelt sich dort wo die teerpappe ein stück weghängt.
er hat die schuhe seines erwachsenen bruders an und
eine bluse seiner schwester die vorn ganz durchgewetzt

ist. sein vater ist über sein alter wieder ganz zum kind ge
worden. seine ständige ausrede ist ich bin ein kriegskind
wir haben es schlechter unsre generation ist von anfang
an zum scheitern verurteilt. er liest viel. helmut wagt
nicht das mädel anzublicken verlegen nestelt er an den
stockschlaufen dreht sich vor freude wie ein kreisel. da
fliegt er trotz seiner 16 jahre dem vater giant aufs knie
und streichelt ihn dankbar. ein älterer gebrechlicher herr
mit einer nilpferdpeitsche sprach emmanuel von einem
wartburg aus an und fragte bub willst du arzt werden stu
dieren ja antwortete emmanuel der erlöser der in der
kristnacht zur welt gekommen war im schnee der tiroler
alpen genialer arzt und forscher dämon schicksal der
frauen.

schon drangen die geräusche des erwachenden schiffs
an seine ohren schweiss rann ihm den rücken lang ein
juckender ausschlag bedeckte ihn vollständig. maria
sticht wie jeden morgen in sein hautgekrätze emmanuel
ist schon fürchterlich zugerichtet. offenbar hat dieser
stich den anzug zerrissen und der ausströmende wasser
stoff mit dem luftsauerstoff vermischt war zu knallgas
geworden das seinerseits von der glut der zigarette
zur explosion gebracht worden war. manuel ist nun
nichts als ein lebendes loch mit flimmerhaaren. die gut
gekleideten tänzer stürzen infolge dieser optischen täu
schung lautlos in einen ekelerregenden krater der tief ins
leibesinnere manuels führt wo maria das ferne ungläu
bige träumerische lächeln eines menschen der in hüpno
tischem bann eines andren steht lächelt oberarme desinfi
ziert und die teufelsdroge lst spritzt die die kurgäste alle
willenlos macht und zu werkzeugen des satans in men
schengestalt.

ich habe den sechseckigen liliputaner geschaffen so wird
mir auch der ringförmige mensch gelingen nur auf diese
tur kann ich mich immerzu mit einem TRABANTEN um
geben flüstert manuel heiser in ekstase.

opapa der liebe gute white giant hat die verlegenheit in
54

die er durch helmuts unachtsamkeit gestürzt war schon wieder überwunden. er streicht seinem liebling über die übermütigen krausen blondhaare über die erhitzte stirn und händigt ihm eine grosse tüte granaten schrapnelle und flammenwerfer für seine gelben freunde ein.

ein neuer morgen zog über das schiff die sonne stieg gleich einem purpurnen ball aus dem ozean. er spürte wie heiss diese schmale hand wie heftig der puls unter der haut schlug er beugte sich über die hand drehte sie und küsste die zarte innenfläche.

helmuts umfangreiche waffentüte lockte auch die jungen uniformträger unter anführung des osterhasen aus ihrer reserve. im besten krachen schreien und wehklagen und flammenprasseln aber erklingt das händeklatschen vom white giant: flugschuhe ausfahren und auf zu neuen auf gaben zum weiteren kampf gegen das böse in der welt. im langsamen walzer wirbeln alle daraufhin davon.

du musst dich zusammennehmen befiehlt emmanuel sich du musst eiskalt bleiben wenn du die herrschaft über die welt erringen willst. im kabinengang rollen wie saturn ringe reifen namens dunja ingeborg robin king kong bat man und die vielen andren sowie otto der fledermaus mensch der sowieso schon genug sorgen mit seinem äusseren hat auf ihn zu. durch die männerringe springt er mit artistischer geschicklichkeit wie ein tiger der durch brennende reifen springt in die frauen aber bohrt er mit seinem schweif zielsicher ein tiefes loch durch das er eine schnur zieht um die unglücklichen in seiner kabine kühl & trocken aufzuheben. es müsste so sein als vögle man einen schwimmreifen denkt er immer wieder. das schiff ist damit praktisch in seiner hand.

ich habe es kommen sehen dass ihr grossschnauzen ver sucht die westliche welt zu überfahren. auch diese macht probe habe ich kommen sehen zischt helmut der plötzlich ein andrer zu sein scheint als sonst. nämlich ein ober führer. und er zaubert einen browning in seine finger. die mündung ist auf new york gerichtet.

da die liliputaner mit ihren 6 ecken und kanten langsamer rollen nach dem naturgesetz als die menschlichen skla ven so werden sie von diesen letzteren bald eingeholt zur verantwortung gezogen überrollt und sogleich tot gewalzt. ein jeder schwache findet noch einen schwäche ren das ist nur allzumenschlich.

emmanuel onaniert gegen eine nasse tiroler stallwand das foto seiner schwester helmut in der hand er weint vor mitleid mit aller kreatürlichkeit. die grundsubstanz für die teufelsdroge lst ist warmer tischlerleim also wech selt manuel wieder einmal die lehre. seine mutter schlägt ihn aufs gesäss ins gesicht und auf die waden. die boliden krachten in der südkurve des nürburgringes unerwartet aus einer gänzlich harmlosen situation heraus gegenein ander und gingen sofort in flammen auf dichter rauch entzog das entsetzliche schauspiel den blicken der zu sehenden rettungssirenen gellten schaumlöschapparate arbeiteten maria die das werdende leben in sich regen fühlte sank tränenlos zu boden und fiel gegen einen engländer mit feldstecher der sich in der allgemeinen aufregung an ihr verging. das kind kam zu früh auf die welt und wurde otto getauft der engländer viele jahre später auf einem luxusdampfer namens esperanza auf der reise von europa nach brasilien in einen heiligen schein für josef den nährvater verwandelt.

du hast wieder das wasser im bad rinnenlassen für deine experimente an lebenden menschlichen wesen du teufel genialer chirurg und dämon flüstert dunja von der wand her. sie war als appetitlicher wurstkranz alle 15 cm mit einer schnur abgebunden. ähnlich äusserten sich auch die andren und rissen manuel aus seiner versunkenheit. jäh schiesst die wut in ihm hoch verdunkelt seine augen trübt den blick. helmut hört schweigend zu wie die grossen drei batman superman robin ihre geheimnisse übersprudelnd und einander überschreiend verraten. er selbst ist ganz still.

manuel ballt seine faust um das papier zerknüllt es. die

56

ser gezielte funkspruch! wer steckt dahinter. ahnt irgend jemand etwas von meinen plänen? nein das kann nicht sein. lassen sie mich zu ihm schrie maria ihr schwangerer körper nahm ihr nichts von der unschuldigen ausstrah lung die manuel behext hatte er ist mein mann. eben fährt graham hill an die box denis hulme übernimmt die führung in dem klassefeld.

ich habe kreuzschmerzen sagt dunja von der wand her. du bist ein genialer dämon arzt und verbrecher du be nützt lebendige menschen für deine experimente. das blut der liliputaner schiesst durch alle lücken türen und öffnungen. aber heute weiss sie dass es nur dankbar keit gewesen war was sie diesem dämonischen mediziner gegenüber empfunden hat in jenen tagen nach der opera tion (siehe band 748 seite 74 bis 84).

in diesem moment löst sich wie von gespensterhand bewegt eines der dampfrohre aus der halterung bricht her aus. ein knisterndes kreischendes geräusch. dann schlägt der über den von weichen teppichen bedeckten kabinen boden rollenden dunja ein armdicker strahl dampfenden wassers entgegen. sie schreit auf will zur seite springen wild schreiend weil das nun nicht mehr möglich ist rollt sie direkt dem TÖDLICHEN STRAHL entgegen.

als manuel und maria das junge paar seine abendlichen würste mit senf verzehrt schreit der mann auf er hat auf etwas hartes gebissen acht stumpfnasige 7.65mm ma gnum geschosse. kupfermantel und bleikern. von unheim licher durchschlagskraft. war schon dieser tag an ereig nissen so reich die schatten auf ihr gemeinsames leben zu werfen drohen wie würde dann erst der nächste aus sehen!

und schliesslich in der bleiern schwülen dämmerung eines morgens geschieht vor seinen augen das wunder: ein vw aus amstetten!

21. kapitel der junge diplomat

der junge diplomat erkannte das patent auf den ersten blick. es handelte sich um den versteckten raum der unter der oberirdischen garage lag. der sportwagen stand auf einer hebebühne die vollständig in den keller boden versenkt wurde. im bedarfsfall wurde die hüdrau lische presse in bewegung gesetzt und der wagen um ein stockwerk gehoben. allerdings musste die garage dar über leer sein damit sich die abdeckgitter anheben liessen. im augenblick stand ein diesel lkw tonnenschwer über ihnen. auf dem dach des giftgrünen paradeflitzers befand sich ein gepäckträger. bindet den burschen oben drauf schrie tschingiskan der die treppe heruntergekom men war. die gorillas wuchteten stephen wie eine spiel zeugpuppe auf das dach des sportwagens und banden ihn an den verstrebungen des gepäckträgers fest. & jetzt oben die abdeckplatte auf den rost gelegt befahl der kan damit dem mister spitzel nicht etwa ein tropfen öl vom lastwagen in die augen fällt. ist das nicht eine menschen freundliche behandlung. tschingiskan denkt eben an alles.

der alpenexpress donnert um die kurve die sonntags ausflügler die eine frohe spritztour unternommen haben um der stadthitze einmal zu entfliehen stehen eng an einander gepresst es ist eine gigantische verbrüderung väter und söhne frauen und kinder und alte leute die tornister voll geschlachtetem die milchkannen voll beeren die plastikkübel voll pilze den helmut in den nacken ge schoben die unterkleider voll getier die scheiden voll holzfällersamen die hosen voll müde aber mit einer an genehmen erfrischenden müdigkeit mit freude auf eine neue arbeitswoche in wien. die saubere wohnung wartet schon mit allen annehmlichkeiten des modernen für je den erschwinglichen wohlstands dafür arbeiten sie dafür sparen sie und das ist der zweck ihres lebens. hier ein beispiel:

all das schwere das die letzten jahre mit sich gebracht
haben hält vor helmuts jugendfrischem lachen nicht
stand. die jugend würde schon mit der zeit fertig wer
den ihr gehört die zukunft. und hoffentlich eine bessere!
bald kommen in helmuts jungenzimmer ernst und arbeit
zu ihrem recht. helmut unterbricht plötzlich die ausge
lassene stimmung. kinder ich denke ihr habt montag ein
scharfschiessen angesetzt und wollt noch gemeinsam
dazu üben. mit aufgeblasenen pausbacken und vor auf
regung leuchtenden augen gehen die freunde ans werk.
da streicht ihnen der frische wind bald munter um die
ohren.
die letzte kugel mundet den opfern besser als ein ganzer
guter kuchen. es waren einmal einige opfer jetzt sind sie
nicht mehr.
stricke ziehen dunja in der fleischerei arme und beine
auseinander der mensch ist dem menschen ein wolf die
gehilfen sind dabei sie auszuweiden und abzuhäuten.
die masturbation lässt dunkle ringe unter den augen des
lehrlings emmanuel entstehen er sieht früh gealtert ver
dorben verlebt wirklichkeitsfremd krank aus. arbeitest du
zuviel kind? du weisst wir brauchen den kühlschrank
damit grossmutter dunja auch frisch bleibt fragt manuels
mutter am abend. nein mutter ich habe bloss durchfall.
auf der markise des fleisch und wurstwarengeschäftes
führt elisabeth die altbewährten tricks und spässe vor
indem sie ihren rock und den pullover hebt und tropft.
blickt einer der passanten nach der ursache dieses re
gens so sieht er im himmel gleichsam schwebend eine
frau von eindrucksvoller anziehungskraft die nur mit den
knien allein eine ganze zitrone ungeschält auspressen
kann. das war auch ihr job im kaffeehaus gewesen bis
eine kam die dasselbe für dasselbe geld mit ihren scham
lippen schaffen konnte da fliegt elisabeth natürlich aus
dem modernen geschäftsleben.
der jubel wollte kein ende nehmen. der fussgeruch das
schwitzen geht los. eine silberne mondbahn glitzert über

der see. lichter tanzen über das wasser. emmanuel be
tritt den beatkeller um seine haschzigaretten an jung
arbeiter zu verkaufen. die aber wollen nur tanzen und
saufen zu mehr reicht es nicht. eine witwe zieht um
ständlich die schweissblätter aus ihrem sommerkleid
lässt sie abtropfen windet sie aus und gibt sie emmanuel
zum halten der aber reibt wieder nur seinen penis daran
das gefühl ist angenehm etwas andres kennt er nicht
seit er mündig ist. vor mädchen ist er schüchtern linkisch
blöde. ein paket auf dem kopf eins zwischen den zähnen
zigaretten hinter den ohren die arme vollgestopft zwi
schen die beine einen packen geklemmt die schultern
und den rücken gebeugt unter lasten kaum kann emma
nuel so aufrecht stehen.
bald sitzt das lustige halbe dutzend helmutfreunde mit
angelegtem gewehr und zugekniffenem auge vor den
lebenden zielen. aber die lustigkeit vergeht einigen recht
bald. keiner von uns baby den ausgewählten kann auch
nur für einen moment ruhig stehenbleiben. auch du nicht.
na g man sagt der kan zu dem blonden hochgewachsenen
sportlich trainierten jungen diplomaten der ihm furchtlos
ins auge schaut. ich könnte dir zur sicherheit eine kugel
durch den kopf jagen aber das geht zu schnell ich habe
noch eine andre sicherheit die hüdraulische pumpe ich
werde den kleinsten gang einstellen dann hast du genau
noch eine viertelstunde zeit ehe du gegen das gitter über
dir gepresst wirst. tschingiskan tritt an einen elektrischen
schalter legt den hebel herum und drückt auf einen roten
knopf. die hebelstellung bestimmt die geschwindigkeit
der hüdraulischen pumpe die die hebebühne auf der der
jaguar sport steht hochdrückt. ein leises surren verrät
dass die elektrische pumpe arbeitet. stephen liegt auf
dem rücken und dreht seinen kopf zu tschingiskan der
satanisch grinst als er das licht ausschaltet und die unter
irdische garage verlässt. die tür klappt zu der bursche ist
so sicher dass er nicht einmal abschliesst froh war ste
60

phen nur dass er das schlitzäugige geschmeiss nicht mehr zu sehen brauchte.

der schubertbund probt unter den arkaden emmanuel der gerade vorbeikommt schleppt sich nur mehr ein schat ten des fröhlichen frischen und frommen jungen der er bei seinem lehrantritt noch war zum dirigenten näher eine unerfüllbare sehnsucht im auge. emmanuel ist näm lich musikalisch hochbegabt. elisabeth das backstreet girl fährt in einem amerikanischen strassenkreuzer laut los vorbei und lacht voll freude. ein vornehmer distinguier ter gentleman hält ihr seine behaarte pranke über die lippen erstickt so jedes geräusch sie zuckt nur einige male ganz schwach dann ist auch das vorbei. die frau des reichen fabrikanten wäscht sich öfters am tag intim sie fühlt sich leicht schmutzig.

als elisabeth merkt dass es ernst wird ist es für sie schon zu spät. eine tante emmanuels eine witwe probiert einen schwarz weiss gemusterten wintermantel mit nailonpelz kragen in der damenkonfektion des kaufhauses. sie trägt schon wieder frische schweissblätter zur anprobe vor ihr steht ein metallstab mit masseinteilung der einen fahr baren schieber besitzt der durch schieben hinauf oder hin unter ein stück dieses blöden stabes abmisst. das ist dazu da die länge der mäntel kleider und kostüme abzu messen sonst würde das nicht so ausführlich beschrie ben. gleichzeitig können die kleidungsstücke mithilfe des schiebers überall in der gleichen länge abgesteckt wer den.

emmanuels tante trägt zu jeder jahreszeit schweiss blätter auch im winter und verschenkt die vollgesaugten blätter an beliebige männliche passanten aller alters stufen. einmal hat sie irrtümlich so ein schweissblatt ihrem neffen emmanuel geschenkt der so schlecht aus schaut weil er sich zu oft selbst befriedigt und dem die ses geschenk gerade recht kommt. es gibt welche die manuel tatsächlich mehr für ein tier als für einen men schen halten auf jeden fall gilt er als geschöpf gottes.

die besorgte mutter zwingt manuel eine überdosis stopf
mittel hinein so dass der junge bald im sterben liegt und
ausserdem mit völlig verrenkten oder gar gebrochenen
fingern der rechten hand ins spital muss. seine tante die
mit den schweissblättern verliess mit einem neuen aber
hinten stark zipfenden wintermantel das kaufhaus was
war geschehen?

ein dicker weisser samtteppich breitete sich über die
gassen und plätze. die häuser schauten aus weissen
zipfelhauben heraus. helmut schleppt mit schwerem tritt
seine schi zum bahnhof. es ist früh am morgen. tschingis
kan mit seinen gelben teufeln mit seiner gelben gefahr
der einen jungen geheimagenten mit hilfe eines ebenso
genialen wie grauenerregenden planes in der tiefgarage
eines mariahilfer kaufhauses beseitigen wollte hatte man
gels technisch fachkundiger beratung aus den vereinig
ten staaten einige hauptstützen des hochhausneubaues
irrtümlich elektrisch angebohrt was eine neigung des ge
samten bodenniveaus gerade in dem augenblick hervor
rief als die rückseite des neuen wintermantels von em
manuels tante abgesteckt wurde daher dieses versehen
das eindeutig auf einen sabotageakt zurückzuführen ist.
die hitze flimmerte über der strasse als der cadillac sich
die serpentinen hochwand. im fond hatte liu eggmaker
alle mühe den zudringlichen grossindustriellen abzuweh
ren ich muss in die wäscherei zurück sagte sie die schefin
wird schimpfen ausserdem war diese tochter eines chine
sischen turisten und einer wiener politesse mit einem
lehrling namens emmanuel welcher es endlich mit einem
richtigen mädchen ausprobieren wollte für den abend im
beatkeller verabredet.

im gleichen augenblick vernahm der fabriksbesitzer ein
pfeifendes geräusch er warf sich nach rechts trotzdem
traf der schlag sein linkes ohr und die linke schulter der
schmerz raste mit lichtgeschwindigkeit durch seinen
körper sekunden stand er wie gelähmt dann wich jedes
gefühl aus seinen beinen wie ein gefällter baum kippte

62

er nach rechts und schlug mit dem gesicht auf einen weichen langhaarigen teppich lius schamhügel.

dieses mädchen sieht den übungsstunden stets mit einem gemisch von freude angst und widerwillen ent gegen.

es schneit schneit nazischnee was nur vom himmel her unter will. grosse dicke watteflocken kleine silbersterne dann eine grosse weisse puderwolke ein schneewirbel und schliesslich fällt der schnee wieder still und stetig gleichmässig und sacht. helmut beginnt den aufstieg.

der motor des wagens arbeitet im leerlauf einwandfrei ein hustenreiz schüttelte stephens körper millimeter für millimeter rückte er seinem ende entgegen wenn es nicht gelang die füsse aus den fesseln zu ziehen ein eiskalter schauer durchrieselte den agenten und diplomaten die kniescheibe berührte das eisengitter demnach betrug der abstand zum tod kaum mehr als etwa 15 cm.

an diesem abend erhält die meinung des fünfzehnjähri gen lehrlings emmanuel von und über die frauen einen weiteren für seine ohnehin labile haltung fast endgülti gen schlag: liu war nicht im beatkeller erschienen. das zweite schweissblatt seiner tante war in der langen warte zeit getrocknet vorsichtig befeuchtete er es an der wasser leitung um den geruch zu bewahren. seit einiger zeit ver sucht er auch seinen gleichaltrigen betriebskollegen otto von seinen ansichten über religion kirche politik moral gesellschaftsordnung schule und süstem zu überzeugen und ihn während der oft lange dauernden unterhaltungen zu verführen. aber otto sammelt lieber briefmarken. in einem land in dem sich noch nicht einmal die intellektu ellen in bewegung gesetzt haben wie soll man da die revolution in die arbeiterklasse hineintragen sagt er.

(wie soll man die arbeiter mobilisieren in einem land in dem noch nicht mal die intellektuellen die notwendigkeit der revolution begriffen haben?) der agent bäumte sich noch einmal auf die letzte kraftanstrengung hatte erfolg der holm an dem die riemen befestigt waren brach er war frei (frei) schon berührte seine stirn das eisengitter mit letzter kraft schob er sich über den rand des fahrzeugs und liess sich aus dieser unermesslichen höhe zu boden fallen.

elisabeth lächelt auf dem heimweg den ihr flüchtig vom sehen bekannten lehrling emanuel (15) an weil sie des sen auffallend schlechtes aussehen und die graue ge sichtsfarbe für eine krankheit hält. der junge mann geht daraufhin auf sie zu beschimpft sie ordinär und nennt sie ein hindernis für den allgemeinen fortschritt und wohlstand dann vögelt er sie auf dem gehsteig.

in der stadt herrscht überhaupt zu diesem zeitpunkt allgemein eine gedrückte atmosfäre eine nervöse reizbare stimmung windstille die nacht vor der ersehnten erhebung der massen. emanuel ist ihnen dabei aber wie immer einen grossen schritt voraus.

auch helmut tut zugleich den letzten schritt auf den gipfel.

22. kapitel blumen für den applaus

blumen für den applaus man sieht es dem kleinen heintje nicht an dass er in der schlagerbranche schon zu den grossen zählt. von seiner ersten langspielplatte wurden bisher 650 000 stück verkauft. in den schlagerparaden macht heintje sogar den beatles konkurrenz. dabei ist er ein echter sonntagssänger denn von montag bis sams tag muss der elfjährige ja in die schule gehen. der bub lebt in dem kleinen ort bleijerheide an der holländisch deutschen grenze. noch vor zwei jahren hatte er keinen andren zeitvertreib als fussballspielen. dann sah er zum erstenmal in seinem leben eine musikbox und plötzlich sang er jeden schlager. kurz darauf wurde sein natur talent entdeckt.

das licht begann sich zu verändern. die rötliche farbe wich rasch und nach wenigen sekunden war die milchige helligkeit ringsum von gelblich weisser tönung. es kam frank zappa so vor als sei die sicht besser geworden aber die begrenzung des raums in dem sie sich befanden konnte er immer noch nicht erkennen.

23. kapitel voller hass (hass)

voller hass betrachtete sie sich im spiegel noch war ihr
leib flach die hüften schmal aber wie lange. wunschzettel
ausschneiden und mutter zeigen und wenn sie keinen be
stimmten wunsch hat selber ankreuzen. worüber würde
sie sich wohl am meisten freuen. so einen infra grill
wollte ich immer schon haben um öfter mal eine raf
finierte schlemmerei auf den tisch stellen zu können ge
grilltes ohne fett ist gesund. die persischen türkischen
griechischen libanesischen haschischgnome wichteln
durch die finstre opernpassage laufen schreiend an gut
erzogenen mädchenschulklassen entlang packen bei gu
tem wind zu und schwingen sich aufs trittbrett das geht
so vor sich: der erste zeigt dem zweiten den osterhasen
der den osterhasen weiterreicht. kam der osterhase so
durch 5 hände holte der sechste seinen weihnachtsmann
hervor und zeigte ihn weiter. ebenso verfuhr man mit
dem frühling dem silberhaar der mutter dem papst in
rom den ledernacken den grünen teufeln. berge von
osterhasen weihnachtsmännern silberhaaren päpsten in
rom ledernacken grünen teufeln kamen auf diese art zu
stande. mexiko traumziel von millionen!
der dritte stoss war noch wuchtiger als die beiden vor
hergehenden. turok musste sich an einem der felsblöcke
festhalten um das gleichgewicht nicht zu verlieren. ein
riss mehr als eine handspanne breit bildete sich im bo
den unmittelbar vor ihm. gesteinsstaub wurde in die luft
gewirbelt und verdeckte für ein paar sekunden die sicht.
der honker trennt sich unter viel lärm von turok.
einmaliger auftritt von conny und rex: conny im weiten
gemusterten teenagerrock auf dem bett: ich bin ein mäd
chen. rex mit dem schönen ernsten männergesicht schaut
sie stumm an dann geistert ein lächeln um seine mund
winkel umso besser dann kann ich dir ja einen kuss ge
ben. beide küssen sich innig und mittellang. rex schiebt
conny sanft von sich geh conny es ist besser für uns

beide (es ist besser) wenn du jetzt gehst. conny nickt tapfer und vernünftig und geht aus dem zimmer. ihr lustiger teenagerrock schwingt hinter ihr drein rex be trachtet noch lange sinnend die geschlossene tür als conny schon längst draussen ist. das war ein schöner (schöner) film mit viel musik und vielen stars.

mit dem sprintertempo eines olümpialäufers jagt ben chan der über den 20 meter langen flur zur treppe die tür war nur angelehnt er öffnet sie mit dem ellbogen und stürzt ins zimmer. zwischen bett und badezimmertür liegt ein blondes girl mit dem gesicht nach unten sie steckt in einem engen hausanzug aus himmelblauer honanseide ihr rechtes bein ist unter den körper gezogen die finger ihrer linken hand krallen sich um einen zierlichen damenre volver. ingeborg hat wohl versprochen in heidelberg end lich sprachen zu studieren ist aber anscheinend wieder an ihrer triebhaften veranlagung gescheitert (siehe bild rechts). in 12 tagen werden ihre zähne wieder so weiss wie sie von natur aus sind. ja ihre zähne sind natürlich weiss. nur dieses weiss wird durch zahnbelag verdeckt. stumpfer zahnbelag der sich durch essen trinken und rauchen immer mehr und mehr verfärbt. pepsodent mit der medizinisch kosmetischen wirkstoffkombination ld3 entfernt diesen unansehnlichen belag innerhalb von 12 tagen. und bei fortgesetzter pflege täglich mit pepsodent ld3 bleiben ihre zähne so natürlich weiss. natürlich weisse zähne wirken viel sümpatischer.

der junge polizist frisch aus der polizeischule schaut otto mit zusammengekniffenen augen an die revolvermün dung schwankt etwas. auf dem blumenbrett vor helmuts fenster türmen sich die schneemassen. kaum vermag helmut am morgen über den hohen schneeberg zu sei nen freunden dem jungvolk hinüberzuwinken.

in ihrer neuesten ausgabe brachten sie eine story von omar sharif. könnten sie nicht einmal einen bildroman bringen. das wäre zu schön. sie wissen gar nicht wie ich mich freuen würde und die andren omar sharif fans auch.

bloss keine western oder kriegsfilme. die gefallen mir überhaupt nicht.

blicklos blickt ben über das blonde lockengeflimmer hin weg durch das kippfenster in die gewohnte hektische be triebsamkeit von kap kennedy. zwei blonde hochgewach sene uniformierte leitende ingenieure sind damit beschäf tigt die neueste wunderwaffe der usa in serie zu geben. schweissblätter. es handelt sich um gewöhnliche schweiss blätter die jede hausfrau für wenig geld überall kaufen kann nur präpariert. jedes blatt ist mit der teufelsdroge Ist getränkt und für den asiatischen markt bestimmt wo nach den blättern grosse nachfrage herrscht in diesem heissen klima. auf gewöhnliche weise getragen zeigen sich keine schädlichen nebenwirkungen kommt jedoch ein mann mit seinem glied an ein schweissblatt dann be wirkt das die sofortige zeugungsunfähigkeit. so werden die verantwortlichen der vereinigten staaten endlich der schrecklichsten aller drohungen nämlich der übervölke rung unsrer welt herr werden & zwar beginnend bei den unterentwickelten gebieten unsrer erde.

nur helmut bleibt noch ein weilchen und wird dadurch von seinem schmerz geheilt denn jetzt ist er wieder otmars bester freund.

ben drückt das fläschchen mit der silbrigen flüssigkeit der so harmlos aussehenden und doch so furchtbar wir kenden droge gegen die brust. was nützt ihm dem genia len arzt forscher und dämon das wissen dass er die schlüssel zur unterwerfung und versklavung der gesam ten östlichen welt in seinen händen hält wenn doch seine ingeborg für die er das alles tut nicht mehr seinen triumf miterleben darf. er verkrampft sich innerlich und äusser lich. jawohl

daraus wird nichts herr helmut faulpelz tönt es von der tür her und herein tritt der VATER mit kältegerötetem gesicht. eine pflicht darf nicht um einer andren willen vernachlässigt werden.

zur gleichen stunde kam der osterhase. zur gleichen

stunde wurde der weihnachtsmann unterworfen. zur glei
chen stunde kam zum zweitenmal der osterhase. zur
gleichen stunde kam zum drittenmal der osterhase. zur
gleichen stunde kam zum viertenmal der osterhase. zur
gleichen stunde kam zum fünftenmal der osterhase. zur
gleichen stunde kam sogar zum sechstenmal der oster
hase. zur gleichen stunde kam zum siebentenmal der
osterhase. zur gleichen stunde kam zum achtenmal der
osterhase. zur gleichen stunde kam zum neuntenmal der
osterhase. zur gleichen stunde kam zum zehntenmal der
osterhase & brachte den white giant mit. zur gleichen
stunde kam der white giant springend und laufend daher.
der osterhase & der white giant sein gehilfe haben eine
botschaft für SIE gnädige frau: sorgen sie dafür dass
ihre kinder so oft wie möglich frische wäsche anziehen
weil sie sich darin wohler fühlen die beste erholung bie
tet ein urlaub im grünen weil die luft viel sauerstoffhalti
ger ist würden sie mit ihren kindern urlaub in der gross
stadt machen? nein. wenn sie davon hören dass immer
mehr frauen zum osterhasen mit dem white giant zusatz
überwechseln glauben sie dass das am sauerstoff liegt?
sollten sie nicht einmal elisabeth den osterhasen den
white giant in ihrer trommelwaschmaschine ausprobie
ren? der osterhase & der white giant warnen nur EIN
MAL!

24. kapitel dieser otto

dieser otto ist doch noch ein rechter bub hören sie selbst. die heute 42 jährige frau brünett blass unhübsch & ver wahrlost sieht nicht so aus als sei sie jemals imstande gewesen einen um 20 jahre jüngeren mann in ihren bann zu ziehen. & dennoch war es so. das rätsel um die nacht der verzweiflung in der via banchi vecchi wird man vor gericht vielleicht lösen können das rätsel um die bezie hungen ottos zu ihrem amante ihrem liebhaber ganz ge wiss nicht. ein neuer fernsehliebling ist er inzwischen geworden. er bestürzt zur tür sagt ich bin eine schönheits königin ein eagle pilot und TAT ES. zuerst 2 feuerwehr wagen dahinter die freunde er ihnen allen voran wie im mer auf seinem moped hunderttausende fernseher haben seit einigen tagen einen neuen liebling es ist weder ein superagent noch ein quizmaster. das ganze weitet sich zu einer echten verfolgungsjagd aus im stil der alten slapsticks. weit im hintergrund wächst die blaue feuer säule in den himmel.

dies ist die geschichte eines irrweges menschlicher her zen eine alternde frau & ein blutjunger mann verlieben sich ineinander & enden in elend und verzweiflung schliesslich bleibt nur noch ein letzter ausweg der tod in der mansarde. otto wurde wieder schön durch die liebe stundenlang streifte er durch die weiden am ufer sank hüfthoch im raschelnden laub ein brach blumen sass am abhang und hörte den zirpenden grillen unter dem faulbaum zu um dann seinen rucksack zu schnüren und to walk immer der sonne nach. wird es eine weisse braut geben? man weiss es nicht so recht. während otto sie anstarrt wird ihm plötzlich klar dass es sich bei dem wanken der berge keineswegs nur um einen optischen effekt handelt. die berge schwanken in wirklichkeit! er sieht ihre spitzen brechen und in mächtigen staubwolken über die steilen hänge herabrollen.

otto aus stuttgart ein gut gewachsener bildhübscher blon

der blauäugiger butzen hat blutjung noch in deutschland ein mädel geheiratet ein liebes ding etwa in seinem alter also ebenso hellhaarig & und helläugig wie er. ihr glück währt jedoch nicht lange. irgendwo hat der vertreter der agent der giftverkäufer (cowboy) otto die krankenschwe ster otto kennengelernt und liebengelernt. eine gebürtige grazerin. sie lebt in der ewigen stadt und sie hat ihren erlernten beruf längst aufgegeben. in einer kleinen dach kammer mit trostlosem ausblick auf schmutzige hinter höfe betreut sie tiere als pflegerin. die beiden fühlen sich nicht nur wegen ihrer namensgleichheit zueinander hin gezogen sondern auch sonst liebe zwischen schwarz & weiss im asfaltdschungel der millionenstadt deren lichter für die beiden todbringend werden sollen. aber befassen wir uns lieber mit otto dem lauser. die österreicherin ist zu dem zeitpunkt da sie den 18 jährigen otto kennenlernt bereits 38 jahre alt müde verbraucht & gezeichnet sie ist eine fremde geblieben klammert sich eine einsame frau an den jungen mann der sie versteht. all the lonely people where do they all come from? wenn sein heller blockflötenton so in aller herrgottsfrüh erschallt sein froher sang die hunde bellen das geschleife bricht durch den dunst der tau und ähnliches. angeblich war es otto der zuerst den gedanken äusserte es wäre besser man würde gemeinsam in den tod gehen wenn du mich wirk lich liebst hilfst du mir beim sterben soll er geäussert haben. die ehemalige krankenschwester muss schliess lich wissen wie man sowas macht das ist kein kuchen backen. nein er sieht wie die flanken sich zu weiten schlünden öffnen und felswände zu geröll und staub zer brechen. das ganze gebirge ist in bewegung. nur durch die wucht des blauen feuers.

sie ist der sohn des ermordeten präsidenten der einer gigantischen hassintrige zum opfer fiel sie wird also nie mals so sein dürfen wie andre kinder ihres alters und wird früh allzu früh dahinterkommen dass dort wo viel licht ist dicht daneben der tiefste schatten herrscht. frühe stens wie sie den dunklen hausflur betritt und den seiz mit dem weissen riesen in zivil erblickt wird ihr das klar. manchmal wird auch diese seelisch starke amazone von zweifeln und skrupeln heimgesucht. zum 93. geburtstag wünschen dir lieber opapa nach deiner augenoperation wieder gesundheit und rasche genesung deine enkelkin der erwin und edi die kinder grelli seppl und otto sowie vor allem die urenkerln und die glücklichste von allen die omama deine lennerl. nächstes mal zielen wir besser lieber opa.

oooh macht helmut enttäuscht und das runde gesicht wird lang. ich hab mich so darauf gefreut auf das met zeln und killen.

einerseits hat otto mit dem recht was er sagt aber es könnte ja auch andrerseits sein dass der mann trotz josefsehe ein netter aufgeschlossener mensch ist und dass im alter auf dieser basis eine herzliche gemein schaft besteht wo man dem andren zuliebe launen und beschwerden unterdrückt und sich wenn auch nicht leidenschaftlich umworben so doch niemals einsam fühlt. dieses glück haben unsre beiden nie kennengelernt. so ein fescher bursch & schon ein kretin ein klotschütze ein riffstanzer eine hilda sagen die meisten. hätten sie jedoch gewusst dass alles was sie über seinen unge heuren rammschwanz gehört hatten nur auf der aussage einer altruistin einer töterin auf verlangen einer die von der liebe allein nicht satt wird (auch vom blauen sky nicht) beruhte sie wären vorsichtiger mit solchen verschande lungen gewesen. jetzt habe ich keine zeit mehr dazu es ist wahnsinnig spät. helmut will auf und davon eilen. du ziehst die eierschoner an helmut! das war vaters be stimmter ton gegen den es kein aufmucken gab. er war sehr ärgerlich. mit eingekniffenem schwanz schleicht der bursch zum küchenkasten.

& etwas völlig unbegreifliches geschieht otto verlässt die reizende junge frau die er eben erst geheiratet hat um für otto krankenschwester frei zu sein. er tut es ohne

72

zwang er ist bis über beide ohren in die um 20 jahre ältere freundin verliebt. 4 jahre lang lebt er die umgebung des seltsamen paares die nörgler und schriftgelehrten vermerken es kopfschüttelnd mit der schwarzhaarigen zigeunerhaften exkrankenschwester zusammen.

helmut hier sind sie doch. freund otmar bringt herrn lie derlich der gerade entwischen will die vermissten eier wärmer hinterher. ich muss sie aber noch säubern sie sind zu dreckig. tollpatschig purzeln die beiden im wilden spiel durcheinander.

die beiden sind indes nur äusserlich gegensätze inner lich sind sie einander ähnlich. zwei gescheiterte zwei ver sager an der gesellschaftsordnung haben einander ge funden beide haltlos beide unfähig in einer sicheren exi stenz geborgenheit zu empfinden beide abenteurernatu ren. der seiz helmuts liebkind der ihm gerade in die quere kommt kriegt in der eile einen tritt dass er sich aufheulend in eine sichere ecke verkriecht. helmut der bengel muss bald gezüchtigt werden otmar macht seine rute startbereit.

in leoben wohnt eine gewisse frau reger. sie ist auf dem land aufgewachsen lebte lange bei bauern & konnte es auch als sie heiratete nicht lassen sommer für sommer wieder in die natur zurückzukehren.

zauberhaftes spiel mit der sonne und delial. jeden son nenstrahl nutzen nach herzenslust sonnenbaden schnell & sportlich bräunen dabei spüren wie die haut jung glatt & geschmeidig bleibt wohlgepflegt unverwechselbar süm patisch.

eines tages kommt otto verfrüht nach hause & stellt er schrocken fest dass otto in seinem zimmer nicht allein ist. die leisen geräusche hinter fest verschlossenen türen lassen otto die schamröte ins gesicht steigen. aber wie verhält sich eine mutter in einem solchen fall. vor ihr steht ein mädchen vielleicht 20 nur mit einem slip und einem bh bekleidet das lange haar hängt ihr wirr ins gesicht.

schön durch die liebe züge verschönt durch die liebe
überglänzt mit liebe sogar hässliche züge verschönt
durch liebe ein herz voll liebe noch im sterben einen blick
der liebe hinter hasssprühenden augen noch ein schim
mer der einstigen liebe liebe nichts als verhaltene liebe
hinter den unter tränen schon wieder aufstrahlenden
augen in den verwüsteten linien des einst schönen ge
sichts nach einer spur der einstigen liebe suchen nur
liebe hatte ihre falten in das lächelnde greisinnenant
litz gezeichnet nicht entbehrungen laster bitternis. helmut
wütet im liebesrausch.

zu deinem 82. geburtstag nachdem dir das schicksal
deine gattin emilie entrissen hat wünscht dir in dieser
schweren zeit für die zukunft das beste und kopf hoch
dein bruder rolf. auch du kommst bald dran. du bist der
nächste.

ottos krafthosi & hemdi sind leicht von dem jungen hilfs
maschinisten zu bedienen er beschliesst trotzdem den
führerschein bald selbst zu machen. sehnsucht heisst ein
altes lied der taiga.

ob er otto zu diesem zeitpunkt immer noch so wahnwitzig
so leidenschaftlich so ganz und gar verrückt liebt wie zu
anfang lässt sich heute nicht mehr sagen die einzige die
darüber bescheid weiss nämlich otto selbst macht dar
über keine exakten angaben.

irrweg der herzen der ins verhängnis führt. dieser otto
ist doch noch ein rechter schlingel. die beiden blutjungen
menschen beschlossen schon wenige monate nach der
ersten begegnung immer beisammenzubleiben. otto der
älteste befindet sich derzeit bereits in spanien. er be
kommt einen sohn der so blond und hellhäutig aussieht
wie sein vater für den sie 1000 entschuldigungen findet
dass er nicht schreibt.

oberschwester otto sprang im durchsichtigen püjama aus
dem fenster. das war so die art dieser einfachen beschei
denen menschen ihren dank abzustatten.

25. kapitel was ist also tatsächlich geschehen (folge)

was ist also tatsächlich geschehen es gibt 3 versionen. ein lächeln verklärte ottos eher etwas schwermütiges gesicht ein lächeln wie es tausende von jungen müttern im gleichen augenblick erlebten & noch erleben werden: das kind in seinem leib hatte sich geregt zum erstenmal geregt er presste die hand an das wild klopfende herz da war es wieder das unendlich feine & doch so in allen fasern seines ich spürbare regen des neuen werdenden lebens energisch schloss er die türe das mit emmanuel und seinen revolutionären reden musste ein ende haben schon des ungeborenen wegen. die 3. version besagt dass ben chander der lepra forscher der konak der niess brauch ein gescheiterter labiler mensch ein gastarbeiter zu feig war selbst hand an sich zu legen & deshalb die exkrankenschwester bat ihn zu töten. sie tat es schliess lich denn beide lebensgefährten waren einander zweifel los hörig. als sie ihren laum tot vor sich liegen sah über fiel elisabeth angst vor den folgen ihrer tat angst vor der polizei dem gefängnis dem weiterleben und sie versuchte sich selbst zu entleiben. eine schwüle ungesunde atmo sfäre in der so ein kleines hamfel aufwachsen sollte sprachs und begab sich von diesem tag an jeden morgen für 2 stunden zum hochsprung training auf den nahe ge legenen tennisplatz. ingeborg wünschte sich sehnlichst ein bruströntgen von dem heimlich verehrten frauenarzt das war zu der zeit in der die schiffe sich lösten das eis brach und otto wie ich schon sagte leicht entzündbar & von ge fährlicher erregbarkeit war also einen gewissen hang zum asozialen zeigte. über amstetten senkt sich schon zum drittenmal der abend. in den strassen begann es zu dunkeln einzelne lampen flammten auf die häuser be gannen sich zu erleuchten die menschen strebten von ihrer arbeit heim zu ihren lieben die passanten wurden spärlicher das lichtermeer der grosstadt flammte maje stätisch auf. manfred dornat schaltete die scheinwerfer an. dort vorne muss die siemensstrasse sein sagte er fühlst du dich nicht zu müde christel. dann begleite ich dich manfred ich dank dir christel. soweit das entscheidende gespräch.

wird sich diese verstrickung aus mutterliebe & pflicht dem halbgelähmten gatten gegenüber zu einem echten konflikt zuspitzen. ja die verstrickung aus mutterliebe und pflicht dem halbgelähmten gatten gegenüber wird sich zu einem echten konflikt zuspitzen.

otto war eine richtige sau spielgefährten die kleiner & schwächer waren als er selbst biss er schlug sie tötete & paketierte ihre hilflosen körperchen & schickte sie hauptpostlagernd an die besorgten eltern komm zurück otto alles vergeben & vergessen auch dein meister ist dir nicht mehr böse mama & vati. andre wieder unterwies er in besonders unanständigen dingen die die besorgte mutter daheim wüsste sie davon nie durchgehen liesse oder in dem was so ein halbwüchsiger noterbe schon davon versteht nicht viel mit fünf war er der anführer einer gleichaltrigen bubenhorde & schlug selbst grössere und stärkere jungen aufs kopfi aufs bauchi ins ausdrucksvolle kindergesicht auf den popo & auf die patschhändchen die doch immer so drollig mit ihnen ungewohnten dingen zu spielen verstehen kurz auf burlis hände. nachdem sie einmal von den früchten der liebe gekostet hatte fand sie geschmack an ihnen kurze zeit später verliebte sie sich erneut diesmal in einen journalisten der wegen einer furunkulose mehrere wochen in der klinik lag wahrscheinlich empfand sie auch für ben chander wie für dr. freimann mehr mütterliche gefühle. ingeborg lag inmitten eines haufens kostümjacke kombinesch hemd bh tagaus tagein vor dem röntgenzimmer & bat um ihr verdientes bruströntgen man betrachtete sie allgemein als nicht mehr normal sondern triebhaft scheu zu allem entschlossen die meisten stiegen ohne die verhärmte weiter zu beachten über sie hinweg.

auch im urlaub brauchen sie unsre zeitung nicht zu missen bitte senden sie rechtzeitig vor ihrer abreise nach folgenden bestellschein an otto.

kühl wenn schon nicht bis ans herz hinan lächelt das blondschöpfchen aus den säuselnden wellen (siehe bild rechts) wer es sieht beginnt falls männlichen geschlechts ebenfalls zu säuseln und wenn auch fürs wasser unab kömmliche so etwas nicht ohne neid registrieren so ist dieser kühlprozess doch labsal für die augen nicht wahr meine herren. ja wenn ich auch fürs wasser unabkömm lich bin und so etwas nicht ohne neid registriere so ist dieser kühlprozess doch labsal für meine augen.

als die ersten seiner männer umfielen und manuel selbst eine sonderbare betäubung empfand griff er rasch zum telefonhörer denn ihm wurde klar dass der tee ein star kes betäubungsmittel enthalten hatte. zentnergewichte schienen auf seinem linken arm zu lasten als er ihn hob um auf den rufknopf zu drücken. er konnte drücken so lange er wollte die kompanie meldete sich nicht die leitung war gestört. aufstöhnend liess er den hörer fallen & brach zusammen. im sturz riss er den telefonapparat mit zu boden. ein märchen wurde wahr nicht nur für sie gnädige frau die sie sich an unsrem preisausschreiben beteiligen sondern auch für den herrn gemahl der pro treuemarke ein feld mehr in seiner familiensammelkarte vollklebt.

machen sie mit bei unsrem monster familienpreisaus schreiben die ganze familie gewinnt diesen und noch viele andre schöne preise können sie täglich in unsren reichhaltigen ausstellungsräumen besichtigen machen sie einen nachmittagsbummel hin nehmen sie ihre familie mit es lohnt sich gewinnen sie 10 tolle autos.

otto lag inzwischen chancenlos im riesigen krankensaal mit 30 andren stöhnenden frauen das kind in seinem un förmig aufgeblähten leib drängte ungestüm dem licht einer kalten wirklichkeit entgegen in der es sich würde behaupten bewähren seinen platz erkämpfen sein dasein meistern & verteidigen seinen platz an der sonne seine daseinsberechtigung erkämpfen seine aufgabe ausfüllen seine pflicht erfüllen müssen wollte es nicht bei dem strengen ausleseprinzip das in unsrer welt nun einmal herrscht unter die räder in die gosse ins trübe unloh nende kommen gestossen werden getreten werden ab sinken solche & ähnliche gedanken gingen der jungen mutter der werdenden jungen mutter unablässig im kopfe herum. haben flaschenkinder eine empfindlichere haut säuglingsschwester ingeborg berichtet aus ihrer erfah rungsreichen praxis. sie können oder dürfen nicht stillen machen sie sich deshalb keine sorgen drohen sie gewalt an dann haben sie die erste sprechende leiche damit können sie viel geld verdienen. die aufregungen der letzten nacht waren an otto also wie wir gehört haben nicht spurlos vorüber gegangen er stand auf seinen un förmigen schweren körper balancierend & griff sich auch noch die letzten kleinchen aus den jungen frauen auf direktem wege seine elitetruppe wuchs und wuchs auf die weise. in den erstarrten toten gesichtern von ottos übrigen bürokolleginnen stand noch ein letztes ungläu biges fragen wo ist mein kind gib mir mein kind wieder mein alles meinen stolz für es lebe ich dafür arbeite und schufte ich er soll es einmal besser haben der mutter chor ruft wo ist mein kind? otto der antworten könnte da ist dein kind nimm es sorge gut dafür bewahre es rein antwortet nicht dem mutterchor da ist dein kind nimm es sorge gut dafür bewahre es rein otto antwortet über haupt nicht. aber auch grösseren kindern geht otto bei leibe nicht aus dem weg im gegenteil auch grössere kinder geht otto seit neuestem wieder an auf seinen strammen stampfern die batzerln purzeln nur so in die sandkästen von den tretrollern auf die fahrbahn in die schwatzen schweden & schützer. wo eine junge frau mit glücklichem staunen die ersten unsicheren schritte ihres knäbleins betrachtet da treibt sich auch er herum mit seinen vom alkohol unsicheren tritten mit seinem schmalz kinn & berichtet aus seiner praxis als frauenarzt.

wir haben ihren bericht über heintje gelesen & waren sehr begeistert davon. darum bitten wir mehr von heintje zu berichten dass heintje ein ganz normaler junge ist gefällt uns am besten an ihm. und wir glauben darin stimmen uns viele heintje fans zu. wir würden ihn so gerne mal kennenlernen vielleicht kann uns ihre redaktion zu einem lieben autogramm vielleicht mit widmung verhelfen. otto o. amstetten.

weil sie schön war musste sie sterben. erst seit 2 wochen hatte das zartgebaute mädchen einen lehrplatz in einer drogerie in wels täglich fuhr rosemarie mit dem zug zur arbeit. so auch am samstag. aber sie sollte nicht mehr heimkehren. dafür und für viele andre schöne dinge mehr sorgt otto der turnplatz der turnwart der vorturner der turnverein der junge wissenschaftler olümpiastarter für mexiko aus washington und ein farbiger. sein gut geschnittenes gesicht mit den klugen augen und dem beherrschten mund verrät kraft und intelligenz. connys lustiger bunter teenagerrock wippt heute lange nicht so unternehmungslustig wie sonst das arme mädchen hat wieder einmal seine tage. sexy rexy schaut mit erstauntem schmollmund auf die flecken in der bettwäsche du mädel sagt er du kleines dummes mädel. mitleidig zieht er sie an sich und passt auf dass der verkehr nicht zusammenbricht. lesen sie bitte weiter im nächsten heft. eigens für sie hat der beliebte meister des heimatromans dieses werk geschrieben. hier kämpft die junge mutter otto o. die den vater ihres kindes auch selbst gespielt hat um ihr lebensglück.

wollen wir auskneifen rex? ich glaube bei dem schneetreiben merkt es kein mensch wenn wir verduften schlägt die unverbesserliche conny vor. sie ist ein richtiger übermut. au ja rex der die worte gehört hat ist gleich dabei. aber dann denkt er an den kritischen zustand connys. behutsam hebt er sie auf und legt sie nieder wickelt noch eine decke herum. er ist für sein alter schon sehr verständig und diskret.

otto gibt dem kräftigen kleinen burschen einen schubs in dessen feistes rückerl & schon saust der durch die luft gegen den blauen sternenhimmel und platscht in die ein träufelung. eidertaus die goldenen löckchen zieht er dem nächsten aus dem grind die zehn zehen aus den unsicher schwankenden füssen.

schützend breitet otto die hand über die schwangere wölbung seines körpers wieder einmal um den drohen den schlägen auszuweichen die der betrunkene emma nuel vor dem lehrlingsheim im namen der bürgerlichen ordnung des landes auf ihn abgibt.

auch der babyfein gepflegte (kontrollieren sie sorgfältig alle hautfältchen leicht setzen sich hier creme oder puder reste fest die dem bad getrotzt haben. tränken sie einen wattebausch mit babyfein damit entfernen sie sanft und schonend alle unreinheiten. speckfältchen mit öl reini gen.) liebling wandert von ottos liebevoller sicherer kraft voller hand einer hand zu der man vertrauen haben kann vertrauen haben muss wie zum vater geleitet in dessen schlund & magerl.

otto ist ein brutaler schläger und killertüp den man schon kennt. nichts ist ihm heilig vor nichts hat er ehrfurcht oder respekt aber in seiner eigenen schweren stunde wird er wie alle andren mütter vor ihm und nach ihm sehnsüch tig dem ersten schrei seines prackers entgegenzittern mit einem gemisch aus freude angst schmerz und erwar tung. er wird dann gleichzeitig ein andrer neuerer besse rer froherer glücklicherer liebevollerer gütigerer mensch werden. ein verinnerlichter mensch.

zart stemmt rex das fussende des bettes in die höhe das blut schiesst in connys kopf der riesengross und dunkelrot wird. ihre flinke hand kann gerade noch den hübschen teenagerrock wieder über die knie zie hen. rex schaut weg als habe er nichts bemerkt wird aber doch auch puterrot. immer wenn er diese kleine conny mit der er aufgewachsen ist und die nun plötz lich eine reife erlebt hat anschaut wird ihm heiss.

80

ermutigend zwinkert er der kleinen dulderin zu. halt
durch tapfere conny!

auch die warnung des white giant des ältesten und treue
sten freundes der familie kam in diesem fall um vieles zu
spät. er nickt und lächelt versonnen kantig vor sich hin.
dann schlägt er mit riesenwaschkraft zock erneut zu die
arbeit darf nicht liegenbleiben nicht wegen so einem
menschen wie otto. nicht wegen so einem schlaffen men
schen. auch denkt er flüchte ich vor seiner hellen haut
seinem engelshaar den hellen augen die nicht wissen
was sie tun einem mann antun mir antun. nämlich eine
schälung.

26. kapitel john paul george ringo
die einsilbigen

john paul george ringo die einsilbigen brachten entgegen ihrer sonstigen gewohnheit kein wort hervor sie waren zu einem bisterschwatz von aussergewöhnlicher schön heit erblüht das gaben gern alle zu die das prominente kleeblatt lieben & schätzen sowie durch seine stimmungs vollen lieder manch frohe stunde erlebt haben. zu hause sein in amstetten die weissen blüten im frühling das frische grün auf dem rasen magnolien duften jasmin. der potomac glänzt in der sonne. helens ruschel in meiner hand und alle männer schauen ihr nach den langen brau nen beinen dem blonden haar nein helen ist nicht blond. ingeborg kleine hilflose ingeborg mit dem blonden engel haar mein mädchen. ein schläfriges lächeln erschien auf johns pauls georges ringos mund & neue träume kamen und das gefühl: es wird alles wieder gut. gute nacht kleine ingeborg. eigentlich heissen die vier mit dem roten ungebärdigen haar mit dieser wilden auch im tod nicht gezähmten mähne john der apfelfink paul der kalumbin george das sitarstäubchen ringo der klobe. weil aber im bauernleben eine gewisse abneigung gegen lange na men für die immer die gefahr des zungenstolperns be steht vorhanden war hiess man das mädel kurzweg lavoir & stürzte sich in ihr appetitlich frisches inneres wann immer lust dazu verspürt. unter der oberfläche öff nete dann das quartett fimmelnd die augen. alles war seltsam verschwommen grünes zeug das an kleeblätter erinnerte reckte sich ihnen entgegen auf dem abenteuer und wollte sich um ihre knöchel schlingen. sie stiessen es einfach beiseite mit einer handbewegung tauchten sie tie fer dann sahen sie den wassermörder bevor der sie sah. der wassermörder war eine wasserpflanze und von natur aus ein halber parasit. er lebte meist in astgabeln und senkte seine wurzeln tief in das mark des baumes aber auch der obere teil der pflanze diente der ernährung. ein zungenförmiger stiel schnellte vor und schlug sich um johns pauls georges ringos linken arm in der zuavenuni form des sergeant pepper. die dicke edeltraud diese ge schwulst und kein geringerer auf deren griffbrett george seine unverwechselbaren spässe meist derberer natur trieb war es welche den vieren wieder ihr vaterhaus ihre eltern die sie geboren und erzogen die pritschen die sie gefickt die pissoirwände die sie beschmiert kurz all das was für den durchschnittsmenschen von heute untrenn bar mit dem begriffe heimat & scholle verbunden ist in erinnerung brachte.

dazu sprach sie meist muss er dabei den arm um dich legen und schau doch in den spiegel was sind denn das für rote flecken in deinem gesicht und am halse kommt das vom reden allein. der rabulist bekam einen roten kopf. nein das kommt nicht vom reden allein das kommt von der sechter von der kelter (love) der macht. der macht die uns vater & mutter vergessen lässt im ewigen ur kampf der geschlechter. emmanuel der auch wieder mal ins bild kam stapfte mit seinen schwerfälligen arbeitsge wohnten bauernschritten durch die menschenmenge zu der er in seiner unverfälschten urwüchsigkeit also in sei ner echten urwüchsigkeit so gar nicht mehr recht passen wollte er war künstler maler war er fühlte sich zu höherem berufen & war zugleich im zweifel ob es ihm jemals gelin gen würde das unverlierbare (das unverlierbare) den an schluss an die kunst zu finden. im augenblick malte er recht gefällige aquarelle motive aus der bergwelt die ihm naturgemäss am vertrautesten war einfach alles was ihm in die augen fiel sowie ihm das mädchen helen in die augen gefallen war mit ihrer unkomplizierten natürlich keit des unverbrauchten unverdorbenen ungeschlachten mit der figur einer traumgestalt. ein ergreifender künstler und schicksalsroman. in der zeichenmappe waren hun derte von gesichtern die eine ähnlichkeit aufwiesen und doch nicht sie selber waren ihr ureigenstes selbst weil ihm zu ihrer vollkommenheit noch der letzte zauber fehlte jenes unbegreifliche etwas das doch schon verborgen in ihm schlummerte und das einer behutsamen hand be durfte es ans licht zu holen. die gute behutsame hand griff nach der nutsche holte es wie tausende andre male zuvor heraus betrachtete es trocknete es ab brachte es zum stehen & zeigte die hille dem pflanzen nabel. solche szenen spielen sich tagtäglich in den wiener randbezirken ab wo lust & leid enger nebenein anderliegen als anderswo sonst auf dieser welt. die weisse runde wurzel pulsierte dicht über der gruppe sass der vogel. mit seinen augen spähte er nach gefah ren aus. er wusste noch nicht dass er bereits gefangen war. der wurzelvogel hatte keinen eigentlichen kopf weil er keinen brauchte sein körper war ein plumper sack zwischen den flügeln. in ihm sassen auch die augen. an einer stelle begann die lange wurzel die bis zu 200 m lang sein konnte & bis zur erde hinabreichte. john & paul lümmelten auf der hausbank wie ihre altvordern nur etwas legerer & hatten die hände im schoss gefaltet als ihre beiden kameraden mit einem alten schlüsselbund aus dem hof traten damit wollten sie zur kapelle hinter dem hof um den abendsegen das ave zu läuten wie jeden tag hey jude nach kurzer zeit schallten die reinen kna benstimmen schwermütig bald heiter über die mauer ins dorf hinein die ehre gottes zu verkünden. lawinen. sie würden den tödlichen laut das rauschen & dröhnen nie mehr vergessen nicht nach alldem was geschehen war. was war geschehen. bis john eines tages den versiche rungskaufmann paul kennenlernte. er war die erste wirk lich grosse vögelei für das mädchen. der junge mann nahm sich mit grossem ernst des mädchens an unter & durch. es war nicht leicht sie positiv im sinne der bürger lichen gesellschaft zu beeinflussen doch der junge ver sicherungskaufmann sowie die freunde george & ringo die sumpfkorallen die abschäume die leidensbrüder hat ten erfolg. er konnte sie aus der firma in der sie arbeitete herausholen und verschaffte ihr eine bessere stellung in einem büro john sollte sich in zukunft als angestellte ihr geld verdienen und später einmal überhaupt ganz zu hause bleiben und nur noch hausfrau sein das singen das beat musizieren sollte den heimabenden der jung schar glückaufab vorbehalten bleiben und nicht fremden wildfremden menschen von denen paul nichts wusste als dass sie ihre leichte schon zwirbelten wenn sie seiner braut nur von fern ansichtig wurden. das mädchen also fühlte sich im 7. himmel und sie beschloss unter ihre bewegte vergangenheit einen dicken schlussstrich zu ziehen das wüste partyleben das kiffen der leim das bezeigen das gegenseitige bezeigen sollte ein für allemal ein ende haben. da verpflichteten auch george & ringo die sonst nicht viel zu reden hatten eifrig bei. eine szene aus der ersten zeit ihrer freundschaft ihres kennenlernens ihres ineinanderaufgehens ihres füreinanderdaseins ihres füreinanderbestimmtseins etc.: john sah paul an mit ihren unschuldig naiven & doch mit einemmal geheimnisvollen unergründlichen augen. sie stand vor ihm dem neger dem ausgestossenen dem diskriminierten dem us olümpiakämpfer für mexiko sehr schmal in ihrer engen schihose der pullover zeigte die konturen ihres körpers. ihr gesicht war ganz nahe so nahe wie er noch nie ein gesicht vor sich gesehen hatte so nahe wie möglich sehr nahe jedenfalls. ihre augen schimmerten opalfarben im dämmrigen licht das durch die geschlossenen fenstervorhänge fiel. sie betrachtete ihn lange und genau vom hintersass bis zur pfröpfe und wieder zurück von der pfröpfe zum hintersass und noch einmal zurück einige minuten eine ganze ewigkeit lang schien die zeit stillzustehen & er fühlte wie er unter ihrem forschenden blick errötete dann sagte sie ich habe noch nie mit einem mann was gehabt. das wird unsren notgroschen angreifen und means revolution auf dem gebiet des juckens und reisens meinten die beteiligten & kippten stetig den vollgefüllten über den john über die köpfe der umstehenden in das fröhliche kunterbunt in den untergrund sie machten also bos hafte besudelung beschmutzung öffentlichen eigentums vollführten den leeren drempel dann ohne zögern fort.

der wurzelvogel bewegte träge seine flügel aber er kam nicht mehr weg. 8 menschen john paul george ringo nhoj luap egroeg ognir kletterten auf seinen rücken krallten sich fest in die federbüschel & senkten ihre messer im mer wieder in das fleisch um die nerven zu verletzen endlich entstand ein riss in der saugwurzel erde & schlamm drang aus der wunde der vogel versuchte er neut zu fliehen der riss vergrösserte sich. der wurzel vogel zog kräftig an bis die saugwurzel abriss. taumelnd glitt er in den wind segelte torkelnd davon lange zeit schien er nichts von seinen verletzungen zu spüren aber endlich wurde der flug doch unsicherer und dann begann er allmählich an höhe zu verlieren.

ihre aufgabe soll es nun sein herauszufinden welche zutat frau inge bei der zubereitung dieser sonst leckeren mehlspeise vergessen hat. sie sichern sich damit die chance auf einen gewinn. malen müsste ich dich einmal dürfen. aber das kannst du doch. ich zieh dann meine festtagstracht von der mutter her an antwortete paul dem bebenden john. der aber schüttelte wehmütig den kopf dann tätschelte er ihr die wange wie einem kind das beruhigt werden sollte. auf steirisch sagte er du bewerberin du bewerfung du an einem sonntag nachmittag könnte ich es höchstens zu einer kohlezeich nung bringen. john war immer schon der langsamere von den geschwistern gewesen am feld wirkte sich das besonders stark aus er war auch sonst zurückge blieben klein unansehnlich faserig räss. und zu dem was mir vorschwebt brauche ich auch keine festtags tracht. na also dann meinetwegen bloss im dirndlgewand. nein paula mit gar nichts. stille. bange ängstliche minuten der stille. nur der wind flüsterte leise in den blättern des fliederbusches. und einmal hörte es sich an als schleiften schritte quer über den hügel hin dann talwärts. was wird paul mc cartney auf diese zumutung antworten?

27. kapitel emmanuel sprang

emmanuel sprang jauchzend durch das verbrannte kar toffelfeld gegen ende des verlorenen krieges. während die sekunden verstrichen wuchs die wucht des erdbe bens. für emmanuel bestand kein zweifel mehr daran dass der aussenposten als er den general angriff um die führung an sich zu reissen schlummernde energien aus gelöst hatte von deren existenz weder er noch einer sei ner brüder wusste. vielleicht handelte es sich um alte speicher die noch von dem einstigen moby angelegt wor den waren. vielleicht war es zu einer interferenz von be wusstseinsenergien gekommen als der unzufriedene ma nuel zuschlug. niemand wusste es und niemand würde es je erfahren können. die freigesetzten energien schie nen ausreichend um den gewaltigen körper des generals in kleinste bestandteile zu zerreissen. die unzufrieden heit des führers brachte millionen den tod.

der eintritt des gefürchteten lehrers macht dem halblau ten gespräch dem die klasse voll interesse gelauscht hat ein ende. helmut kann sich kaum von seinem sitz er heben so zittern ihm die knie. otmar rückt unbehaglich auf seinem platz hin & her.

das klingt so unheilverkündend dass helmut sofort mit scheuem gruss davonschleicht. otmar sein getreuer schat ten läuft natürlich hinterdrein. über ihnen geht eine welt zu ende wird die freiheit ermordet aber sie laufen zu ihren aufgaben.

düsseldorf: er wandte sich um. sie war grau geworden. sie beugte unbewusst den kopf zurück als versuchte sie dadurch einem unsichtbaren hieb auszuweichen. mein herz klopft. meines auch christel. sie ist offen. komm. die stille im haus legt sich bedrückend auf die beiden jungen menschen. werner sah sie erschüttert an. mein gott inge sagte er inge. er zuckt die achseln es ist ja schliesslich kein verbrechen mit einem mädchen zu schlafen. du soll test lieber arbeiten kurt. ich arbeite aber nicht lieber.

die nächste welt eine goldene mit den kommenden gene
rationen einer horde in eisen gekleidet hängt über ihren
törichten köpfen. aber sie schauen nicht sondern sterben
weiterhin an krebs alt und zerfressen. das orchester
charly baumann ist ein beweis dafür dass auch eine band
ohne ungepflegte pilzköpfe in ordentlicher zivilisierter
kleidung die ausserdem noch gute unterhaltungsmusik
macht beim publikum ankommt bei einem publikum aller
dings das nicht etwa lärm und geschrei wie es etliche
wohlbekannte beatgruppen oder besser schreihälse pro
duzieren sondern wirklich saubere gute musik hören will
dargeboten von charmanten jungen leuten mit einer soli
den musikalischen ausbildung schliesslich haben 3 der
jungen herren sogar das konservatorium mit erfolg absol
viert die sich noch nicht zu schade dafür sind beliebte ewig
junge immergrüne unverwüstliche herzerfrischende zeit
lose unabnützbare operettenmelodien sowie wirklich gute
schlager zu spielen mit wirklich guten texten die sich die
gruppe zum teil selber macht und die noch melodie ha
ben sich also nicht wie etwa die rolling stones die beatles
um nur 2 der bekanntesten zu nennen in unartikuliertem
gebrüll erschöpfen. bravo. hören wir uns doch diese hoch
begabte gruppe an und entscheiden wir dann ob diese
ausländischen importe die das wort musik bestimmt nicht
oder nur zu einem kleinen teil verdienen es tatsächlich
wert sind dass unsre eigene jugend tische und stühle zer
schlägt fremdes eigentum beschädigt kurz ausser rand
& band gerät wenn die verstärker auf hochturen arbeiten.
hören wir uns diese jungs einmal an und vergleichen wir.
die goldenen stiefel der nächsten generation steigen von
den bergen herunter weinend über ihre vorgänger. sie
stützen sich schwer auf felsen und meteoriten.
sicher finden sie auch das bügeln von bettwäsche müh
sam. können sie sich vorstellen dass weiche geschmei
dige wäsche auch leichter zu bügeln ist. sie kennen das
lästige kleben und knistern von kunstfaserwäsche. wür
den sie ein mittel verwenden das kunstfaserwäsche anti

elektrisch macht? ich würde ein mittel verwenden das kunstfaserwäsche antielektrisch macht.

die goldenen stiefel der nächsten generation steigen über helmut hinweg als ob er nicht vorhanden wäre. der riesige menschenschlag sinkt in die knie.

die latze springen optisch unterschiedlich über die unter drücker. die handelnden personen spielen eine tracht gitarre. also verlangt auch der rest der gesellschaft lär mend seine strähler und hintertritte zurück. dann gehen sie arm in arm und bein in bein heimzu.

etwa 10 meter vor ihm im dunst kaum zu sehen hat sich der boden zu einem kreisrunden loch geöffnet aus dem ein dicker strahl aus gleissendblauem feuer hervor schiesst. instinktiv greift der häuptling zur seite bekommt helmut zu fassen und reisst ihn mit sich. so schnell ihn die füsse tragen hastet er um die plumpe felsnase herum. ja ringo war ein schönes mädchen gewesen. dr. kurt friedrich wusste das nur zu gut. auch jetzt war er noch schön

wie er so dastand mit den unter tränen

zornig blitzenden tiefblauen augen dem kastanienbrau nen lockengeringel das sein gesicht einrahmte der ge schmackvollen tracht um die schlanken glieder ja kein zweifel: er war schön. kurt trat näher bis ringos warmer atem seine wange streifte er streckte sein geschnüffel genüsslich nach vorn in die richtung des nickkolbens und da trat ringo endlich zu! das war zuviel ihm grauste vor diesem heissen atem der nach halbverdautem selch speck käse und reibekuchen roch der koker traf kurts griffbrett mit voller breitseite die saiten rissen es gab eine sogenannte massengeburt von paslacks und männ lichen hautpflanzen die sich zu bunten luftballons for mierten ringos basament mit sich rissen: über mehrere altvordere bezuschusste geichlinge in ihren bierständen und unterhaltungsfelgen hinweg in das land der sehn sucht. unter ihrer felseninsel erstreckte sich die ebene. der boden war nicht weich und sumpfig. er war fest &

von spalten durchzogen. seine farbe war rot & schwarz. es wuchsen nur wenige pflanzen. aus dem schutz des waldes traten seltsame geschöpfe. sie wirkten zierlich und zerbrechlich dabei aber auch unbeholfen & plump. sie erinnerten an die längst ausgestorbenen känguruhs die vorderpfoten waren verkrüppelt während die hinter läufe lang & kräftig aussahen. es war das volk der sän ger und tänzer hey jude don't be afraid take a sad song and make it better remember to let her into your heart so you can start to make it better. sind peter alexander und heintje feinde wird dem grossen peter die rivalität des kleinen heintje dessen steigende popu larität langsam gefährlich? nein peter alexander und heintje sind die besten freunde vor wie nach.

silanweiche wäsche ist angenehm auf der haut. würden sie besonders baumwollwäsche silanisieren weil sich in so anschmiegsamer wäsche ihre familie wohler fühlt. sicher finden sie weiche flauschige pullover angenehmer als rauhe kratzige. sorgen sie durch silanisieren dafür dass ihre familie immer silan weiche wollsachen hat.

ich habe meinen vater nie geliebt dachte emmanuels schwester gegen ende des 2. weltkriegs aber als er tot war als soldat gefallen da habe ich ihn geliebt da habe ich geweint und an seinem grab versprochen ein braves mädchen zu sein in jenem winter als ich jeden abend zum friedhof ging. da habe ich es ihm versprochen und ich habe es gehalten bis zum heutigen tag und jetzt: die nähe eines männl. körpers schutz & wärme es knirschte erneut.

ringo & seine freunde die gilgen hingen ihre mächtigen uferbefestigungen die vorderkabeln die bestecher über die schultern und liefen unbehindert von derlei vorder ladern pfeilschnell gegen die windrichtung ihr ziel war wie jeden donnerstag die tropflippe sie liess ihren schar lachroten saft am stamm entlang in die tiefe tropfen. der dünndorn fiel darauf herein wurde an den klebrigen stamm geleimt und verendete. die lebensformen hier oben wurden immer fantastischer die pflanzen sahen aus wie vögel überall schossen grüne zungen aus dem dik kicht und holten ihre beute mitten aus der luft so war also die wipfelzone eine welt für sich.

aus der saarlandhalle in saarbrücken wird an demselben donnerstag die neue folge der beliebten schützen show der goldene schuss übertragen diesmal steht auf dem programm sogar ein ganzer kinderblock ein lieber schwei zerbub aus zürich jodelt für sie eine jugendgruppe aus bad kissingen vervollständigt das internationale aufge bot erfolgreicher musiker. ein gast aus las vegas ist die ballettsolistin sandra deeling sie wurde in wuppertal ge boren.

mühsam kroch ringo der mechanikerlehrling mit seinem schweren wanderrucksack bergauf dennoch spürte er noch immer den harten druck von toms des olümpia kämpfers bein gegen IHREN schenkel spürte seinen ge sunden linken arm an ihrem arm sie hatte die augen ge schlossen langsam ganz langsam liess sie sich niedriger rutschen bis ihr kopf seine brust erreichte er lehnte die angebotene kolatsche mit heiserer stimme ab. sein ge spräch mit emmanuel verlief etwa folgendermassen: es störte sie das kindische gehaben der tochter. dieses ver halten der jungen dame war eine tarnung sie befindet sich im stadium der reife wo die turnübung beuge strecke sowie die berüchtigte kniebreche in ihr leben treten. bil der und vorstellungen drängen sich ihr auf. ausserdem trat ringo der bantamgewichtler beidbeinig auf seinen kaugummi blies sich (wieder) zwischen die beine dass der chewing gum eine riesige rosablase wölbte welche ihn abhob und bis amstetten dem ausgangsort seiner rädelsführertätigkeit trug. zum schluss noch wie in jeder unsrer fröhlichen donnerstagabendplaudereien der wet terbericht: gehet hin und sammelt reichtümer wo ihr sie bekommen könnt denn nur mit reichtümern könnt ihr die freunde erwerben die den feind des kommunismus schlagen werden.

28. kapitel als die sonne stillstand

als die sonne stillstand beherrschten die pflanzen die welt menschen werden erbarmungslos gejagt am vorabend der ewigkeit. otto versperrte verschloss ihre roten lippen mit einem langen nicht endenwollenden kuss mit einem der nie zu enden schien die zeit hatte aufgehört irgendeine bedeutung für sie zu haben er stürzte sich auf sie & be deckte ihr gesicht mit langen küssen er suchte gierig ihren roten mund und drückte seinen eigenen darauf in einem langen schier endlosen kuss er teilte ihre lippen & erschreckte sie mit überraschender wildheit die keiner dem kleinen buchhalter dem lummen vogel zugetraut hätte mit alles versengender verzehrender leidenschaft er sieht sie an & sie ist eine weisse otto der junge farbige wissenschaftler und sportler aus der amerikanischen bundeshauptstadt ist fasziniert von den augen dem ge sicht der stimme der münchner studentin ingeborg. er spürt: nie wird er sie vergessen können die fantin. aber eine unsichtbare schranke steht zwischen ihnen die schranke zwischen schwarz & weiss.

otto hörte seinen eigenen schrei den schrei eines ver letzten tieres den schrei eines menschen in höchster qual und not einen schrei wie ihn menschen & tiere nur in sel tensten augenblicken der angst verzweiflung und perfo ration ausstossen. der schmerz fuhr ihm wie ein glühen der dolch durch die brust des montenegriners geruch von versengtem fleisch erfüllte den raum. der wasserhahn tropfte tropft der schwarze schmutzrand unter den finger nägeln löst sich langsam in einer mischung aus wasser und blut der oberste hornknopf von dünklerer farbe als die andren und später angenäht ist verkrustet es riecht nach altem zigarettenrauch er trägt keine brille wie am vormittag dafür aber wienerwaldschuhe mit einer zenti meterdicken gummisohle das rechte hosenbein ist mit einer öligen schmierschicht getränkt keine socken am rechten ringfinger eine weisse einkerbung wie von einem

eingewachsenen ehering sommersprossen am handrük
ken sowie rötliche einzelne lange haare kein firmenschild
weder im lodenmantel noch in der grauen kniehose in der
knickerbockerhose eine verstopfte regenrinne darin ein
spatzennest ingeborg hat recht gehabt dachte er das ist
WAHRHAFTIG EIN UNGAR EIN ERNÄHRER WIE ER IM
BUCHE STEHT!

eine weisse dünne gerte erschien dann eine andere. zu
erst peitschten sie ziellos hin & her aber dann fanden sie
den baumstamm. sie umschlangen ihn während die ge
fiederte kreatur erschrocken davonflatterte. eine mord
weide kam aus dem sand. die dickbauchulme war hilflos
denn womit hätte sie sich schon wehren können. ihre
rinde begann an mehreren stellen zu brechen. am oberen
ende der mordweide schimmerten die gleichen gewächse
die auch am fuss des hügels standen.

auf dem jugendzeltlager hatte otto einiges mehr zu be
stellen aus metallfolie engelsköpfe mit gezackten flügeln
nämlich wolkenteile er der überschlächtige weichliche
dicke optisch einherreitende wonnezingel das hatte er zu
bestellen die packende erschütternde geschichte zweier
junger menschen ingeborg 21 jahre alt studentin in mün
chen und otto 23 angehender ingenieur und olümpia
sportler aus washington 2 junge menschen wie millionen
andre aber sie dürfen einander nicht lieben. vorurteile
nachurteile misstrauen und hass verfolgen sie denn in
geborg ist eine weisse otto aber ein farbiger ein mann
mit dunkler haut doch für ihr glück gehen ingeborg &
otto durch alle feuer dieser welt durch wälder seen und
steppen ihrer gemeinsamen böhmischen heimat kämpfen
sie gegen bosheit und verachtung einer grausamen ver
ständnislosen umwelt kämpf kämpf.

die bassena machte bei tag einen fast noch trostloseren
eindruck als bei nacht auf dem porzellanteller verkrustete
schlagobers und teigreste einer schaumrolle eine
schmeissfliege eine knackwursthaut spuren von aufge
tunktem senf brotbrösel ein häferl mit kaffeesatz otto

betrachtete alldies hinter seiner hohen undurchdringlichen stirn arbeiteten die gedanken überstürzten sich wogen ab & verwarfen wieder in seinem ausdrucksvollen vorstädter gesicht arbeitete es seine schwielige hand drückte einen grossen saftigen rotbackigen apfel den ihm sein meister noch heute morgen geschenkt hatte und den er nun vaterl mitbringen hatte wollen seinem vaterl das als koh lenträger und noch schlimmeres sich doch immer schon einen apfel gewünscht hatte oder nur ein apfelspalterl einmal nur riechen hatte er dran wollen der fruchtige duft erinnerte ihn an seine tschechische heimat als kind hab ich oft von meiner mutter äpfel bekommen aus uns rem schönen grossen garten dann hat es verdienen arbei ten geheissen und sorgen um das brot für den buben für dich nach dem frühen tod der mutter äpfel hat er nicht mal am sonntag bekommen und nun hat er der otto sei nen ersten apfel (apple) dem vaterl aufgespart so voll freude ist er die stiegen die ausgetretenen stiegen em porgelaufen immer 2 stufen auf einmal vaterl rat was ich dir da mitbringe apferl (apple) und jetzt vaterl rührt sich nimmer sein liebes herz (heart) ist stillgestanden sogar die scheiben die blinden scheiben haben sich verdunkelt kein sonnenstrahl dringt herein im hof unten rollen die fässer in den weinkeller sonst kein laut wenn es einen gott wenn es einen gott im himmel gibt sagt otto du der du da oben tronst lass meinem vaterl einmal (1 mal) wenig stens noch einen apfel kosten du hast die macht dazu mach ihm das wie zu hause als er noch ein kind war und ihm seine mutter vom eigenen baume die früchte reichen konnte lass ihn noch einmal erfahren wie's apferl schmeckt lieber gott im heaven. da verklärt ein seliges lächeln das verhärmte gesicht vaterls seine zahnlosen kiefer mahlen noch knirsch knirsch kracks und wie ein hauch aus einer besseren schöneren welt kommt es aus seinem munde: ein maschanker buberl.

mit zusammengekniffenen lippen betrachtet otto das mäd chen ihre züge werden ihm seltsam fremd & wesenlos ihr

94

fleisch erregt ihn zwar noch wie früher aber seine seele bis zu der dringt das alles nicht ein leichter kälteschauer überkommt ihn er fragt sich war alles umsonst hat das keinen sinn gehabt. ingeborgs alter hellblauer vw steht seltsam allein und verloren auf dem parkplatz ihr mini kurzer fuchsmantel bedeckt ihren körper von der hüfte abwärts die langen blonden haare flimmern im licht inge borg mein mädchen wir werden uns einmal ganz finden der tag ist nicht mehr fern. ich hab das vaterl vergiftet ich hab das mutterl vergiftet und jetzt macht mir das alles keine freude mehr auf dem schmalen bord über dem bett stand eine kleine silbervase mit einer einzelnen dunkel roten rose ich bin gleich fertig sagte ingeborg und be gann vaterls hosen hemden krawatten röcke socken schuhe & den guten warmen wintermantel aus dem kauf haus sowie den elektrorasierer und das neue gebiss fein säuberlich in den koffer zu packen. vaterl ist tot mutterl ist tot otto flüsterte sie ja sagte er heiser wir leben flü sterte sie otto wir leben. mit jenem schwung mit jener unbekümmertheit mit der die jugend so rasch bei der hand ist betrat otto das zeltlager und betrachtete in sei ner schweigsamen überlegenen aber nichtsdestoweniger wenn nötig zupackenden art mit dem herz auf dem rech ten fleck nämlich links unter den rippen schlau doch nicht betrügerisch mit weisser weste und in unschuld gewasche nen händen folgende dinge in der aufgezählten reihen folge: vollformen trauten totküsse steirer schosskellen rockformen preisficker postpakete nippeln mauldrücke lebehochs krausmünder kif hinkels heimfahrer gespinste fletschen entehrer einfugungen desperados beschiesser (ehre die tote teere die boote) & altbauern.

war jedoch schon die maturaschule eine fast unübersteig bare klippe für den lebhaften für das stillsitzen nicht gemachten otto gewesen so verging ihm hier angesichts solcher lebewesen endgültig der wunsch zu studieren widerwillig liess er sich daher zu einem kommando ein teilen das den turnerinnen auf den zahn fühlen einmal

gründlich sollte das war freilich besser als das ungebär
dige hopsen und spieleinsetzen das war ein ernstes ver
antwortungsvolles tun mit fröhlichem herzen (allzeit
happy herz).
überhaupt gab es nur fünf überlebende familien im
reich der alles überwuchernden pflanzenwelt. die tiger
fliegen die baumbienen die pflanzenameisen und die
termiten die fünfte familie waren die menschen leicht
verwundbar und schnell zu töten nicht so gut organisiert
wie die insekten ausser den pflanzen gab es sonst keine
lebewesen mehr auf dieser welt. wenn die menschen in
dieser hölle überhaupt verbündete besassen dann waren
es die termiten. es schneite jetzt stärker über dem tal
und droben in den hohen tauern aber: das leben eines
farbigen führen? ist es nicht ein leben auf der schatten
seite auf der schwarzen seite der menschlichen exi
stenz.
kohlenstaub auf der stiege ein paar gummihosenträger
über das eiserne bettgestell gehängt ein abgerissener
schuhriemen von vaterls sonntagsschuhen den schwar
zen ein rosenkranz ein hochzeitsfoto those were the days
in brünn ein taschenkamm zwei sicherheitsnadeln noch
ein foto von den onkeln white giant und osterhase den
im krieg bei stalingrad vermissten ein abgebrochener
blei. die stille war greifbar fühlbar otto griff die stille an
und warf sie seinem vaterl auch noch an den greisen
kopf den abgearbeiteten. it's okay sagte er leise zu sei
nem pfadfinderführer.

29. kapitel du sollst vor anna tanne

du sollst vor anna tanne dein essen nicht so hinunter schlingen ringo mahnt der sorgsame sappel. da fragt ringo nicht mehr lange und nimmt sich seine antwort von ihren frischen roten lippen. die nächste generation in gol denen rüstungen holt ihre vorkämpfer vor das messer stürmt die städte schleudert den rauchpilz.
conny & rex flüstern hinter ihrem rücken rex kommt in conny hinein. wir sind schon geschichte geworden wenn wir in der sonne sitzen.

30. kapitel nanu otto war ja unglaublich fidel

nanu otto ist ja unglaublich fidel dass er von zuhause fortgeht. wenn ihr allerdings gesehen hättet wie er wäh rend der fahrt die hand des white giant nicht aus der sei nen liess wie er sich auf dem bahnhof die augen aus schaute ob der osterhase der in aller herrgottsfrühe zu einem schwerkranken gerufen worden war noch recht zeitig kam um seinem sohn den segen zu geben dann hättet ihr gemerkt dass otto der abschied gar nicht so leicht wurde. die dunkle haut spannte sich eng um die mahlenden kiefer seine extrem kurze laufhose und das turnleibchen mit denen er sein olümpiatraining bestritt brachten seine gute gestalt auf das vorteilhafteste zur geltung. wie jedoch lernten sie einander kennen? sie ist blond hübsch und unerfahren sie hat lange beine und grüne augen: die junge münchner studentin ingeborg. an einem abend im dezember wird sie im park von einer goldenen horde von raudis angefallen wie von wölfen. ein hochgewachsener breitschultriger mann rettet inge borg in letzter sekunde. im licht einer laterne erkennt sie sein gesicht es ist jung gut aussehend vertrauenerwek kend aber es ist das gesicht eines farbigen. otto ihr retter studiert in münchen atomfüsik zählt trotz seiner jugend bereits zu den ersten spezialisten seines landes kommt aus washington und gehört zur us olümpiamannschaft für mexiko. er ist auch ein bekannter beatmusiker der lea der der heissesten deutschen beatband der swinging boys.

wir die vorfahren sitzen nur mehr in der sonne und den ken an den winter bis die stiefel der nächsten generation der gewalttätigen uns wegwischen wir sterben an krebs in der milden sonne.

diese jungen leute singen wie berichtet zum teil gegen gewalttätigkeit rassenhass und andere unrechte dinge dieser welt obwohl sie nicht direkt protest machen möchten was sie wollen ist: gedanklich unterhalten sie haben den ehrgeiz das publikum zum mitdenken anzu regen. in dieser welt ist so vieles faul da haben wir jun gen eben die verpflichtung völkerverbindend zu wirken. speed.

das faltboot schien für ottos lange beine zu kurz zu wer den so dehnten sich seine beine aus sein kopf betrach tete aus schier unermesslicher höhe das loch im boden durch das die füsse glitten und glitten und immer noch nicht verschwunden waren wie war das komisch mit einer mischung aus angst grauen belustigung spott und schwebender leichtigkeit betrachtete otto wie seine un ermesslich langen beine durch das loch im boden des faltbootes bohrten die fallmeister die holüber ottos beine waren so lang geworden dass ihr ende nicht mehr ab gesehen werden konnte das war sehr aufregend für den des unbeschwerten lachens ungewohnten junglehrer. speed.

in sprudelnder laune marschiert die fidele gesellschaft dahin otto mit dem akkordeon stets voran aber er sonst von unverwüstlichem frohsinn war nicht gleichbleibend in seinen stimmungen bald war er der ausgelassenste von allen bald ungewöhnlich nachdenklich und in sich gekehrt besonders in seinem verhalten dem am boden liegenden vaterl gegenüber kam dies zum ausdruck ein

98

mal sagte er armes totes vaterl dann wieder beschimpfte er den greis seiner schmutzigen fingernägel und seines spärlichen haarwuchses wegen er sagte oft du bosniak du kumpan & saufbruder!

ja was hatte denn otto eigentlich der sonst von ausge lassenheit übersprudelte der mit seinem hellen lachen eine ganze gesellschaft anstecken konnte. nur mit einem weissen stretch slip bekleidet lag er im hotelzimmer der schweiss überrann seinen ebenholzkörper auf dem der staub in kleinen krusten festklebte unzählige fliegen be deckten das einschussloch unterhalb der rechten schulter liu eggmaker die politessentochter betrat eben die blaue tankstelle sie schien ottos sportzweisitzer der einen von kugeln durchsiebten hinterreifen und ein kaputtes rück fenster hatte nicht einmal zu bemerken. sie hatte dafür wenig übrig land & leute interessierten sie mehr die zigeuner mit ihren schwermütigen melodien die frauen in ihren bunten trachten die interpreten. der kalte schweiss nicht wie sonst der warme rinnt ihm von der stirn zusammengesunken sitzt er in seinem kinosessel das eintrittsbillett hat er ohne es zu merken in seinen feuchten händen zu einem dreckigen klümpchen zerrie ben während er seinen einzigen freund den lehrling emmanuel den er in diesem feindlichen land unter feind lich gesinnten menschen gefunden hat zu überreden ver sucht die sache der arbeiter bauern und intellektuellen auch zu seiner eigenen zu machen sowie das generations problem zu überbrücken doch emmanuel der heimlich medizin studiert sagt nur lass mich in ruhe der film ist spannend. zu haus aber da ist er stark da haut er auf den tisch und sagt zu seinem vater zum beispiel ver schwinde sonst kriegst du einen tritt du bist ein alter unnützer verbrauchter esser ein abfall eine abart tier geh aus dem weg und zu seiner mutter wenn du für den intimverkehr mit vaterl schon zu alt & faul bist und auch für den kif nichts übrig hast dann steck deinen kopf in den gasofen solche dinge sagt emmanuel zu hause aber otto gegenüber ist er feig und drückebergerisch ein schlechter karakter ein ausschwitzer.

warum gerade aprikosen? weil sie gut verträglich sind und mehr provitamin a enthalten als andre früchte der organismus setzt dieses provitamin a um das für die ge sundheit von augen haut & schleimhaut unentbehrlich ist.

siedendheiss & unbeweglich stand die luft kein lüftchen wehte kein blatt zitterte nirgends erklang ein vogellaut es war als ob die natur den atem anhielte die natur war am ersticken man schritt tapfer zu hinter ihnen her jagte das schwarze wolkenungetüm ein stückchen himmelsblau nach dem andern verschlingend da plötzlich ein schreck licher schrei immer lauter wer hat ihn ausgestossen der osterhase hat ihn ausgestossen der osterhase ist in not eine steinlawine ist über ihn hinweggegangen & hat ihm ein grosses stück fleisch aus dem oberarm gerissen da wheeeeeet auch schon der white giant daher mit riesen waschkraft was ist freund ist etwas geschehen hier sieh der weg über die halde kannst du aushalten bis über das tal des todes bist du verletzt bin ich zu spät gekom men eine träne lässt er fahren ich bin verletzt mein arm sieh hier aaaaaaah wir müssen uns trennen kamerad der berge nein osterhase ich bin da ich und meine riesen waschkraft wir werden es schaffen machen wir den knotentest. ich danke dir glaubst du werde ich es schaffen du wirst es schaffen osterhase auch heuer wieder wer den kinder in aller welt in allen erdteilen & nationen schöne (schöne) bunte ostereier bekommen du sollst weiter deine grosse aufgabe erfüllen nämlich freude bringen gross & klein.

mit heissen wangen und windgezaustem haar betrat inge borg den hörsaal. er schien überfüllt studenten & studen tinnen standen und sassen bunt durcheinander otto der erste farbige assistent an der universität münchen sollte seinen einführungsvortrag halten da kommt er schon auf 2 helfer gestützt blutend jemand hat einen stone nach

100

mir geworfen & mich verletzt auf einer geröllhalde ein anarchist. die studenten trampeln johlen & brechen in ohrenbetäubendes pfeifen aus der giant der mit seiner hautfarbe leuchtend weiss von dem jungen wissenschaft ler neben dem er jetzt steht bescheiden wie immer ab sticht presst die fingerspitzen gegeneinander bis sie schmerzen er überragt alle um einige körperlängen seine bleich gewordenen lippen formen immer nur den einen satz wartet nur liebe hausfrauen wartet da verstummen auch die vorwitzigsten stiessel.

in dem spärlich & bescheiden eingerichteten zimmer ver suchte dann der automechanikerlehrling emmanuel sich seinem opfer zu nähern er wurde zudringlich wütend schlug er mit der faust mehrmals auf den kopf des opfers während seine eltern vor dem fernsehschirm sassen und sich um ihren sohn nicht kümmerten er war in letzter zeit schwer lenkbar und leicht zu erregen früher hatte ein ein ziger wink genügt oder im schlimmsten fall die drohung wart ich sags den beatles die werden aber traurig sein wenn sie erfahren wie unfolgsam du bist worauf der schmächtige achtzehnjährige unweigerlich in tränen aus brach und knieend besserung gelobte nur sagt den beatles nichts liebe eltern bitte sie sollen nur stets das beste von mir denken jetzt aber war er durch schlechten umgang völlig verdorben und passte nur mehr schlecht in das ge sellschaftssüstem. der osterhase drückt sich eng an die felsmauer mit einer jähen handbewegung streicht er sich das lange blauschwarze haar aus der stirn das beben und brausen erfüllt noch immer die luft seine zähne knirschen vor schmerz die passanten in den strassen er starren vor entsetzen dann stieben sie auseinander schreien auf in panischer angst vier menschen liegen von kugeln tödlich getroffen auf dem gehsteig. der white giant & 3 weitere fussgänger.

31. kapitel major rogers

major rogers vom fort crave point fällt die schwere aufgabe zu an der spitze der regierungstruppen einen treck ameri kanischer siedler der nach dem westen zieht zu beschüt zen. er seine männer & die siedler sind gezwungen einen erbarmungslosen kampf gegen die franzosen und india ner auszufechten. nach einem schweren gefecht bei dem die indianer auf der strecke bleiben gelingt es rogers die siedler an ihr ziel zu führen. dieser film ist allen jenen tapferen männern und frauen gewidmet die die endlosen weiten des amerikanischen westens zu dem machten was es heute ist. die ein unwirtliches gefährliches gebiet un ter einsatz ihres eigenen lebens zu fettem weideland prärien deren herrscher allein der wilde büffel war flüsse seen und wälder zu einem gesegneten land zu gottes eigenem land gemacht haben. ihr andenken wird in allen menschen fortleben die nicht sinnlose zerstörung son dern aufbau im sinn haben wie ihre tapferen väter.

edwin rumill erster steuermann eines luxusdampfers er hält überraschend das kommando über den frachter berwind dessen kapitän auf einer fahrt auf mysteriöse weise ums leben gekommen ist. vor auslaufen des schiffes stellt rumill fest dass der koch verschwunden ist und heuert einen farbigen als ersatzmann an der seine frau mahia mit an bord bringt. wie rumill befürchtet bringt die anwesenheit der frau unruhe unter die besatzungs mitglieder. blut & leidenschaft auf den wellen des end losen ozeans eine schöne farbige und mehrere hundert eiskalter harter männer die vor nichts zurückschrecken auch nicht vor brutaler gewalt wie wird diese fahrt enden. im ungewissen.

32. kapitel die beiden wussten nicht

die beiden wussten nicht war es ernst oder war es scherz dem kasperl durften sie sowohl eine lustige flunkerei wie einen übermütigen streich zutrauen jedenfalls er höhte das noch die stimmung der zauberfeen auf dem rücken des feuerspeienden drachen. passt auf ich stecke mich vor dem wünschten riesen ruft mich kinder wenn das greterl meinen peniswärmer fertiggestrickt hat kasperl kasperl dem greterl ist die wolle ausgegangen da muss ich zu dem bösen riesen ins riesenreich wolle holen mich verfriert das unterteil ich verstecke mich einstweilen wie oben.

das aussehen der guten feen blau mit weissen blumen gelb mit roten blumen grün mit rosa blumen gummi pfeifen überall eine bresling eine weisse gross erdbeere fassreifen um den bauch kasperls schwegelgewicht zieht sie abwärts überkopf. kinder wollt ihr einmal von meiner knackwurst abbeissen nein kasperl das ist eine kotwurst aber nein kinder riecht doch. was dachte kasperl jetzt an fische stachelbeeren krätzbeulen und an die hungrige gretel er schnallte den rucksack um und schritt an der seite der guten feen der wurstmummeln. verkam da nicht wieder der moosrote riese der böse seines er achtens meister im pegeln schädelanbohren einbrennen vögeln kiffen einfamilienhausen und auch sonst meister daher wohin mit den feen? da spannt der kasperl der mit denen andre pläne behegt seine rute sechs meterlang hoch die feen klettern hinauf sind in sicherheit kinder wisst ihr nicht eine list dem kasperl die guten feen abzu jagen nein riese du bist bös vergeh! nein ich bleibe ich mundsauge jedes arschleder jeden blumenfreund jedes eichelgeäder und ähnliches jetzt esse ich dem guten kasperl seine stinkwurst weg aaaaaah kasperl kasperl! kinder gebt acht die zunge klebt dem wanderer im halse besonders dem stets durstigen bösen riesen da besteig ich doch zur blauen donau hinunter die hat

wasser gegnet der riesige mann ich werde dem bösen
riesen eins pissen kinder hahahaha! ein blauer regen
prasselt hernieder auf die dürstende erde. lachend er
frischt sich der durstige an dem segen der von oben
kommt. danke kasperl das hat geschmeckt das hat er
frischt jetzt gib mir die feen niemals riese nicht wahr
kinder wir geben die feen dem riesen nicht der sprengt
sie nur zu feenhälften & feenvierteln nein kasperl wir
schützen die feen. kasperl war selbst ein recht hübscher
bursch bis auf die ein wenig vorstehenden zähne.

auch stenografieren lernte er jö kinder was kommt denn
da das ist aber lieb das ist ein junglehrer kasperl den
wird der riese aber fressen gelt ja der riese frisst den
junglehrer der kasperl scheisst dem riesen auf den kopf
so geht das immer weiter die feen auf ihrem luftigen sitz
finden wieder ihr gleichmass und ihre gewohnte heiter
keit nach der unbegreiflichen inneren unruhe von gestern
von neuem.

doch beginnt der kasperl allmählich über muskelschmer
zen zu stöhnen der riese setzt nicht unter lebhaften dan
kesworten der bedrängten seinen unterbrochenen spa
ziergang fort. eine fleissige arbeitswoche folgte diesen
frohen festtagen zielbewusst spannte der kasperl trotz
dem er in dem fröhlichen österreicherland nur zu gern
seine jugend genoss von anfang an seinen ungeheuren
schwanz seine pflichttreue wirkte auch auf die etwas
leichter gearteten feen die oben hockerlten vorbildlich
und die partie sässe wahrscheinlich heute noch oben
wenn nicht das greterl auf der suche nach neuer wolle
für kasperls peniswärmer in den zauberwald gekommen
wäre da geschah dann in nüchternen worten folgendes.
oh kinder was seh ich kasperl kasperl was ist denn kin
der die gretel scrouch wheeeee knack knack schluck.
aaaaaaaaaaaaaaaaaaaaaaaaaaaaaaaaaaaaaaaaaaaaaaaah!
(als der kasperl nämlich das greterl sah fiel ihm der
schwanz automatisch hinunter die elfen die feen fielen
holterdipolter hinunter der riese sprengt die zarten feen

entzwei ent2 die kinder schreien laut es herrscht tumult kasperls list war umsonst.) nach möglichkeit vermied der kasperl auch nachdem sein unterwärmer fertiggestrickt war ein alleinsein mit gretel er schämte sich allzusehr die jedoch tat als merke sie es gar nicht wenn sie ihn einmal allein erwischte duzte sie ihn mit liebevoller selbst verständlichkeit. er lief oft vor greterl davon. ein glück licher mensch ist doch der kasperl in all seiner unbe schwertheit ich beneide ihn um sein heiteres wesen nachdenklich sah gretel hinter dem davoneilenden her.

33. kapitel du bist verrückt weisst du überhaupt was du da redest

du bist verrückt weisst du überhaupt was du da redest. stefan hör auf damit sehen sie lassen sie sich das eine warnung sein. legen sie sich nicht mit menschen an die von sowas mehr verstehen als sie. das lausbubengesicht des white giant überzog sich jäh mit einer auffallenden blässe die so stark war dass sie selbst stefan auffiel dem sonst nie etwas auffiel ist es unsre verbotene geschwister liebe die dir auffällt fragte er daher. aber die ersehnte innere spannung bleibt aus lümmelhaft drängte er seinen bruder bei der frühschicht beiseite verwehrt ihm den waschraum die gewerkschaftszeitung die wohlverdiente bierpause die muskulatur.

da machte kasperl der lümmel von der letzten bank die schönen pläne zunichte indem er wie meistens seinen kopf durchsetzte die arme eng um den leib geschlungen lief er in den nebenraum der wahrscheinlich ein schlaf zimmer war und nun vom fledermausmenschen in uni form fast völlig ausgefüllt wurde und mit dem eine jähe verwandlung vorging als sein falkenauge unter der halb maske mit den sehschlitzen schutzbefohlene auswählte. die starre fiel von ihm ab sein kopf seine schultern san ken nieder. der kasperl und der white giant stoben unter fröhlichem geschrei durch das flimmern des firnschnees das knistern der eisplatten über die weiten hänge der alpen & hoben den kopf samt den schultern des selbst bewussten fledermausmenschen des globetrotters in den kombi. nun begann auch der herrenmensch sich an den neckereien zu beteiligen wenn auch seine sticheleien nicht bös gemeint waren merkte man doch eine verlet zende absicht dahinter die stimmung war gespannt wie nie. die stimmung ächzte vor anspannung dann hatte sie es geschafft: anerkennung für sich und die belegschaft.

der ambulanzwagen fährt durch ein portal mit imitierten griechischen tempelsäulen rollt über 200 meter sauberen

106

kies vorbei an palmen züpressen eukalüptusbäumen mit
sanftem ruck hält er vor dem eingang des hauptgebäu
des. dann geht alles sehr schnell der osterhasentransport
in den aufnahmeraum der chirurgischen abteilung ent
fernung der zerrissenen blutverschmierten kleider
schliesslich untersuchung massnahmen zur stützung des
kreislaufs dann einlieferung in den röntgenraum. der alte
osterhase der das leben schon hinter sich hat der von
seinem leben nichts mehr erwarten darf als ein sorgen
freies altern und den lohn für lange jahre mühe und
arbeit für die seinen der sich die pension redlich erarbei
tet ersessen hat der sich nie etwas zuschulden kommen
lassen nie etwas ungerechtes getan hat der wird ver
wöhnt um den tanzen sie herum aber die jungen leiden
schwer am generationsproblem besonders darunter dass
sie nichts rechtes gelten nichts sind in den augen der
erwachsenen als ungewaschene protestierer ist einer
von uns krank so kann er versterben euch macht das
nichts ihr wollt uns nur los werden ihr ältere generation
ihr verstümmelungen.
während der alte osterhase in seiner gepolsterten gips
schale ruht zischt das narkosegerät leise und rütmisch
atmet für den patienten osterhase denkt für ihn die
scheinwerfer knallen ihr grelles schattenloses licht
auf seinen rücken auf das bereits geöffnete operations
feld an der wirbelsäule auf die sterilen tücher die sei
nen körper abdecken. er fährt einen citroen ds voll
kabrio. der osterhase versinkt in den riesigen leder
sesseln seine haltung ist trotz des stahlkorsetts und der
kugelsicheren weste die er trägt jungenhaft aufrecht für
die jungen leute die mit platzpatronen scharfer munition
schleudern steinen bierflaschen mpis auf ihn zielen und
schiessen sowie ohrenbetäubend aufrührerische parolen
brüllen hat er nur einen verachtungsvollen blick übrig
musik sagt er plattenspieler oder sowas. mein name ist
osterhase ich bin inges vater.
GLÜCK und GEBORGENHEIT: nur die familie kann es

geben. es sollte auch nicht so sein dass immer nur der mann die initiative ergreifen muss. wir männer haben es im allgemeinen nicht ungern wenn unsre frauen gelegent lich auch von sich aus etwas bieten. wenn mich jemand fragt wie ich geliebt werden möchte so kann ich nur sagen so wie ich seit zwanzig jahre geliebt werde. keiner spricht darüber und dennoch verstehen wir uns mit jeder vertrauten geste: wenn meine hand leise nach seiner hand hinübertastet und sie sogleich zart und innig ge drückt wird wenn mich sein verstehender blick trifft oder wenn er fast scheu (scheu) über mein haar streicht. aber davon verstehen die jungen nichts die wollen immer nur das eine.

aber schon hatte osterhase das junge halbblut die junge halbchinesin mit ihrem lieben vom herzen kommenden lachen um die schlanke taille gefasst und war mit ihr in seiner mitreissenden art durch das zimmer gewalzt auch ringo konnte sich an dem stattlichen paare nicht satt sehen liu indessen die gerne mit ihm in ihrer freizeit über politische probleme diskutierte gönnte ihm nur ein zer fahrenes lächeln. otto war eigentlich dagegen gewesen seine erfahrene tochter schon in diesem alter die abend schule besuchte aber deren aufnahmebereites wissbe gieriges wesen hatte ihn eines besseren belehrt er wandte sich daher an die abendschule seines vertrauens. als er mit offenen augen durch die welt ging sprach ihn die abendschule endlich an: verdienen sie mehr wie durch abendunterricht. wir machen sie zum maturanten oder b maturanten wenn sie wollen oder zum bilanz buchhalter zum programmierer zum heizungs und lüftungs techniker oder zum oder zum ballastfrei praxisnahe leicht erlernbar. ob das wirklich geht. das haben tausende vor ihnen auch gefragt. dann bildeten sie sich weiter. heute sind sie glücklicher. sie haben höhere verantwortungs vollere positionen. verdienen mehr.

waren dies auch nur einige der gründe warum liu egg maker die aparte delialgepflegte halbchinesin aus der

ostzone in die bundesrepublik geflüchtet war so gaben
sie doch aus. als was arbeitete liu nach ihrer flucht in die
bundesrepublik und in den freien westen nach ihrer
flucht in die bundesrepublik und in den freien westen
arbeitete liu als serviererin in einer grossen westdeut
schen stadt des ruhrgebiets einem zentrum ihr beruf ist
ein ansprechender frauenberuf sie ist nämlich nur ein
stück dreck ein flüchtling eine ausgestossene eine ein
klemmung.

die strahlen der nachmittagssonne brannten auf die bunt
gestreifte markise zwei gutgekleidete manager bestellten
whisky mit viel eis und soda ihre dezenten feingestreiften
anzüge und die masshemden wiesen sie als eine gattung
mensch aus die schon immer lius und deren freunde ab
scheu erweckt hatten als ob sie den heftigen abscheu des
mädchens nicht bemerkten griffen sie ihr ans gesäss und
in die tiefausgeschnittene bluse mit von langer übung
zeugender geschicklichkeit. ein schauer überflog die
zarte leicht gelbliche wie kostbares altes papier ausse
hende schimmernde haut des mädchens sie empfand
grenzenlosen ekel dauernd musste sie die dreckigen
finger dieser schweine aus ihrem gesäss und ihrer tief
ausgeschnittenen bluse mit von langer übung zeugender
geschicklichkeit herausholen. ihr haar glänzte blau
schwarz. ein ungewohnter anblick unter diesen blonden
nordisch kühlen menschen aber ein reizvoller. da treffen
ihre augen einen herabgekommenen genial schlampig
gekleideten volltrunkenen mann dem man den künstler
schon aus grosser entfernung ansieht es ist der eben
aus dem gefängnis entlassene filmproduzent und geniale
reschisseur ben chander. beide merken in der sekunde
in der sie sich ansehen dass sie beide aussenseiter der
menschlichen gesellschaft der bürgerlichen ordnung sind
zugleich aber auch soviel reicher begabt als diese und
daher verpflichtungen tragen unter der last ihrer verpflich
tungen lag liu im bett und dämmerte vor sich hin.

nur heute war sie gleich nach dem mittagessen aufge

standen. als die stationsschwester wie jeden nachmittag um drei uhr zu ihr hereinkam sass sie in einem sessel am fenster. liu nickte. heute sollte sie zum erstenmal seit ihrer einlieferung besuch bekommen. von ben chander ihrem verlobten. er kam um halb vier. strahlend betrat er das zimmer das die schwester ihm aufschloss. in der hand hielt er eine grosse schachtel konfekt. er sah sehr elegant aus in dem hellgrauen anzug den er trug. er war nur wenig betrunken.

der alte osterhase bäumte sich mit urkraft auf der schmerz warf ihn wie eine brennende fackel empor mit seinen scharfen vorderzähnen biss er die klingelschnur durch hetze hier hetze da. schnell schnell schnell das kostet kraft zuviel kraft wer da nicht gute nerven hat. sagen sie selbst warum ist man heutzutage ewig so zerschlagen überreizt und müde. die forderungen des modernen lebens sind hoch zu hoch. der osterhase verdrehte die augen bis man das weisse sah das war ein furchterre gender anblick die jungen protestierer wichen scheu zu rück selbst die ärgsten schreier und randalierer schwie gen betreten vor solch menschlichem leid vor solcher menschlichen grösse im ertragen & dulden im ausharren und dabei ein fröhliches herz (allzeit happy herz) bewah ren mussten sie erschüttert bestummen auch die laute beat musik hatte in dem stillen krankenzimmer mit den lautlos huschenden schwestern nichts verloren hier litt ein mensch wie ich & du einer aus der grauen anonümen masse aber dennoch gross im leidertragen hier musste alles andre unwichtige schweigen vor diesem tapferen mann. mit scheuem verlegenen grusse traten die jungen unüberlegten menschen die es in ihrem innersten doch nicht so böse meinten wie es oft aussah einer nach dem andren zur tür hinaus. der letzte blick den der alte oster hase ihnen nachwarf sagte nur ich verzeihe euch ihr seid jung und unerfahren noch auch habt ihr nicht wie ich im kriege mitgekämpft und euch so gestählt.

ben chander kniete noch immer als letzter vor dem bett

110

er war nüchtern sein edelgeschnittenes gesicht mit dem dichten langen protestiererhaar fiel auf den kragen einer bestickten hippiejacke man sah gleich dass er etwas von einem anführer an sich hatte der kragen seines weichen geblümten seidenhemdes das mit revolutionären abzei chen besteckt war zeigte schmutzspuren als ob er seit tagen nicht gewaschen worden wäre. die tiefblauen augen ein erbteil seiner deutschen mutter wirkten in dem tiefbraun gebrannten hartgewordenen gesicht selt sam hell und durchscheinend. leise begann er so herz haft so zutraulich zu lachen wie nur kinder es können.

die drei blauen sonnen beherrschten das bild. jede von ihnen übertraf sol an leuchtkraft um mehr als das zehntausendfache. wie die glühenden augen eines unirdi schen monstrums schauten sie von der bildfläche herab und liessen die sterne in der nähe erblassen. helmut schauderte unwillkürlich. es kam ihm zu bewusstsein dass er und seine kühnen kameraden zu den ersten men schen zählten die diese sonnen zu gesicht bekamen. wie hiessen sie? wer hatte ihnen einen namen gegeben? welchen fremden rassen (fremden rassen) dienten sie als leuchtfeuer auf sternenweiten flügen durch die rand zonen einer fremden galaxis? einmal muss jeder mann wissen wann er zu hause ist auch ben mit seinen 23 jah ren wusste das jetzt. mein sohn denkt der osterhase tränen und lachen auf den lippen. mein sohn.

osterhase blickt ben an und sie beide wissen: sie sind der verdammnis entronnen. an diesem abend der von einem mann in den kerzenschein eines zu frühen weih nachtsfestes getaucht wurde einem mann der einen sohn gewonnen und einen sohn verloren hatte für das glück andrer.

jahrzehnte lang hat osterhase aus sötern (kreis st. wen del im saarland) sein glück bei verlosungen tombolas lotterien und preisrätseln probiert vergebens. jetzt im 71. lebensjahr hatte die glücksgöttin fortuna doch eine gabe aus ihrem füllhorn für den liebenswerten alten herrn in dem gepflegten eigenheim in den schneebedeckten vorbergen des hunsrück bereit: herr osterhase gewann die goldene einkaufstasche unsrer redaktion. herzlichen glückwunsch. und obendrauf kommt noch ein hähnchen. herr osterhase (links) der glückliche gewinner füllt in seinem stammgeschäft die goldene einkaufstasche. sorg fältig prüft der alte herr zwischendurch ob die tasche auch die last trägt. das war eine freude bedankt er sich. ich rate weiter vielleicht gewinne ich wieder.

34. kapitel löwe für heintje

2. preis für alexander und jürgens von radio luxemburg. radio luxemburg vergab jetzt seine begehrten löwen für die beliebtesten schlagersänger und schlager des zwei ten halbjahres 1968. nach dem spruch der hörer des sen ders und einer jury aus fachjournalisten erhält heintje den goldenen löwen von radio luxemburg für sein lied heidschi bumbeidschi. der silberne löwe muss wegen punktegleichheit zweimal vergeben werden: an peter alexander mit dem lied komm und bedien dich und an udo jürgens für seinen grossen erfolg mathilda. freddy erhält den bronzenen löwen von radio luxemburg für das von ihm selbst geschriebene lied deine welt meine welt.

35. kapitel der hauch der grossen weiten welt

der hauch der grossen weiten welt weht in diesen wochen durch die verschneiten alpendörfer. denn die reichen und berühmten drängen in den schnee und in die berge. sie suchen ruhe erholung vergnügen und treiben sport. prinzen und politiker millionäre und filmstars suchen winterfreuden in den alpen. auch hier hatte inge borg ein feuer im kamin entfacht. immer wieder trat sie vor den spiegel betrachtete ihr gesicht. es war wieder von der glatten silbrigen schönheit die roland so liebte. das haar hatte seinen hellen glanz zurückbekommen und ihre gestalt war wieder so biegsam wie zuvor. ich muss schön sein für ihn heute nacht dachte ingeborg und zärtlich und ihn vergessen lassen was uns bevorsteht nämlich eine wasserdicht abschliessende zimmerung bzw. mauerung eine küvelierung.
er sah wie sich die langbewimperten braunen lider öffne ten wie der dunkle blick des mädchens otto aus den wei ten fernen irgendeines traumes zurückkehrte. dr. otto

chander richtete sich auf er räusperte sich und dennoch klang seine stimme rauh er schafft es die gefahr ist vorbei. noch in der gleichen nacht meldete otto ein telefon gespräch zu ihrem mann nach tanger an.

ein dünner lichtschein drang durch die ritzen der halb verfaulten tür und auf das stinkende strohlager es war ein alter pferdestall in einer alten südamerikanischen garnison die hitze flimmerte vom glockenturm der kate drale der santa maria bimmelte ein gun fighter im alt österreichischen military look die pferde traf reihenweise der hitzschlag.

otto hatte nun öfters das seltsame mit nichts zu vergleichende gefühl dass seine unermesslich langen beine in faltbooten in kombis in telefonzellenböden in herren pissoirs in umkleidekabinen in lauben in lastkraftwagen in konzerten einbrachen und spurlos verschwanden oft lief er deshalb seine beiden überlangen antreibe künstler krampfhaft festhaltend ins freie. bei seinem aufbrausenden temperament hatte er es schwerer als andre an gestellte mit seinen kleinen alltagsproblemen fertigzu werden mit einer mischung aus grauen spannung und entsetzen beobachtete er oft & oft wie seine überlangen beine sich selbständig zu machen drohten und die kleinen alltagsprobleme andrer angestellter zum ausreissen verleiteten. was fragst du ich verstehe dich nicht. du musst zurückkommen hörst du stefan du musst einfach es gibt keinen andren weg. komm so schnell du kannst bitte komm. ich erwarte dich. komm aussergewöhnlich schnell. der wirt sprach über land und leute. und nun gar otto! war doch sein vater der beliebte arzt fast in jedem hause ein helfer in krankheitsfällen und seinen lustigen otto den kannte man von klein auf. auch otto sprach also über land und leute. er zahlte einem kurzwarenvertreter einige schnäpse fürs zuhören bis ins kleinste letzte ge birgsdorf waren die amis schon vorgedrungen die be wohner verteidigten sich heldenhaft gegen die unüber windbare übermacht.

wie merkwürdig schräg plötzlich der boden war! wenn ich mich nicht festhalte sagte sich otto dann.

da sah er einen roten schein hinter den zerbrochenen fenstern des speisesaales. feuer! der junge kosak ringo sprengte in seiner malerischen bunten uniform den säbel an der hüfte über die glosenden trümmer riss den weissen blutenden körper der jungen frau zu sich herauf und blickte in ihre brechenden blauen augen auf ihr langes aufgelöstes blondes haar und die perlzähne zwischen den leuchtenden tiefroten lips auf die korpula die muskete.

der nur notdürftig beleuchtete und mit der etwas verblichenen eleganz der jahre vor der jahrhundertwende eingerichtete speisesaal war fast leer. otto streckte die hand aus um die schlüssel in empfang zu nehmen und verhielt mitten in der bewegung. zwei dumpfe kurz aufeinanderfolgende schläge liessen das schiff erzittern. irgendetwas riss geschirr polterte zu boden das klirren zerbrochenen glases. es gab wohl keinen hier der dem alten admiral diese abfuhr nicht gegönnt hätte.

die ständige belastung durch den heutigen alltag hat dazu geführt dass sich immer mehr menschen bereits auf der höhe ihres lebens abgespannt und überfordert fühlen. für die moderne frau gibt es keine 40 stunden woche und keinen ruhestand. vorzeitige aufbrauchserscheinungen gehören daher immer mehr zur tagesordnung. solche und ähnliche beruhigende worte sagte ringo der fesche leutnant zu dem mädchen das er aus den flammen gerettet hatte otto blickte mit blauen verständnislosen augen von einem zum andren. meine beine ächzte er meine beine! mit einem gemisch aus angst entsetzen und verwirrung sehe ich meine beine durch die löcher der trainingshose verschwinden. warum liegen sie nicht mehr im schützengraben in vietnam vollendete otto seine frage und seine stimme war voller vorwurf. deswegen sagte ringo der bärtige und klopfte mit dem fingerknöchel auf seine unterschenkelprotese.

der körper der jungen deutschen schien aus marmor und feuer zu bestehen ringo war wieder einmal gerade noch zurecht gekommen. wo fragte er sich wo setze ich bei diesem marmorblock den meissel an.

regungslos sitzt osterhase in seinem sessel breitschul trig beherrscht das gesicht wie aus kalkstein gemeisselt. osterhase meurenhoven der 71 jährige industriekapitän aus düsseldorf: baumaschinen walzstrassen waggonfa briken. osterhase meurenhoven besitzer von drei impo santen villen am niederrhein in salzburg in st. tropez. und ringo sein junger verwegener privatpilot leibwächter sekretär. er ist ein harter bursche mit eisernen nerven und einem gemüt wie granit doch dieser flug von salz burg an die cote d'azur geht ihm an die nieren. hier im salzburgischen gabs lauter ehrliche menschen.

der alte kapitän der esperanza sprang als erster auf. sein stuhl fiel polternd um. im hintergrund fing eine frauen stimme zu kreischen an. und dann sah ingeborg wie un ter einer betäubenden detonation die den schiffsrumpf auseinanderzureissen schien die hemmvorrichtung die lederne karbatsche aus der hand des jungen leutnants gerissen wurde. im gleichen augenblick fühlte auch sie sich von einer riesenhaften faust gepackt und durch den saal geschleudert. immerhin sass ich fast ein jahr lang im schützengraben in vietnam antwortete der bärtige ringo milde als sergeant pepper.

er fasste den wachsfarbenen körper der jungen deut schen unter den achseln und rannte zwischen den jaulen den querschlägern und detonationen zikzak in den wiener wald wo auch ottos beine in stellung lagen. es kann nicht wahr sein es ist eine wision dachte ringo.

er konnte es jedoch nicht verhindern dass eine höchst überflüssige röte sich wieder heiss über sein gesicht er goss.

das lokal war eines der gemütlichsten in der wiener alt stadt. es war in logen eingeteilt die voneinander durch künstliches weinlaub und lampions geschmackvoll ge

116

trennt waren. drei musiker spielten traditionelle stim
mungsmusik. grosse fenster gaben den blick auf das
draussen pulsierende leben der abendlichen grossstadt
frei neonreklamen spiegelten sich im asfalt. ottos füsse
hatten sich wieder einmal selbständig gemacht und ge
nossen von hoch oben den ausblick auf das lichtermeer.
sich selbst gegenüber mussten sie jedoch wenigstens
ehrlich bleiben. dass otto sie beim abschied gebeten hatte
während seiner erholungsferien die er hier in wien ver
brachte recht oft mit ihm ins grüne hinauszuwandern das
hatten sie nicht recht ernst genommen. ottos füsse ver
sanken mit einer mischung aus grauen belustigung und
nichtverstehen im selbstlenker.

der osterhase wurde von einem sanftäugigen dunkelhäu
tigen negermädchen in die wohnhalle der villa in washing
ton geführt. ein feuer loderte im offenen kamin und er
hellte das negergesicht des mannes der davor sass zu
einem blassen bronzebraun. die sehr dunkle sehnige hand
des mannes der davor sass hielt ein glas in dem noch ein
rest des kultivierten roten weines schimmerte. good eve
ning mr vater des farbigen olümpiakämpfers otto. erst da
blickte der alte mann auf. abwehr war in seinen augen
als er den weissen bemerkte.

der kombi mit der amstettner nummer war mit einer dich
ten schmutzschicht überzogen ottos augen glühten ent
zündet und schlaflos er hatte drei tage und drei nächte
nicht geschlafen jetzt sprach er folgendermassen: und
ich schwöre dir dass du mich nie mehr wiedersiehst. ich
bin genauso unglücklich darüber wie du aber du hast es
so gewollt. hättest du nur den mund gehalten hättest du
nur . . . stefan wenn du mich von jetzt an in frieden lässt
dann gehe ich von hier weg aber allein. wieder nickte
er.

auch bei tag sah otto bei hellichtem tag seine beine plötz
lich in höchster eile vor sich her über die strasse zwi
schen den autos durchrasen mit einem gemisch aus ent
setzen furcht und befremden musste er dann immer hin

terher da magerte er ab der kadett. das waren bilder des schreckens für den des krieges ungewohnten lehm bauer.

sind sie mit dem wagen hier fragte otto ruhig aber welche anstrengung mochte ihn diese ruhe kosten. gesellschaft hätte der gesprächige ringo allerdings ganz gerne bei dem ausflug gehabt.

36. kapitel 8. folge erika erschlug den vater otto erschoss den freund

dass es auch weibliche mörder mit milchgesicht gibt be
weist der fall der 14 jährigen maria aus südlohe in nieder
sachsen (bundesrepublik deutschland). im oktober 1966
lernte das mädel das mit seinem vater in einem haus am
stadtrand lebte einen jungen mann kennen. der 20 jäh
rige torfstecher o. pfiff hinter der kleinen her als diese die
strasse entlangging. maria drehte sich um und lachte.

totenblässe bedeckte das gesicht ihres vaters feine
schweissperlen erschienen auf seiner stirn eine fahle
blässe stieg langsam über seinen greisenhals in das ge
sicht hinauf auf seiner oberlippe hingen einige feine
schweisstropfen in dem übermässig blassen gesicht wirk
ten die augen noch dunkler & drohender er befeuchtete
mühsam die zitternden lippen es gelang ihm gerade
noch in letzter sekunde einen laut des schreckens zu un
terdrücken er zog seine alte bergführerhose die alten
knobelbecher die wadstutzen das unterleibchen das mili
tärhemd die uniformjacke die gebirgsjägerkappe an setzte
den rucksack auf und bestieg rüstig ein massiv. der leib
rentner.

schon wenige tage später wurden die beiden intim.
o. lockte das mädchen in eine nahegelegene scheu
ne und von diesem tag an konnten maria und o. nicht
mehr voneinander lassen. sie wurden einander sexuell
hörig. hatte zuerst der 20 jährige das mädchen verführt
so gewann nun die 14 jährige (!) lolita bald die oberhand
über ihren freund und machte diesen zu ihrem sklaven.
er tat alles für sie er schoss sogar ihren vater nieder be
vor sie selbst ihn erschlug. turok drückte sich eng in die
felsspalte während er nach einem ausweg suchte seinem
freund der in einen tödlichen kampf mit dem honker ver
wickelt war beizustehen in seiner halb knieenden halb
kauernden stellung kamen seine muskeln und seine ge
schmeidige katzenhafte gewandtheit besonders gut zur

geltung die grazie des schmalleibigen jägers. otto lag regungslos aber angekleidet auf dem kanapee. ein ge ruch nach billigem alkohol selbstgewickelten zigaretten unterleibchen wadstutzen knobelbechern armeejacken langen unterhosen bergführerhosen gebirgsjägerkappen ging von ihm aus. maria und o. benahmen sich beinahe wie wilde tiere. vor gericht erklärte die vierzehnjährige später: o. hat mir gefallen. seine figur und wie er sich so gab. er war ganz anders als die andren jungen die hin ter mir her waren. er quatschte nicht soviel sondern han delte. worte aus dem mund eines 14 jährigen mädchens! herrgott das ist ein ganzes leben in sibirien wert. otto sass vor dem fernseher und befahl seiner tochter die leibung etliches geschnäbel lärmschüsse dumpfheit durch dick & dünn gehn und das alles erst im knien dann im liegen. maria war jemand der gegen die autorität aufbe gehrt aufmuckt. eine fleissige arbeitswoche folgte den frohen festtagen. wo es ging muckte begehrte maria ge gen die autorität auf und sagte nur scheisse zu vaters unterleibchen wadstutzen knobelbechern armeejacken langen unterhosen bergführerhosen gebirgsjägerkappen ein ganzes leben gefangenschaft in sibirien im weltkriege. bereits morgens gegen 5 uhr trafen sich die beiden täg lich und zogen dann hinaus in den wald. und weil sie bei ihren schäferstündchen wiederholt von ausflüglern und kindern gestört wurden gruben sie sich im wald höh len und verkrochen sich darin. als die polizei später die einzelnen schlupfwinkel aufsuchte und durchstöberte fanden die beamten überall bonbonpapier bierflaschen konservendosen und leere zigarettenschachteln. wo man die beiden sah traf man sie eng umschlungen an.
eine gewisse grossmannssucht zeigte sich bei ihm schon vor dem unfall sie wurde nach dem unfall ins masslose gesteigert. das erste klasse zimmer genügte ihm nicht. er musste ein zimmer haben in dem sonst vier patienten untergebracht wurden und auch das nebenzimmer wurde für ihn freigehalten. sein geld wurde sein gott. für geld

konnte er alles kaufen mit geld alles erreichen. er liebte es durch grosszügige geschenke zu imponieren. der ober schwester schenkte er eine zimmereinrichtung der nacht schwester einen kühlschrank dem krankenpfleger ein komplettes schlafzimmer. als er jedoch das von seiner tochter und dem burschen erfuhr tat er sofort alles um die beiden auseinanderzubringen. er fürchtete mit recht dass aus diesem verhältnis massloses unheil entstehen könnte. er hatte kein verständnis für die jungen leute er war ein unverdaut ausgewürgter klumpen und stieg allen sauer auf er trat seiner tochter in den bauch ergoss sich wie ein giessbach öffnete seine schleusen verlor daheim die letzten hemmungen er war eine standesperson ein hortner. dazu hatte der stets vom leben verwöhnte noch einige tage zeit. turok beschloss einen fluss in die schlucht zu leiten um seinem freund das von einem hon ker bedrohte leben zu retten. unüberwindlich schnell und leichtfüssig eilt er davon doch da halt ein zweiter honker grösser noch als der erste!

turok muss kämpfen will er seinen freund nicht auf geben.

eines tages merkt maria dass sie ein baby bekommt. der vater des mädchens gerät völlig ausser sich. er fordert von seiner tochter: das kind muss weg und du darfst deinen freund niemals wiedersehen. ihr führt ja ein wah res lotterleben ich gehe zur polizei. noch am selben tag überhäuft maria ihren o. mit zärtlichkeiten und seiner totalen hörigkeit sicher erklärt sie ihm mit unfassbarer kaltblütigkeit: mein vater hat etwas gegen unser verhält nis. er will uns anzeigen. dann kannst du nicht mehr mit mir beisammen sein. es gibt nur eine lösung: du musst ihn umbringen. leg ihn um sonst verlierst du mich.

es überrascht otto kaum jenseits der zweiten weltschale eine dritte zu finden die wiederum eine welt für sich ist. sie liegt unter blutrotem licht und auch hier ragen die berge hunderte von kilometern weit in die höhe als wäre es ihre aufgabe die rote welt gegen die grüne abzustüt

121

zen. weiter dringt der blick ottos des spähers. eine neue welt taucht auf zwischen der dritten und der vierten schale eingebettet. es ist die welt des AUFRUHRS in gel bes licht gebadet und von blassblauen flächen rasender feuerstürme durchzogen. er hält sich nicht auf. er durch stösst auch die vierte schale.

das licht verlöscht im flur sie standen im dunkeln. maria klopft gegen die tür. eine zeitung klang raschelnd auf. maria überhörte den einwand. ihr blick wurde magisch von der tür angezogen hinter der ihr vater wohnte. sie kannte ihn nicht hatte jede erinnerung an ihn verloren. wie sah er jetzt aus nach den jahren der gefangenschaft in einem unerbittlichen fremden land? der vater verschul det sein grausames schicksal selbst.

vater sagt sie bewegt und erschüttert. waren es sekun den war es eine ewigkeit? sie spürte wie vater sie um schloss mit beiden händen wie sie ihn hielt den kopf wie nach einer langen reise an seine brust gebettet ausge ruht nach einer langen irrfahrt.

helmut mummt sich kräftig ein nur die nasenspitze schaut aus dem rodelschal heraus. tief atmet er die würzige kalte winterluft in die kiemen. dann setzt er aufatmend den aufstieg zum gipfel fort.

rex hat weder lust zur arbeit noch zur unterhaltung. das ist nun ein wenig auffallend bei dem lebhaften enkel des sen munteres wesen sonst grossmama eine erquickung ist. er steckt ihn conny immer wieder hinein. der honker schleppt turok in seine höhle. der freund kauert nieder und singt einen einsamen grabgesang auch sein körper bau ist schön wenn auch nicht so formvollendet wie der turoks des helden.

vater sagt sie bewegt und erschüttert. meine tochter mein mädchen. er weint lautlos. als er ausgeweint hat zieht er sie zum tisch fasst sie bei den schultern und betrachtete sie aus der nähe. sie glich ihm sehr unbewusst erfasste er das. es machte ihn sehr glücklich. das ist mein ver lobter sagte sie o.

122

er nickte dem jungen mann zu hatte aber nur augen für die tochter. ich bin dir so dankbar sagte er dass du ge kommen bist maria.
eine erleichterung geht vor.
ganz erschrocken blickte turok der den scherz nicht ver stand von einem zum andren.
ganz erschrocken blickte turok der den scherz nicht ver standen hatte von einem zum andren.

37. kapitel wir verstanden uns

wir verstanden uns vom ersten tag an. nach drei jahren kam das erste kind. wir machten ausflüge in die berge lagen allein in blühenden bunten wiesen. mit jedem jahr ist unsere liebe gewachsen. seit vierzig jahren führen wir eine glückliche ehe. bei aller liebenswürdigkeit neh me ich mir jedoch kein blatt vor den mund wenn er wie der einmal sein gebiss in meinem loch vergisst. bei aller liebenswürdigkeit bin ich ein mensch der mit seiner mei nung nicht hinter dem berge hält.
eben strecke ich meinen blondkopf zur tür herein. good morning!

38. kapitel wilma: heintje baue ein schloss für mich

wilma: heintje baue ein schloss für mich (17 cm metro nome). eine ganz reizende geschenkplatte für den mutter tag. ein liebenswertes zweigespann die kesse wilma der kleine heintje mit seinem wunderbaren knabentenor. ob heintje seine wilma mal kennenlernen wird ob er ihr wirklich ein schloss bauen wird eines aber ist ganz sicher: in der musik werden die beiden publikumslieblinge im mer ein gesprächstema nummer 1 haben. hoffentlich beginnen die beiden kinder nicht einander konkurrenz zu machen. das wäre schade.

ottos mutter stand im schatten der bodenstiege gross fett aus einer niedrigen sozialen schichte stammend und dun kel konnte otto seine mutter nicht sehen die da im schat ten stand und auf den beginn des fernsehprogramms wartete sie die aus otto einen jungen arzt einen jungen ingenieur oder rechtsanwalt machen wollte sie stand im schatten niemand bemerkte sie auch wenn sie nach armen und beinen der passanten schnappte wie ein bissi ger hund konnte otto seine mutter die da im schatten stand wirklich nicht sehn baby?

manchmal schien otto selbst nicht zu wissen was er mit seinem jugendlichen übermut alles anfangen sollte da schüttelte seine mutter nur den kopf und fürchtete dass er in schlechte gesellschaft geraten könnte der den sie mit schmerzen und unter entbehrungen gross gezogen hatte und geboren hatte oft lobte otto sie um des ungeheuren verdienstes willen ihn unter entbehrun gen und schmerzen geboren und grossgezogen zu ha ben du morgenfrisch du schusswaffe sagte er zwischen den zeilen. sie stand im schatten der bodenstiege fett gross aus einer niedrigen sozialen schichte stammend mit dem drang aus ihrem buben etwas besseres zu ma chen konnte er sie denn wirklich nicht sehn wie sie da im schatten im dunkel stand die plauderin die kluppe?

was otto weiss ist: es ist eine welt zwischen zwei kugel
schalen in der wir leben. ihre aussenseite bildet den him
mel jener grünen welt auf die er hinuntersieht. der boden
auf dem die berge wachsen ist die innenwandung einer
zweiten grösseren hohlkugel.

mutti ist krank. jedes kind empfindet ein unbehagen wenn
die mutter im schatten das bett hüten muss. otto hat die
ses unbehagen im gesteigerten masse. und war er doch
noch ihr bub ihr einziger ihr ältester ihr sorgenkind ihr
bengel wenn er sich auch zehnmal der revolution zu
wandte war und blieb er doch ihr bub ihr einziger ihr
ältester ihr sorgenkind ihr bengel.

die sonne in ottos strahlend blauen augen schien plötz
lich zu verlöschen.

während der wagen langsam anfährt legt ingeborg assi
stiert von einem jungen sanitäter eine infusion mit plasma
expander an einem blutersatz der den kreislauf notdürf
tig auffüllt. die flasche mit der flüssigkeit hängt an der
niedrigen decke. plastikschläuche führen zur armbeuge
des patienten werden dort an die vene angeschlossen.
auch kortison befindet sich im wagen das klassische mit
tel gegen schock. ingeborg gibt dem osterhasen eine in
jektion beobachtet angespannt sein gesicht das allmäh
lich etwas farbe zurückgewinnt beginnt dann das rechte
hosenbein aufzuschneiden aus dem blut tropft.

otto war gegen die kriege und die herrschaftsstrukturen
an denen er rüttelte er öffnete auf luxuriösen parkplätzen
riesige schimmernde cadillactüren parkte die autos ein
und bekam ein kleines bis grosses trinkgeld dafür oft pack
te ihn glühender zorn wenn er aus den riesigen schlitten
fette männer mit dicken brieftaschen am arm backstreet
girls aus seiner eigenen bekanntschaft antraf. oft sagte
er zu diesen mädchen merkt ihr denn nicht dass diese
esperantisten diese erzsäue und artgenossen euch nur
ausnutzen sie wollen nur das eine von euch dann werfen
sie euch weg nicht einmal ihre frauen dürft ihr belästigen
oder die kinder oder in ihre wohnung kommen höchstens

als dienstmagd (dienstmagd) ihren schmutz kehren. aber die girls haben sozialen aufstieg im kopf und hören nicht auf den vor aufregung schluchzenden otto der auch oft das trinkgeld wegwirft vor ekel. als otto vor seine mutter endlich hintritt in den schatten hinein in dem sie steht und von seiner geplanten reise in die ddr spricht kann sie nicht verstehen warum man aus dem wohlstand des westens des freien westens in die armut düsternis finsternis ver kommenheit unfreiheit diktatur etc des unfreien osten will. es war also nicht so einfach gewesen diesen wunsch bei der mutter durchzusetzen. sie wollte nichts davon wis sen ihren einzigen ihren nesthocker den verwöhnten in die fremde und noch dazu in eine so gefährliche fremde zu lassen. denn trotz seiner 19 jahre war otto noch im mer der fötus der fotograf der familie ihr otti wie die mutter ihn noch heute zärtlich nannte. von ihrem sonnen schein sollte sie sich trennen der das ganze haus hell und strahlend machte? undenkbar!

ein architekt nahm das backstreet girl bei einem fuss ein reicher rechtsverdreher beim andren ein grossindustriel ler aus berühmter grossindustriellenfamilie nahm den kopf des armen backstreet girls je ein universitätsprofes sor und ein wirtschaftsprüfer hielten die strampelnden arme fest und so schmetterten sie den jungen schlanken den blutjungen körper des backstreet girls mit aller kraft deren ihre verfetteten arme fähig waren auf die karosse rie das schwarzschimmernde blech und die verchromten zierleisten des cadillac dass die rachitischen hühner knochen des backstreet girls abknickten wie streichhöl zer das weisshäutige genick durchbrach und ihr blut eine schicke zierliche musterung auf die polster die weissen lederpolster zeichnete es gab einen reizvollen kontrast wie die eleganten gepflegten herrennaturen untadelig ge kleidet das hübsche aber unnatürlich weisshäutige und zarte blutarme hinterhofmädchen gegen die grossflächige schwarze autokarosserie schmetterten bis ihnen nur eini ge fasern in den fingern blieben. das backstreet girl das ihre frauen ihre kinder besucht in ihre geschützten heime in die zuflucht ihrer geschützten heime eingedrungen war das sich auf ihre autopolster gesetzt hatte das forderun gen gestellt hatte lag nun tot und zerschmettert in der gegend herum. otto sammelte die überreste des hinter hofmädchens das einmal seine erste freundin gewesen war in seine schürze und brachte sie wieder in den hinter hof zurück. dabei murmelte er drohungen gegen die rei chen und mächtigen die mit ihren familien und weisser weste sonntags zur kirche gehen und werktags morden rauben stehlen betrügen etc. dabei murmelte er drohun gen gegen die mörder und betrüger mit der weissen weste und dem untadeligen familienleben. (der lebzelter) die körperliche anstrengung war ihm nach der geistigen arbeit der abendmatura durchaus gesund.

aber was bedeuten alle reiflichen überlegungen alle vor stellungen der mother standing in the shadow alle bitten für eine bessere schönere zukunft mit gesicherter pen sion und eigenheim dem inständigen flehen den liebko sungen und lechzungen des sohnes gegenüber? nichts bedeuten alle reiflichen überlegungen alle vorstellungen der mother standing in the shadow dem inständigen fle hen den liebkosungen und lechzungen des sohnes gegen über.

sie setzt den knochenspan ein prüft ob er auch ohne zwi schenräume in den spalt am wirbelkörper passt damit er schnell und fest einheilen kann. verlangt dann die drähte mit denen der span zusätzlich in seiner stellung fixiert werden muss will sie durch die bohrlöcher ziehen stellt fest dass manuel mendoza zu dünne löcher gebohrt hat der draht passt nicht. auch das noch.

inzwischen umarmte otto die mother in stürmischer dank barkeit. der schatten wurde dunkler der tag ging zur neige in den fenstern flammten die lichter auf eins nach dem andern dahinter sassen lachende menschen glück liche familien vor dem abendessen vor dem fernseher vor einem schnaps oder einem bier das licht erhellt den schatten der mother die darinsteht nicht wo viel licht ist ist viel schatten wenn es kein licht gäbe gäbe es keinen schatten die gesellschaft der schattenvernichter mit gift gas und schutzmaske die familie setzt sich zusammen um den abend zu begehen der abend ist schon von soviel familien begangen worden dass er ganz ausgetreten ist manche rutschen auf dem abend aus so wie auch unser otto der kumpel.

inzwischen umarmte otto die mother in stürmischer dank barkeit. er war heute genau so ungestüm und impulsiv wie früher als junger soldat. so sehr freut sich mein alter soldat von mir fortzukommen fragte die mutter halb im ernst halb im scherz.

ja mutter eine reise in die zone weitet den blick reisen gehört zur bildung. ich will die unfreien menschen dort wieder froh machen durch meine lieder ich will sie das lachen wieder lehren das lang vermisste wer sonst sollte sie das lachen lehren als ich als wir? otto hätte bei einem haar einen luftsprung vollführt wenn er sich nicht zum glück noch rechtzeitig daran erinnert hätte dass solche freudenausbrüche mit neunzehn jahren und mit seiner uniform wohl nicht angebracht schienen.

die op schwester reichte ihr den knochenpfriem eine art handbohrer der zur spitze hin konisch zuläuft. vorsichtig schiebt ingeborg den pfriem in die bohrlöcher dreht um die öffnungen zu erweitern. anstrengung und angst las sen ihr herz hämmern. wenn sie mit der spitze des pfriems zu tief kommt wenn sie das rückenmark verletzt nicht auszudenken. hat ihre hand soeben gezittert. ist sie mit dem verdammten ding um einen millimeter ausge rutscht. ingeborg hält eine sekunde inne arbeitet dann weiter.

die lebende mauer aus köpfen rümpfen leibern und glied massen bewegte sich auf otto zu. von dem arzt dem archi tekten dem rechtsverdreher dem grossindustriellen dem universitätprofessor und dem wirtschaftsprüfer waren in der schattendunkelheit nur die fetten gesichter die silber

grauen krawatten die weissen hemden und westen zu er
kennen. alles andre verschmolz im schatten zu einer ab
solut schwarzen fläche die grossen autos dahinter ver
schmolzen zu einer barrikade die verschmelzungen ge
hören zum alltag ottos.
auch der schatten.
die 6 gestalten trugen hohe militärstiefel mit denen sie
zäune veranden armselige kellerlöcher die mother stand
ing in the shadow jungarbeiter bürolehrlinge laufbur
schen sekretärinnen backstreet girls und andre kümme
rer umtraten wie disteln. sie sahen schön (schön) und
mächtig (mächtig mächtig mächtig) aus wie götter und
wurden gebührend bedankt und umjubelt. die mother
hätte sie gerne zu einem glas wein eingeladen wusste
aber nicht wie sie ihre einladung vorbringen sollte sie
bedauerte nur dass otto nicht in uniform war. aber wenn
sich otto einmal etwas in den kopf gesetzt hatte war es
schwer ihn vom gegenteil zu überzeugen.
dann ging es zur universität. denn das war er seiner
würde als abendmaturant doch schuldig. als otto drau
ssen ist seinen blutbespritzten uniformrock abstreift sich
wäscht und eine zigarette anzündet fällt endlich die span
nung von ihm ab. er spürt müdigkeit und stolz nicht ver
sagt zu haben. wieso hat er vorhin an sich gezweifelt.
singend hielt er in der kaserne wieder seinen einzug.
can't you see your mother baby standing in the shad
ow.
die verdrahtung. knochenhaut wieder über die wirbel
säule. vernähen der muskulatur schichtweise. verschluss
des unterhautgewebes. schliesslich die hautnaht. die
wunde wird verbunden. geschafft. geschafft?
das backstreet girl zieht erst draussen beim zaun die
neuen nailonstrümpfe über damit sie nicht zerreissen der
chauffeur hält den schlag auf sie wirkt in den riesigen
lederpolstern wie eine unappetitliche fliege in einem
grossen glas pasteurisierter milch sie ist dennoch ganz
attraktiv während der architekt schon über ihr ist der

rechtsverdreher unter ihr der grossindustrielle auf ihrem kopf universitätsprofessor und wirtschaftsprüfer zwischen ihren dünnen rachitischen beinen den nachkriegsbeinen den beinen einer ganzen lost generation bekommt sie verhaltungsmassregeln komm mir nicht ins haus sprich nicht mit meiner frau und den kindern dreh dich auf der strasse nicht nach uns um und winke meinem auto nicht nach grüsse mich nicht in der öffentlichkeit lass meine frau zufrieden baby und die kinder mein haus mein auto meinen fernseher mein geld meine errungenschaften mein life meine arbeiterschaft meine ausbläser. sie wirkt in den riesigen lederpolstern wie eine schwarze dünne fliege in einem glas schneeweisser pasteurisierter eis gekühlter milch. da lacht der grossindustrielle herzlich und der bann ist gebrochen. wie gute alte bekannte plau dernd fügt er dem mädchen überall wo er nur kann schmerzen zu. doch zwischen tränen des schmerzes scheint auch wieder mal die sonne. bis zwischen tränen des schmerzes mal die sonne wieder scheint fügt der grossindustrielle dem mädchen überall wo er nur kann unerträgliche schmerzen zu.

mit schlafwandlerischer sicherheit hat sie die ersten skal pellschnitte ausgeführt umsticht jetzt präzis eine kleine arterie legt die nasenförmigen dornfortsätze der wirbel säule frei entfernung des periosts der knochenhaut. ab schieben der faszie und der muskulatur. freilegen der fortsätze von den vier unteren lendenwirbelkörpern dann der ansatz des kreuzbeines. aufraspeln der fortsätze.

der ganze hass (hass) ottos des jungen soldaten ge gen die gesellschaftsschichten die ihm weit überlegen waren richtete sich aber nur gegen seine mutter die sich von ihrem schattenplatz nur selten mehr wegrührte. die musste das ausbaden auch wenn er in uniform war.

viel wurde nicht mehr aus dem schlaf. es war gut dass die sommernacht nur kurz dauerte und dass man in aller frühe wieder aufbrechen musste. obwohl das mädchen merkte welche missachtung ihm von allen seiten entge

gengebracht wurde verlor es doch keinen augenblick
sein glückliches temperament obwohl es aus vielen wun
den blutete und sich nur mit mühe vorwärtsschleppen
konnte. mühsam gelang es dem hinterhofmädchen in
deckung zu gehen als der grossindustrielle mit seiner
sonntäglich gekleideten familie in den cadillac stieg. das
war noch mal gutgegangen. obwohl es sich nur mit mühe
vorwärtsbewegen konnte verlor es doch keinen augen
blick sein glückliches temperament seine gute laune die
leuten ihres schlages ihrer sozialen klasse sowieso nie
verlorengeht. otto verlor sein gebirgsjägerabzeichen. er
versuchte von dem mädchen zu erfahren wer das schwein
gewesen war. das mädchen verriet nicht wer das schwein
gewesen war das es so zugerichtet hatte.
die mother war im schatten nicht mehr zu erkennen die
mutter war mit dem schatten eins geworden otto ver
suchte auch das backstreet girl ans licht zu ziehen. necke
reien ohne ende mussten sich die beiden da gefallen
lassen.

39. kapitel aber es gab eine sprudelnde quelle

aber es gab eine sprudelnde quelle herrlichen wassers. sie entsprang in den felsen und stürzte in wunder baren kaskaden über die terrassen um endlich weiter unten ins meer zu fliessen. otto und maria rannten zu einem becken und erfrischten sich. dann wuschen sie die salzkruste ab. es wurde zeit sich um eine unterkunft zu kümmern denn hier war es nicht so warm wie in den wäldern wo die sonne immer über ihnen am himmel stand höhlen wurden schnell gefunden es gab deren ge nug auf der insel. otto und maria richteten sich häuslich ein und zeigten dann den fischern wie auch sie ihre höhle mit zweigen und blättern auspolstern konnten. das insel leben begann.

sogar die kleinmütigen beatles schöpften neuen mut als sie die insel sahen. willig folgten sie den beiden men schen und sprangen ohne aufforderung über den schma len spalt dunklen wassers der den eisberg von der insel trennte. sie landeten auf nacktem fels und gelangten darüber sicher ans ufer.

in die schule geht helmut in diesem winter gern conny stakt mit gespreizten beinen ängstlich hinter ihm her.

helmut lernt auch in der tat mit dampf trotz der kälte. er muss fleissig sein um bald medizin studieren zu können und den vater zu entlasten. wenn man ein solches ziel vor sich hat schweigen selbstsüchtige wünsche. dann können die blanken schlittschuhe noch so blitzen und funkeln da kann der rodelschlitten noch so sehr locken. helmut macht das ziel vor augen den finger krumm. der schuss dröhnt laut in die stille hinein. conny fällt eine ein zige blutkugel unter ihrem fell auf das gesicht strampelt käferig liegt dann still. helmut lernt dass ihm der kopf raucht da merkt er die kälte nicht.

die oberfläche des planeten liegt unter dem licht dreier sonnen. der planet nicht die sonnen ist der beherrschen

132

de bestandteil dieser konstellation. die sonnen bilden ein regelmässiges dreieck und der planet steht dort wo die drei seitenhalbierenden einander schneiden. conny die schöpflerche treibt es so lange bis sie selbst nicht mehr weiterkann rexy findet keinen ausweg mehr aus ihr her aus.

40. kapitel aber es gab eine sprudelnde quelle (folge)

aber es gab eine sprudelnde quelle herrlichen wassers. sie entsprang in den felsen und stürzte in wunderbaren kaskaden über die terrassen um endlich weiter unten ins meer zu fliessen. otto und maria rannten zu einem becken und erfrischten sich. dann wuschen sie die salzkruste ab. es wurde zeit sich um eine unterkunft zu kümmern denn hier war es nicht so warm wie in den wäldern wo die sonne immer über ihnen am himmel stand höhlen wurden schnell gefunden es gab deren genug auf der insel.

john paul george ringo breiteten ihre flügel aus und schwangen sich einen jubelschrei aus der kehle lassend von der obersten plattform die mit algen und moos über wachsen war wie die lerchen in freier wildbahn über die klippen in die gischt der bucht wo sie tief in das klare grüne wasser tauchten um dann wieder in die höhe zu schiessen. kaum waren ihre köpfe im schaum zu erken nen. wenn der pflanzenwuchs in den felsen auch spärlich war so entfaltete er doch die übliche vielseitigkeit. da gab es schlingwurzeln die wie eidechsen aussahen und sich auch so verhielten. schien die sonne nicht zogen sie sich in steinspalten zurück. stand aber die sonne dicht über dem horizont kamen sie hervorgekrochen und ge nossen die wärme.

john wurde von den andren bald als leittier anerkannt er führte seine gefiederten kürassiere stets auf den sicher sten wegen durch den dichten wald dass sich keiner die flügel verletzte. denn überall lagen hindernisse an denen man sich nur schwer festhalten konnte wenn die stufen in die tiefe zu gross wurden. als ihre augen sich an das dunkel gewöhnt hatten war es nicht schwierig auch ihre glieder an das dunkel zu gewöhnen endlich erreichten sie den grund. john schätzte dass sie sich nun unter dem wasserspiegel aufhielten in einem grossen mit stickiger luft erfüllten raum.

ein andermal wieder war es paul der die andren auf eine waldlichtung führte wo die sonne ihre lichtringe auf den boden warf da lagen unsre vier nebeneinander im gras und erröteten vor freude.

die bunten gitarrenbänder hingen ihnen überall herunter vorne hinten über die brust es war ein gewirr von farben und formen frohsinn lachen und heiterkeit die welt ist doch schön sagte ringo der kurbe man muss nur mit offe nen augen all die herrlichkeiten betrachten und verste hen lernen und auch an kleinen dingen seine freude haben. die vier marschierten mit weit aufgerissenen au gen durch die welt und betrachteten verstehend all die herrlichkeiten und kleinen dinge wer ihnen begegnete wich ihnen mit scheuem grusse aus den kurgästen. auch otto hatte das leben als kunstmaler richtig satt.

im niemandsland zwischen wald und see hatten all jene bäume eine letzte zufluchtsstätte gefunden die von der feige besiegt worden waren. sie vegetierten auf einem gefährlichen grund dahin hatten sich den ungewöhn lichen verhältnissen angepasst und verteidigten ihr leben so gut sie es verstanden. sie existierten zwischen den fronten ihrer erbarmungslosen todfeinde. vom land her griff sie die schweigende front des waldes an. vom was ser kamen die giftigen seegräser und andere ungeheuer aus der unbekannten tiefe. und über allem schien die sonne die das unglaubliche geschaffen hatte.

auch das bedrohliche muss in der natur existieren es ist ein kampf des daseins ein ewiger daseinskampf den nur der stärkste gewinnen kann mit der zeit kristallisieren sich führungsstrukturen heraus eine schicht der tüchtig sten von allen respektiert gefürchtet und selbst diese kennt wieder noch stärkere gewalten denen sie weichen muss wie klug ist es doch bei tier und pflanze eingerich tet wir menschen könnten viel von ihnen lernen meinte george der walone. john der seine langen blonden haare nicht wie früher in zwei langen blonden zöpfen den rük ken hinunterhängen hatte sondern in einem knoten im

135

nacken aufgesteckt trug gab seiner freude durch kleine luftsprünge und ausrufe der zustimmung ausdruck. mit dem glockenschlag halbfünf traten ein junger bursch mit blitzenden blauen augen in kniehose den rucksack umge schnallt und drei weitere junge burschen die gitarren umgehängt mit wachen fröhlichen augen ins freie. sekun den wurden zu stunden.

sie mussten einander zu vergessen suchen wenn es auch noch so schwerfallen würde. sie mussten sich nach möglichkeit aus dem wege gehen. da john am arm des bruders paul über nasse baumstämme und ausgewasche ne wege hinabturnte blieb george nichts andres übrig als ebenfalls derb den arm seiner schwester ringo zu neh men. insgeheim aber hätten die beiden kavaliere ganz gern ihre damen ausgetauscht. das schmale gesicht johns belebte sich beim sprechen merkwürdig. jede empfin dung kam darin zum ausdruck.

vor ihnen aber lag die dunkelheit wie schiefer in schich ten gelagert. aus der schwärze hob sich ein kleiner berg ab. er stand da und schien das gewicht der nacht auf seinem zerklüfteten rücken zu tragen. die sonne traf seine gipfelregionen und färbte sie golden. es schien die letzte farbe der welt zu sein denn was dahinter lag war verschwommen. der stelzer begann den ersten sanften hang des berges emporzusteigen. nicht lange und die blüten wurden wieder vom sonnenschein ganz umspült. andre stelzer waren in der nähe. sie machten keine pause sondern wanderten weiter ihrem unbekannten ziel ent gegen.

nicht einmal die im letzten strahl der sonne klar sichtba ren berge konnten unsre vier beim pflaumenstehlen hin dern das erfrischte und mundete nach dem langen be schwerlichen fussmarsch am donauufer. paul mimte so täuschend echt den betrunkenen dass nicht nur die ge schwister sondern auch trafikanten und kahlschläger darauf hereinfielen.

ringo machte keck miene seine muskelkraft auch an dem

136

nächsten baum zu erproben. entsetzt fielen ihm die and
ren in den arm.

ein freundschaftlicher rippenstoss schloss ihm den spötti
schen mund. unversehens stellte man ihm ein bein als er
bei einer schwierigen frage nicht weiterwusste benom
men lag er so auf der erde während seine kameraden
ihm die neuesten songs vorführten. das lockt mich auch
mehr schloss sich ringo der sehr musikalisch war den
dreien an.

das überwältigendste aber blieb doch der john der giess
bach ein steinernes denkmal seiner selbst.

tausende und aber tausende von kabeln verbanden die
erde mit dem mond. die traverser wanderten an ihnen
hin und her vegetabile astronauten gross und unempfind
lich gegen die lebensfeindliche umwelt. der bettpilz war
ein schwammartiges weitwucherndes gewächs ähnlich
wie das nesselmoos. aber es zog seine giftigen stacheln
ein wenn sich ihm menschen näherten. der bettpilz er
nährte sich nicht von fleisch sondern bevorzugte pflanz
liche beute. in seinem innern war die gruppe vor angrif
fen sicher.

die tür ging auf. pauls krauskopf wurde sichtbar. hier ist
mein krauskopf eben sichtbar geworden ihr jungmann
schaft sprach er und stemmte die absätze ins geröll
rutschend und schleifend eine kleine steinlawine aus
lösend kam er bei den russischen verschwörern unten
an. ausser an essen und trinken hatte er auch grosses
interesse an der pop musik. die ganze landschaft die
naturstimmung war so schön dass ihnen die tränen
kamen. trotz seiner neuen würde hatte john nichts von
seiner gesprächigkeit eingebüsst.

trotz seiner neuen würde sprach john wie ein wasserfall
über sinn zweck und ziel des menschlichen lebens. paul
zögerte noch als könne er sich nicht von diesem anblick
trennen. paul zögerte noch sich von diesem anblick eines
ehrenamtlichen einschleichers zu trennen.

sofort begann der traverser sich zu bewegen. durch den

druck der lufthülle kleiner geworden hatte sein gewalti ger körper immer noch einen durchmesser von mehr als tausend metern. trotzdem bewegte er sich fast schwere los und kletterte an seinem kabel hinauf dem sicheren vakuum entgegen. an den haarigen beinen blieb allerlei hängen so auch sechs durchsichtige kokons in denen sechs bewusstlose menschen lagen john paul george ringo otto und maria die einzige frau. in einigen kilo metern höhe pausierte er. seine fühler vibrierten. dann erzeugte er eine grosse luftblase und befestigte sie an dem kabel. kurze zeit darauf setzte er die reise in den weltraum fort. der luftdruck liess nach und er dehnte sich immer mehr aus. die geschwindigkeit stieg als der traver ser neue spinntaue ausstiess. der rückstoss trieb ihn vor an. die sonnenstrahlung wurde stärker. der traverser war in seinem element.

regungslos blieben sie liegen und saugten die luft in ihre lungen. die luft war dünn und kalt sie tat gut. es zuckte schon wieder lustig um johns augen. nach einer weile konnte er sich umsehn.

mit verlegen neugierigen gesichtern umstanden die freun de die erste braut in ihrem kreis. maria die erste braut in dem kreis versuchte oft auch die andren in den kreis zu ziehen. das war eine plage bei diesen kräftigen elek trikern. das war der lauf der welt mit ihren notwendigen sozialen gegensätzen kriegen und meinungsverschieden heiten. ringos proteste prallten wirkungslos an einer mauer aus schweigen misstrauen und unverhohlener feindseligkeit ab. wie gut wäre es wenn sich die mensch heit vertragen könnte und friedlich nebeneinander leben wie wir dachte er wehmütig während aus dem nahen dik kicht schon lange gelbe ranken auf ihn zukrochen. alar miert richtete ringo sich auf aber da war keine frau in der nähe die ihn beschützen konnte. er war auf sich angewie sen. mit einem ruck zog er sein messer aus dem gürtel und rollte sich auf die seite. die ranken liessen sich leicht zer schneiden. mit solchen feinden wurde man schnell fertig.

sie zogen sich in das nahe dickicht zurück wobei einer
den andern stützte sie waren nicht mehr männer und
eine frau sondern einfach menschen. menschen. die un
terschiede waren plötzlich vergessen.

41. kapitel jetzt bei hellem tageslicht

jetzt bei hellem tageslicht war die happyness die sie in ringos armen durchströmt plötzlich gewichen. wie eine bergeslast legte es sich auf die seele grenzenlose shame. sah man es ihr denn nicht an. sah man ihr denn die an kurbelung nicht an.

erst als man sie genauer betrachtete sah man ihr die an kurbelung an. woher sie so schnell die sicherheit und die konzentration nehmen ihr lieblingslied zu spielen wissen sie eigentlich selbst nicht recht. aber sie schaffen es die schöne musik sind plötzlich ganz kühl ganz zuversicht lich ganz überlegen. die erste aprilsonne scheint in das osterhasenbeet und auf die bunten eier darin ein blon des ein unglaublich blondes geschwisterpaar von der liebevollen mutter in seine bunte festtracht gekleidet eilt von einem ende des gartens zum zweiten ihre roten mar melademünder sind ein stetiger anreiz für paul das leckermaul den armenier.

ist es erdbeer oder himbeer fragt sich paul der armee soldat die haare jedenfalls sind windbäckerei die augen milchschokolade die uniform ein andres kunsterzeugnis. da reisst ihn ein helles schepperndes klirren von seiner arbeit hoch. alle blicken auf den osterhasen im nest vier erstaunte augenpaare über vier hellgrünen mundmasken unter vier hellgrünen kappen aus meeresalgen. paul hat das bockshorn fallen lassen steht stumm und regungs los da blickt vor sich zu boden blickt sinnlos auf das blitzende instrument.

alle die paul im laufe seines kurzen lebens ins bocks horn gejagt hatte und es waren nicht wenige diplomierte sprangen jetzt wieder heraus und beteiligten sich an der halbfabrikation von turistenhalbschuhen für den langen marsch. ausser ringo george paul und john hat keiner etwas bemerkt den mantelkragen hochgestellt die son nenbrille vor dem gesicht mit falscher perücke und fal schem bart die gitarren im wams so stehlen sich die vier

140

wie diebe mitten in der nacht aus ihrem eigenen blumen beet. die laufbretter laufburschen lauffeuer laufgewichte laufkäfer laufkatzen laufpässe laufschritte laufstege lauf stühle laufzettel laufundsoweiter. in weiten sprüngen hetzen die hinterwäldler in den vorderwald mit aufge pflanztem bajonett und vielen neuen songs. all together now!

und wieder einmal war ein schöner (schöner) tag zur treibe gegangen.

42. kapitel ringo taumelt

ringo taumelt von einem flüchtigen abenteuer ins nächste immer auf der suche nach erfüllung. die erfüllung raste von einem flüchtigen taumel in den nächsten von einem flüchtigen abenteuer ins nächste immer auf der flucht vor ringo der sich auf der suche nach erfüllung von einem flüchtigen abenteuer zum nächsten schwang und dabei einige verzierungen abbrach von seiner janitscharen jacke.

ringo taumelt von einem flüchtigen abenteuer ins nächste. er sagte oft zu den flüchtigen abenteuern die er bei sei ner suche nach erfüllung mehrmals unsanft streifte ihr seid mir ein paar rechte halunken ein paar jägermeister. (jammerschade.)

ringo hatte bei seinem taumel von einem flüchtigen aben teuer ins nächste einen schalen geschmack im munde. einen nachgeschmack. er sagte oft zu paul der sich im flitterbikini von einem hohen glänzenden star herab schwang you moving from a star verdammt noch einmal lass uns doch endlich ehrlich zueinander sein.

dem hölzernen paul regnete es bunte flitterbesetzte schabracken einsiedegläser leckereien in sein gaffen segel das am marmelade sky verhiess.

ringo sah ihn an. und obwohl er äusserlich ganz ruhig war spürte er die flammen der verzweiflung die in ihm loderten. er war nicht mehr länger der lachende stür mische junge der das leben als einen riesenspass ansah. von einer minute zur anderen schien er ein mann (ein mann) geworden zu sein der plötzlich gelernt hat dass man nur den nacken beugen kann wenn das schicksal zuschlägt.

wenn das schicksal anklopft. oft stand paul tagelang mit gebeugtem nacken und liess sich vom schicksal zuschla gen die meisten erkannten ihn nicht mehr wo war der lachende stürmische hübsche junge von früher geblieben der das leben als einen riesenspass ansah. der wald wird gelichtet das dunkel lichtet sich paul und ringo erlichten die lichtbehandlung ringos das lichtbild pauls die licht gestalten ringo und paul mit ihren lichtblauen eyes. die panzerjäger. schon trägt die stadt ihr abendkleid in den tausend fenstern flackern die tausend lichter auf die tore öffnen sich um verspätete heimkommende aufzunehmen und abendliche spaziergänger herauszulassen in die dunkelheit die autos fahren mit eingeschalteten schein werfern die familie versammelt sich zum nachtmahl zum fernsehen zum geselligen beisammensein die kinder dürfen noch eine weile aufbleiben es ist die stunde die uns hast und unrast des alltags vergessen lässt schon trägt die grosse stadt ihr abendkleid.

aus tausend fenstern flammen 999 lichter in die dunkel heit hinaus nur ein fenster bleibt dunkel unerleuchtet finster kalt ringos fenster. ringo liegt auf dem kalten fuss boden seiner gemeindewohnung und weint. ihr satten ihr vollgefressenen reichen merkt nicht dass ein einsa mer mensch mitten unter euch verzweifelt ist dass einer im heer der namenlosen nicht weiterkann. wir menschen leben tür an tür an tür an tür an tür an tür an tür an tür ohne einander zu kennen lauter fremde in einem grossen haus wenn einer aus dem heer der namenlosen fehlt kann er wochen monatelang tot daliegen ob er jetzt in der badewanne ertrunken am leuchtgas erstickt am herz schlag gestorben an der rasiererschnur erdrosselt in der heimsauna erschwitzt vom stromtod ereilt von der küchen kredenz erschlagen undsoweiter egal wie umgekommen ist kann er wochen monate ja jahre (ja jahre) hilflos da liegen keiner in der anonümen masse würde auch nur etwas bemerken denn jeder hastet nur für seinen profit um mehr zu verdienen als er braucht. bei dieser situation schaut ringo nicht voller zuversicht in die zukunft. denn in seinem kampf als lichtorgel anerkannt zu werden als umspannwerk ist er allein. nun besitzt er nicht einen menschen der endlich treu zu ihm steht einen lebensge fährten der freude und leid mit ihm teilt.

aber viel mehr als reichtum und materielle sicherheit ist für ringo die gewissheit endlich einen menschen gefunden zu haben der ihm jenes schenkt wonach er sich ein leben lang sehnte liebe geborgenheit und anerkennung. und eines abends hat er damit erfolg paul steigt wie er ist im flitterbikini von einem stern herab und zerquetscht ringos kinderkopf an seiner lockpfeife wobei er die oberhand gewinnt der töter. in den augen dieses metzlers standen tränen. er war gerührt. aber zugleich ist er dem schicksal dankbar das ihm nach den bitteren jahren der not und enttäuschungen endlich das ersehnte lebensglück die leibesübung brachte.

ringo hatte in diesem moment einen unkontrollierten blick von einem nachbarn aufgefangen der ihn bis ins innerste erschütterte. es war ein derart hasserfüllter blick dass er glaubte sich geirrt zu haben. wie konnte ein völlig fremder ihn hassen einer der tür an tür an tür mit ihm lebte und ihn doch nicht kannte. die engen mauern des zimmers schienen ringo zu erdrücken ersticken ihm auf den kopf zu fallen die stille war greifbar alles lastete schwer auf seinem pustel die stille schlug ihm zum zweitenmal seit dem frühen tod des vaters eine beule. noch lange nachdem der nachbar der die wasserleitung gedichtet hatte gegangen war quälte ringo eins: dieser unheimliche gehässige blick. er stützte den kopf auf die hand. was hatte er zu bedeuten. wenn der nachbar ihn nun doch hasste warum dann.

paul zog seinen ringo fest ganz fest an seine brust. kein wort brachte er in seiner erregung hervor. nur seine fein ädrige hand strich beruhigend über das feuchte haar seines fusssoldaten. noch trug paul sein sternenkleid aber für ziwilkleider war bereits vorgesorgt er würde gefahrlos in dem grauen wohnblock mit seinen tausenden mietern wutschnaubern und präsenzdienern untertauchen können ohne dass ihn einer nach dem wohin oder woher fragte ohne dass ihn einer fragte woher kommst du oder wohin gehst du. er holte noch einmal tief luft sprang dann

und tauchte in den grauen wohnblock mit seinen tausen
den mietern die auch für einen intelligenten menschen
wie ihn alle gleich aussahen. aber eines wusste paul: er
wusste wo er falls die flucht gelingen sollte zunächst
untertauchen würde. in dieser nacht konnte er trotz medi
kamenten nicht schlafen zuvieles war auf ihn eingestürmt.
völlig erschöpft und am ende seiner kraft stand er gegen
drei uhr morgens vor dem haus in dem ringo starr ein
elegantes junggesellen appartement bewohnte. sein herz
klopfte auf einmal bis zum hals. er drückte auf die klingel.
nichts rührte sich. die leute sassen alle vor den fernseh
apparaten zu dieser ungewöhnlichen stunde. die leute
sassen vor den fernsehapparaten tranken bier und kau
ten an ihren fingernägeln.

wer kennt sie nicht die cartwrights? woche für woche sit
zen etwa 400 millionen zuschauer in 79 ländern vor dem
bildschirm um die abenteuer mitzuerleben. jetzt kann lor
ne greene für sich und seine freundliche wildwest familie
einen grossen erfolg verbuchen. die leser wählten bonan
za zur beliebtesten tv serie die im deutschen fernsehen
läuft. der bambi computer errechnete das ergebnis: 23,89
prozent für die cartwrights. das ist ebensowenig überra
schend wie für die deutschen elektrizitätswerke die tat
sache dass zur bonanza time ein ungewöhnlicher strom
verbrauch festzustellen ist. sonntags um 17.25 uhr wird
das bundesrepublikanische fernsehpublikum vom bonan
za fieber gepackt. das bedeutet dass keiner dem paul
aufmachen wird und wenn er stirbt schwer verletzt ist
oder einen mord begeht ganz gleich was er macht er
muss vor den türen bleiben und kann keine erfolge ver
buchen. da zieht auch ringo seine sternenhose die er
schon lang an den nagel gehängt hat wieder an und ver
meidet belebte strassen wie ein verbrecher der das licht
scheut.

43. kapitel emmanuel tritt

emmanuel tritt mit dem läuten der fabrikssirene vor das tor er ist in dem rudel arbeiter kaum zu erkennen genau so verschwitzt und schmutzig ist er. als bub hat er nie lange in den spiegel geschaut und jetzt als arbeitender hat er noch viel weniger zeit dazu.

auch sind das keine zarten bubenfinger mehr man fühlt es der hand an dass sie gewöhnt ist zuzupacken.

nur einen herzschlag lang verspürt er den unwidersteh lichen drang hinaufzugehen an die oberfläche der welt unter den wärmenden strahlen der sonne im gras zu lie gen und sich vom wind umfächeln zu lassen. doch er ver drängt diese regung rasch wieder.

er und helmut spazieren hand in hand durch die ver schneite winterlandschaft helmut gibt ihm von zeit zu zeit prügel auf das gesäss ins gesicht und auf die waden dann stäubt das weiss flimmernd in die höhe und das friedliche land hallt wider von den klagerufen des ge züchtigten.

helmut selbst sieht mit seinen glänzenden augen die die selbe farbe zeigen wie der enge schidress den er trägt so anmutig aus dass conny der rosarote tüllpuffen über den zerstreuten schnee auf ihn zuschwebt. und leicht wie eine feder überall auf ihn draufpudert.

und ihn bauschig zart überwältigt wie er so daliegt den rosa hintern in die dezemberluft gereckt.

dann ging emmanuel mit knurrendem magen aber zufrie den ins bett.

dann spürte emmanuel wie das zittern durch seinen kör per ging.

dann begann emmanuel sich erst auszuziehen.

dann schloss emmanuel für sekunden die augen.

dann stiess emmanuel ZU.

conny stöhnt jetzt ganz offen und laut wie sie so in die wächte getrampelt wird von den glänzenden lederstiefeln helmuts. das dumme mädel mit den armen wie abge bundene würste und der seidenen haarschleife ziert jetzt ganz tief unten die kalte landschaft. heerscharen steigen über sie hinweg horden von ledernen kämpfern.

in usa beginnt der heisse sommer schwarze fanatiker predigen wieder die sprache der gewalt. strassenkampf in cleveland plötzlicher ausbruch von rassenunruhen for dert 10 tote. in den vereinigten staaten haben schwarze fanatiker wieder krawalle aufgeschürt. rassenkrieg um einen supermarkt. solche schlagzeilen alarmieren in die sen tagen die welt. in diesen tagen erbebt amerika im blutigen konflikt zwischen schwarz & weiss. und in diesen tagen spielt unser roman. die 21 jährige ingeborg aus münchen lebt und erleidet in der zuneigung zu dem far bigen amerikanischen studenten wissenschaftler und olümpia faworiten dem schönen dunklen tüp otto o. das spiessrutenlaufen einer von der umwelt verdammten liebe. einer liebe voller explosiver dramatik an den schau plätzen münchen washington und mexiko city. erleben sie mit uns einen ergreifenden abenteuer herzens heimat schicksalsroman einen aktuellen roman zwei herzen im feuer eines verbotenen glücks. (glücks.) noch einer wird in den freundschaftsbund mit aufgenommen EMANUEL. emanuel stieg mit seinen viel zu grossen lehmverkruste ten stiefeln über die von einschlägen zerrissene acker erde die scholle.

der mond ging über einer verwundeten welt auf ein feuer schein bedeckt den himmel die kälte dringt manuel unter die haut.

helmut der elastic man federt hoch zieht die beine an streckt sich landet heckt wieder was neues aus das gra zile insekt. schwirrt sofort wieder los die sauberen schen kel um den propeller geschnallt.

otmar aber blickt ganz erstaunt auf den cousin der heute gegen conny die kalbin so abweisend tut. die beiden waren doch sonst gut freund miteinander gewesen. ja in seligen jungvolktagen galt die conny mit den blonden haarschnecken sogar als seine tanzstundenflamme.

das tapfere mädel hält sich den geblümten winterrock unten zu aber helmut reisst ihre deckung mit seiner reit peitsche immer wieder auf. sie verlegt sich aufs bitten aber es hilft ihr nichts gegen die wut dieses lichten nord stürmers. bald liegt das was sie so ängstlich schützen wollte vor aller welt offen und frei. helmuts mundwinkel zucken sensibel seine reitgerte klatscht nervös gegen die blosse pflaume connys.

otmar streicht dem leicht schwitzenden das helle haar aus der stirn bietet ihm den eigenen pflanzstab zur täg lichen hügiene.

am nächsten morgen trennt man sich nach allen richtun gen hin.

otonto nahm die pistole vom boden auf spannte den hahn. ich zähle bis 3 sagte er gefährlich leise. entweder sie ziehen sich aus oder sie sterben. also. eins zwei. langsam beginnt emanuel sich auszuziehen. das macht spass sich einmal kräftig durchpusten zu lassen. keine steife brise kann unsrer guten laune etwas anhaben. wird es so bleiben? irgendwann können wirklich stürmische tage kommen: sorgen sie dafür dass sie mit dem unab wendbaren rechnen. doch wir sind ja vielem gewachsen. auch berennungen und schweren eingriffen.

bald stehen sie zu dritt in der kleinen küche.

ein zimmer haben sie nicht die berlitzschüler die abend maturanten. sie hörten pop musik platten von emanuel und assen schmalzbrote sie tranken spitz sliwowitz. sie diskutierten meist über die weiblichen lehrlinge und die art sie am besten aufs kreuz zu legen. ich würde schreck lich gern zusehen und lernen wie man kinder macht bat emanuel seine klassenkameraden die alle älter grösser stärker und gewandter waren als er meine tante freut sich sicher wenn ich ihr neue kochrezepte nach hause bringe. dann weisst du ja wozu du hier die abendschule besuchst lachten die freunde ihn aus. ihr könnt alle drei dabei hel fen entschied maria die gefallen an den frischen burschen fand. trapp trapp ging es die schmale stiege hinauf.

148

trapp trapp fiel marias körper bis zur taille wieder die schmale stiege hinunter. sie hatte die wirkung von emanuels politischen leitsprüchen stark unterschätzt. auch dessen fähigkeit andre für ein scheinbar aussichts loses unternehmen zu begeistern ausserdem hatte sie seine gierde unterschätzt und seinen lästling.

trapp trapp folgten marias füsse wo war der rest geblie ben. ratlos blickten emanuels klassenkameraden in der küche umher. sie kannten nur die nudeln die ihre mütter daheim zu fabrizieren pflegten.

emanuel erschien den tüchtigen bewegern noch so un wissend und ungewandt dass ihnen immer wieder das vertrauliche du (du) in die anrede kam. wir wollen vor aussetzen liebe frau b. dass diese aufklärung durch den bruder auf eine anständige weise nämlich die reissweise geschehen ist. wenn es nicht so war ist es sowieso zu spät dafür es zu verhindern. für alle fälle möchte ich dazu bemerken dass die jungen leute von heute erstaunlich schock fest sind wenn es um diese intimen dinge geht. die erde war dunkelrot mit mehlweissem staub vermischt die erde war mehr lehmgrau die erde war blut und tränen getränkt die erde war mit moos und gras bedeckt dass sie eher grün beschien die erde war voll schwarz gallig keit und meerschaum die erde sah aus wie eine losge löste pleuel eine schubstange. die erde war plump und schwulstig an den rändern die haare der erde die felder nämlich die goldgelben wehten im wind so dass sich die erde den kopf kratzen musste den schopf.

goldgelb wie ein ährenfeld im wind wehten marias haare als sie vor dem fabrikstor stand und auf ihren ersten freund emmanuel wartete. sie wurde von fast jedem vor übergehenden belästigt vor allem von den älteren abtei lungsleitern die sie als freiwild betrachteten. ihr ver waschenes baumwollkleid reichte ihr nicht einmal bis zum knie die dürren steckenbeine steckten in den stöckel schuhen der älteren schwester ingeborg die mit einem ausländer ging oft kippte maria im knöchel um. in ihren

149

strümpfen rannten die laufmaschen ihre grösste schön
heit war der grosse sinnliche naturrote mund mit den
kräftigen weissen zähnen. maria war seit ihrem fünften
lebensjahr taubstumm. sie schrieb nur ab nicht nach
diktat. sie schrieb adressen.
nur ein starker schock kann maria wieder heilen emma
nuel ist ein sicherer garant dafür.
emmanuel blickte schreckensstarr auf das glimmende
ende der zigarette das sich seinem gesicht näherte. er
versuchte auszuweichen aber die stricke mit denen er
auf den stuhl gefesselt war hielten ihn fest. nun mein
süsser kleiner provo mein gammler mein hübscher hippie
wirst du jetzt endlich singen fragte otonto spöttisch und
brachte die glühende zigarette noch näher. manuel wollte
schon seinen knabenmund aufmachen und sein lieblings
lied auf englisch singen aber er klappte ihn wieder zu
und schwieg trotzig. seit fast 3 stunden wurde emmanuel
bereits von dem jungen leutnant der blue meanis spio
nageabwehr verhört. er hatte sich vor ihm nackt auszie
hen müssen weil der glaubte er würde an seinem körper
ein verstecktes tonbandgerät tragen. er war ein musik
freund besondrer art. er fand nichts aber sein misstrauen
blieb hellwach.
in der riesigen fabrikhalle war solcher lärm dass keiner ein
wort sprach es wäre auch nicht verstanden worden. die
maschinen brüllten das metall knirschte die glut warf einen
hellen schein über die russgeschwärzten arbeiter die sich
wie roboter und keine menschlichen wesen mehr racker
ten. ihre einzige sehnsucht ihr einziger gedanke: ende der
schicht ein warmes bad frische wäsche essen schlafen
möglichst viel schlafen. für alles was das leben erst
lebenswert macht tanz musik mädchen plaudereien spiel
diskussionen fortbildung ein gutes buch etc. hat der mo
derne mensch bei seiner anstrengenden tätigkeit keine
zeit. eigentlich schade dass dem modernen menschen so
sehr die ader für das geniessen des lebens wie es unsre
grossväter noch schätzten abgeht. das ist ein grosses
150

problem geworden sagte manuel der sich gerade ein neues schweissblatt in die unterhose stopfte emmanuel war wie immer eine pferdelänge voraus. er fand nichts aber sein misstrauen war hellwach. eine welle des glücks und der erlösung ging über ihn hinweg. was ist. hörst du geisterstimmen fragte der vorarbeiter halb spöttisch halb misstrauisch. ich gehöre schnullgeräusche im lutschbeu tel antwortete der schöntuer.

ich warne mädchen in meinem alter vor einer solchen karriere sagt maria. gewiss die welt des films hat mich hart gemacht. aber ist es das idealziel eines 17 jährigen mädchens hart zu sein. es ist schwer ein star zu sein ohne die reife dafür zu besitzen selbst wenn man mit 17 alles über männer weiss.

jeden jungen menschen drängt es dazu im scheinwerfer licht zu stehen daher sind die berufssparten mannequin fotomodell schauspielerin pop sängerin etc traumberufe unsrer jugend ein unbewusster wunsch aus dem grauen alltag der fabriken büros werkstätten auszubrechen. so einfach ist das.

das hättest du nicht tun sollen du hitzkopf mahnte otto der arbeitskollege bedenklich. emmanuel lachte vom herzen. jäh leuchteten in diesem moment seine augen auf. störe ich fragte eine ironische stimme. emmanuel liess sich nach vorn fallen in die deckung des sessels. im fallen noch riss er die pistole heraus. in der gleichen sekunde sprang otto vor dem eindringling entgegen. ein wütendes brüllen hallte durch den raum. es klatschte dumpf. ottos schwerer körper taumelte zurück quer durch den raum schlug mit dem hinterkopf hart auf den marmorboden blieb regungslos liegen. manuel sah den eindringling plötzlich vor sich schemenhaft. er hob die pistole.

der eindringling war emmanuels vorarbeiter ein richtiger schoner. er erhob sich wickelte sich mit roboterhaften bewegungen in das leintuch verliess auf unsicheren bei nen den kreis der umstehenden und ging ins bad hin

über. man legte das letzte stück des weges nach amstet
ten mit der bahn zurück.

VORSICHT! der echte schweizer emmentaler wird häufig
mit ähnlich aussehenden jedoch nicht aus der schweiz
stammenden käsen verwechselt. reporter: und was ma
chen sie gnädige frau dass ihre wäsche so frisch so
naturfrisch so wirklich sauber ist dass sogar schwieriger
schmutz wie schweiss blut ei makellos sauber heraus
gelöst ist. frau b.: ich trage ja auch den neuen felina
stretch bh. da kann ich mich so gut darin bewegen.

die freunde klimperten vor dem einschlafen noch ein we
nig auf ihren gitarren sie fuhren herum. in der tür stand
der vorarbeiter. und mit dem lächeln des teufels befahl
er keine bewegung senores und die hände hoch wenn
ich bitten darf. er war der inbegriff eines brutalen haupt
kerls.

emmanuel warf sich nachdem er das halbe feld zwischen
den detonationen zickzack überquert hatte aufstöhnend
in einen bombenkrater. der lehm verschmierte sein ge
sicht zu einer unkenntlichen maske scharfe wurzeln und
steine zerkratzten ihm die arme und beine. als er genauer
hinsah merkte er dass er nicht allein war. ganz ruhig
bleiben suggerierte er sich ganz ruhig. fordern sie das
gelbe buch des guten einkaufs! sie standen und schau
ten und glaubten in den himmel hinaufzufliegen selbst
dem gesprächigen otto blieb der mund offenstehen vor
ungläubiger verwunderung.

die bombe detonierte otto wurde mit emmanuel und sei
nen übrigen marxistenfreunden in die luft gehoben kei
ner hörte einen krach das ganze geschieht wie in zeit
lupe hinauf zu luci in den sky als sie hoch genug waren
dass sie ihr elternhaus und die werkstätten schon nicht
mehr erkennen konnten blieb die luftsäule unbeweglich
stehn dann teilte sie sich in einen gigantisch grossen pilz
und zerbröselte die massholder zu atomarem staub. be
vor es mit ihnen zu ende ging zog ihr ganzes leben in
sekundenschnelle durch ihre köpfe. es war ein gefühl der

absoluten schwerelosigkeit als der white giant die aus reisser in seine geburtstagsarme nahm und hinauftrug. emmanuel voran maria in der mitte zwischen den freun den den pazifisten den blumenkindern damit man ganz sicher ging dass sie keine dummheiten machten so setz ten sich die kühnen hochturisten in bewegung. nicht hinunterschauen immer geradeaus riet manuel vorsorg lich. die renegaten hatten sich wie immer fest an den händen gefasst und machten einander auf die bukoli schen dekremente an den wolkenrändern aufmerksam. sie standen und schauten und glaubten in den himmel hineinzufliegen in den blauen den sie noch nie aus sol cher nähe gesehen hatten die nichtflieger. es ging wun derschön. der leichtfüssige emmanuel kletterte wie eine gemse. er merkte es gar nicht dass sie bereits 10 000 kilometer geflogen waren. weiter immer weiter. die luft wurde dünner. emmanuels schritt wurde langsamer. lang sam bekamen auch die andren herzklopfen. über amstet ten ging gerade die sonne auf ihr letzter sonnenaufgang. sie ergoss ihr blutrotes licht über die schwarzgrün ver brannten verglasten hänge. otto hatte noch nie in seinem leben einen sonnenaufgang mit solcher erlösung und sol cher freude erlebt. die welt war in seiner hand. und er war in der vaterhand des white giant. jeder der freunde hielt etwas in der hand und blickte darauf. auf die reste ihrer kinder & enkel.

da teilte der white giant die atomare wolke. manuel be kam einen tritt in den magen der ihn fast umwarf. otto fiel zurück ein zittern lief durch seinen körper dann war er still. blut tröpfelte aus der kleinen wunde die alles war was von dem durchgeschnittenen otto übriggeblieben ist. wo sind deine auftraggeber fragte er noch rasch den white giant. der aber konnte den mund halten wenn es drauf ankam!

44. kapitel good morning

good morning rief robins helle stimme zur tür hinein. keine antwort. nur poltern mit dem vorsetzer und sattes behagliches brummen batmans war zu vernehmen. da kam er ja gerade zurecht. mit einem kühnen sprung war auch robin im bett und setzte sich voller hoffnung in bewegung. dröhnendes lachen kam hinter der tür hervor hinter der superman schlief. good morning sagte robin noch einmal und seine blauen augen strahlten wie der leibhaftige sonntagmorgen. batman und robin die hofgänger waren bald vom spiel ermattet. da liess superman seine gitarre erklingen. nun ging es wieder mit frischem mut und neuen kräften vorwärts das lochlehren das puderzuckern. der gemeinderat von frankfurt sprach sich dafür aus die polizei der stadt mit elektro knüppeln aus zurüsten. die knüppel die elektrische schläge austeilen eignen sich besonders zur zerstreuung von demonstra tionen (demonstrationen).

batman ist das sümbol für die ungeheure stärke des grossen volkes der vereinigten staaten von amerika robin ist der garant dafür dass das grosse volk der ver einigten staaten von amerika auch in zukunft ungeheuer stark sein wird. robin pflegt niemals zu wachsen daher wird die zukunft noch einige zeit auf sich warten lassen.

als robin einmal nicht nett zu batman war wurde er von diesem rasch mappiert und belehrt dass vor allem die jugend daran arbeiten müsse das so schwer getroffene vaterland wieder in die höhe zu bringen. die belehrung unterstrich batman mit netten kleinen strafen bis sich robin seinen marsch ausblies und keuchend grossmütig auf weitere verweigerungen verzichtete. allerdings nicht wegen der gefährdeten allgemeinheit obwohl er sonst ein verständiger matz war. schüchternheit erröten. befan genheit sprechangst und ähnl. gegenüber vorgesetzten in gesellschaft vor dem andren geschlecht usw. beseitigt

154

schnell und leicht die emotionale enthemmungsmetode. verblüffende wirkung.

batman spielt an robin der an der jukebox lehnt zerstreut herum leckt ihm die mauke das ohrenfett schlägt ihn nicht zu heftig auf die waden belehrt ihn ständig. um seinen schmalen mund liegt ein geradezu wölfisches grinsen. hände weg superman befiehlt er dem freund der durch robins gemaunze angelockt wird. der hitzige super man will seinen spass haben. der bursche braucht eine lektion superman widerspricht er. damit erfährt der superman dass der andere gangster robin mit vorna men heisst. lass ihn los wiederholt superman. der junge hat ganz recht. fragst du vorher nicht was du bei einem job verdienen kannst?

stürmisch umfasste der gescholtene den freund. stür misch umfasste der scholtene den freund. beide schos sen wahllos in der gegend umher und strahlten neger demonstranten pazifisten beatniks zu staub. den krach dieser schlägerei nehmen die bewohner des vergnü gungsviertels von sonoita gelassen hin. das passiert an jedem wochenende. aber die schüsse alarmieren sie und nicht nur sie sondern auch die gelbe gefahr. die gelbe gefahr.

über seine beine hatte robin das verfügungsrecht verloren das eine schwebte das andre wurde ihm von den gieri gen liebkosungen batmans beinahe abgedrückt. aber die hände gehörten ihm noch. trotz der enge hatte er plötz lich den paketsatz batmans in den händen und war gar nicht nett zu ihm. er warf ihm einen beleidigenden blick zu. er streift den jackenärmel noch etwas höher. lois lane trug eine tief ausgeschnittene bluse die mehr enthüllte als verbarg ihre lippen waren sehr rot geschminkt. sie hatte diesen auftrag ebenso bedenkenlos erfüllt wie frühere aufträge gleicher oder ähnlicher art.

unser titelbild ist dem farbigen cinema scope film die kanonen von navarone entnommen. im hintergrund links

sind gregory peck und david niven in einer entscheiden
den szene zu sehen. foto: columbia.
weg lois brüllte er das ist zwecklos geh zurück hau ab.
er brüllte in echtem amerikanisch in einem slang der sich
nach chicago anhörte. die gelbe gefahr die noch an dem
magenhaken zu kauen hatte und sich nur noch blindlings
wehrte warf sich herum und begann zu laufen.
gleich nachdem sich die tür von tante harriets pension
hinter dem verschwitzten paar geschlossen hatte schloss
batman auch noch die zimmertür. er griff nach robin um
ihn zu netten in seiner gewohnten überlegen väterlich
autoritären weise robin heulte vor angst als sich der rie
sige schatten seines freundes lautlos näherte er wusste
wieviel es geschlagen hatte er versuchte die empfind
lichsten stellen seines noch unfertigen körpers zu
schützen so gut es ging. robin lernt nur durch strafe die
stählerne härte die ein verteidiger der ideale von frieden
freiheit und demokratie braucht.
aber bei einem gefährlichen einsatz sind sich die freunde
einig da wissen beide dass sie sich einer auf den andren
bedingungslos verlassen können.
robin ging unter der wucht des anpralls auf die knie. er
weinte vor angst noch bevor er den boden berührte.

45. kapitel bereits morgens um 5 uhr (schluss)

bereits morgens gegen 5 uhr trafen sich die beiden tag täglich und zogen dann hinaus in den wald. und weil sie bei ihren schäferstündchen wiederholt von ausflüglern und kindern gestört wurden gruben sie sich im wald höhlen und verkrochen sich darin wie wilde tiere. maria schwieg beleidigt. die empfindlichkeit aus ihren kinder tagen war noch die gleiche. maria schluckte die empfind lichkeit zugleich hinunter. sie rannte mit ihrem o. den sie in einer letzten aufwallung von zärtlichkeit an ihre feder spreize presste durch den wald floh vor dem durchdrin genden geruch nach alten wadstutzen unterleibchen knobelbechern uniformjacken unterhosen hubertusmän teln gebirgsjägerkappen der von ihrem vater ausging. keine 3 meter von ihnen entfernt war der hauptkörper der mordweide. an seinem oberen ende schimmerten die gleichen gewächse die maria schon bei den termiten gesehen hatte. sie begriff nicht warum ihr vater bei die sem schrecklichen anblick nicht floh. verzweifelt ver suchte sie o. zurückzuziehen und in sicherheit zu brin gen.

es herrschte eine allgemeine ausweglose traurigkeit um diese jugend. während ihrer überhasteten flucht aus dem moder und mief des vaters hatten sie kaum auf ihre neue umgebung geachtet. sie standen am rand des niemands landes. ihr verfolger der operettenmeister der an seinem eigenen dreck fast erstickte brach in die knie. er war ein solcher jämmerling dass er nicht einmal versuchte zu leugnen. o. streifte sich nur ein wenig den jackenärmel zurück der vater sah es entsetzt. wir sind doch immer freunde gewesen jammerte er. ihm klapperten hörbar die zähne vor angst. freunde höhnte maria wer hat dich auf uns gehetzt und wen hast du angerufen.

ein schmales gesicht feine kluge pensionistenzüge ge zeichnet von harter arbeit entbehrung kriegsgefangen schaft leckerhaftigkeit warm blickende graue augen unter braunem haar da war es wieder das gesicht das maria sich so oft ins gedächtnis zurückrief nach dem sie über all gelechzt die züge des vaters suchend.

vater ist das eine überraschung. lebhaft errötend streckte maria ihm mit der ihr eigenen herzlichkeit beide hände entgegen. er erzählte ihr seine eigene story die geschichte eines kriechers und waschlappen die geschichte eines kriegsteilnehmers.

turok erschien wie eine vision aus einer andren welt wie er sich so rutschend und stemmend über die schutthalde bewegte um seinem freund bei dessen letzten kampf zu hilfe zu eilen. eine sinkende sonne zauberte ihm einen strahlenhelm um seinen kopf fast schien das schauspiel friedlich und unzerstörbar sogar der riesige honker schien zu einem unbeweglichen koloss aus muskeln fleisch zacken und energie erstarrt zu sein aber diese ruhe trog. diese ruhe war die ruhe vor dem sturm vor dem letzten gnadenlosen akt. turok duckte sich er schien mit dem boden eins zu werden immer wieder wirbelte der wind eine träge staubfontäne hoch und verschleierte den blick trübte die sicht. die verkrüppelten und knorri gen bäume wuchsen hier dichter. ihre zweige verwoben sich miteinander und bildeten so eine barriere. dazwi schen wucherten bambus und dornengestrüpp. das gras war hoch und glashart es hätte vermocht den arm eines menschen vom rumpf zu trennen. auf den ersten blick war erstaunlich dass niemand diese bastion der grossen feige überwinden konnte ohne sein leben bei dem ver such zu verlieren.

maria beobachtete das gesicht des gefährten während sie die tödliche dickichtzone betrachtete. nichts bewegte sich. die leichte brise vom meer konnte die harten und gepanzerten blätter nicht zum rascheln bringen. alles war still und wie tot.

vor dem richter erklärte später der zwanzigjährige sie gefiel mir so gut sie war so zärtlich und sie hatte eine so

158

schöne figur. was sollte ich tun. das 14 jährige mädchen plante den mord bis ins letzte detail. sie besorgte sogar das gewehr das die beiden für die tat brauchten. dann kam der 31. juli 1967. der mordtag. maria trug bereits seit einem monat ihr kind unter dem herzen.

turok hielt den atem an und verschmolz mit dem boden. der boden in den turok eingeschmolzen war erhob sich plötzlich wie eine unüberwindbare mauer und bewegte sich mit überschallgeschwindigkeit auf den honker zu der vor dieser mauer aus beton muskeln blut fleisch energie härte und zähigkeit erschrocken zurückwich.

der roboter war zwei meter hoch also doppelt so gross wie der mausbiber. auch doppelt so breit. sein gesicht war mit plastik verkleidet und die gummireflex automatik sorgte für einen entsprechenden wechsel des ausdrucks. tabor konnte besorgt aussehen aber auch belustigt wenn es die situation erforderte. sein rechter arm war eine strahlwaffe von grosser reichweite. der linke endete in einer auswechselbaren hand. er konnte sie als werkzeug in vielfacher anwendungsmöglichkeit benutzen. ausser dem verfügte er über einen persönlichen schutzschirm und ein eigenes flugaggregat.

während sie wanderten spürte o. plötzlich wie irgend etwas sanft und leicht auf seinem kopf landete. ein bovist ein fellkoller wie spinnweben zart der einen unerträg lichen gestank einen geruch nach verrotteten wadstutzen unterleibchen knobelbechern uniformjacken unterhosen hubertusmänteln gebirgsjägerkappen ausströmte. oft schon hatte o. das gewebeartige gewächs in den vergan genen stunden gesehen bei den termiten und auch im niemandsland der pflanzen. dieses gewächs war nichts anderes als der bovistvater der mutierte. im verlauf der jahrmillionen hatte er es verstanden eine neue lebens grundlage zu finden. es war die sümbiose mit anderen jüngeren lebewesen mit fertilen tochterkulturen. eine weile stand o. ganz still. er zitterte nur ein wenig weil er das vatergewächs auf seinem manschkopf spürte. ein mal hob er die hand um das muffelige ding zu entfernen aber dann liess er sie wieder sinken.

sein kopf war kühl und fast empfindungslos geworden. er fand einen felsblock und setzte sich so dass er mit dem rücken dagegen lehnte. vor ihm dehnte sich der rand des niemandslandes. in der ferne stand die grüne mauer des waldes. der kühle schatten tat gut. marias klares gesicht tat gut. um ihn herum wuchsen einige harmlose pflanzen. kein feind war in der nähe.

als der vater mit seiner tochter zu einer der liebeshöhlen kam und sich erstaunt umsah weil er marias freund nirgends sah da peitschte plötzlich ein schuss durch den wald. mit einem gequälten aufschrei stürzte der vater zu boden. o. hatte ihn in den rücken geschossen. sprang nun eilends herbei und hieb seinem opfer zweimal über den kopf. dann kam maria und nahm dem vater noch 75 mark aus der sakkotasche. dabei bemerkte sie dass der mann noch immer am leben war. kurzentschlossen riss sie ihrem geliebten das gewehr aus der hand und er schlug mit dem kolben den eigenen vater. dann schleuderte sie die mordwaffe hin und rief so o. jetzt gehöre ich ganz dir. dann warfen sich die beiden zu boden und begannen sich aufs neue hemmungslos zu lieben.

der mit dem boden verschmolzene turok verfestigte sich langsam wieder. sie küssten sich und der bovist auf seinem kopf schimmerte leicht im glanz der nie verlöschenden sonne. am abend kehrte das mädchen nach hause zurück als ob nichts geschehen wäre. doch die nachbarn hatten sie mit ihrem vater in den wald gehen sehen. sie fanden den erschlagenen mann mit dem einschussloch im rücken. wenig später verhaftete die mordkommission maria und o. eine rauchwolke stand über dem todesdickicht und trieb auf den wald zu. der boden war schwarz frei von pflanzen. hand in hand wanderten die beiden menschen aus dem niemandsland hinaus.

46. kapitel gucky wußte sofort

gucky wusste sofort dass es kher war. der sockel der maschine war achteckig und besass einen durchmesser von fast 100 metern. püramidenartig verjüngte er sich und bildete in zehn meter höhe ein plateau. darauf ruhte eine gigantische kugel mit freischwebenden ringen die aus energie zu bestehen schienen. sie kreisten mit irrsinni ger geschwindigkeit um die golden schimmernde kugel genau den betrachtern gegenüber befand sich ein gros ses auge. am 23. juni 2350 erreicht das raumschiff thun derbolt die position des vor dreihundert jahren zerstör ten planeten tramp. gucky und seine garde erscheinen um an den mördern ihrer heimatwelt rache zu üben.

gucky übernimmt zu diesem zeitpunkt einige der wich tigsten funktionen ottos: dessen feindeshand kadaverge horsam fettausscheidung sowie unwesentlichere lösch arbeiten.

die energie die von der gewundenen spirale ausging war millionenmal grösser als jene energien die auf der erde und allen andren bewohnten planeten der galaxis be kannt waren die wellenlänge war mit den herkömmlichen messgeräten nicht messbar sie bewegte sich in bereichen von denen nicht einmal der weise exho gehört hatte. die strahlenden nischen waren mit einem stark radioaktiven gummiartigen stoff ausgekleidet. er war grau und elastisch konnte jedoch weder geätzt noch geschnitten noch sonstwie verletzt werden. dieser teil war das ge hirn des ganzen bestehend aus millionen und abermillio nen zellen die jede einzelne jeder denkenden existenz je der bekannten biologischen erscheinungsform im blue system weit überlegen war. hier wurden die entscheidun gen gefällt die für den grossen rat der weisen die trieb federn für ihre handlungen waren mit deren hilfe sie aber auch zu einer tödlichen gefahr für die galaxis wurden überlegen kalt mit ungeheurer schärfe denkend furchtlos unverletzbar.

noch in der gleichen nacht besetzten axo und egho mit ihren lkher soldaten die wichtigsten zentren der haupt stadt. ihre vier weisen berater nhoj luap egroeg ognir oder wie sie hiessen klirrten durch die kunststoffkanäle von denen sie gleichzeitig telepatisch gesteuert wur den in ihren uniformen die ewig lächelnden gesichter wie aus ebenholz geschnitzt die bajonette aufgepflanzt. die organismen die sie zu bewachen hatten verfügten über eine so überragende intelligenz und solche fantasie dass sie es nicht nötig hatten sich jemals aus ihren psücho modulator kojen zu bewegen. ihr beitrag zum gemein leben wurde von computerzellen sofort abgesaugt ge speichert ausgewertet umgekehrt wieder konnte man auf dieselbe art gehirnpartien oder deren höhere ent wicklungsstufen reizen um ergebnisse bestimmter art zu erhalten.

das war ein der farbe entbehrendes leben für unsre vier veteranen. luap beugte sich über ognir sanft hob er ihr kinn küsste die ohnmächtige auf die lippen. sie schlug die augen auf seufzte tief. tränen rannen über ihre wan gen und luap registrierte zwischen medizinischer sach lichkeit die ihm angeboren anerzogen war und jäher er regung dass ein turgo eigentlich nicht weint dass er keine gefühle kennt ausser der stumpfen ergebenheit des kriegers des ausgebildeten kämpfers für seinen herrn. aber im fall ognir war das verhalten um so erfreu licher sie war eine frau geblieben mit allen ihren gefüh len. alles ist gut sagte er zwischen seinem nussknacker gebiss und er meinte es.

seine uniform war von unten bis oben mit ordensbändern schnallen verzierungen stuckblumen bunten glühbirnen musikinstrumenten muscheln ärmelkanälen bifokalglä sern complizen dübeln erdäpfeln allen erdenklich guten dingen bedeckt. das stärkte die patriotischen gefühle sei nes grossen volkes.

suchen sie die lösung in den vorhergegangenen abschnit ten irgendwo sitzt der fehler. machen sie mit bei der gilb suchaktion! füllen sie untenstehenden teilnahmeschein aus kleben sie ihn auf eine ausreichend frankierte post karte und senden sie diese bis 23. 6. 2350 an henkel & co. gilb suchaktion düsseldorf 1 postfach 1100. gehen mehrere richtige antworten ein werden die gewinne unter notarieller aufsicht verlost. rechtsweg ausgeschlossen. jeder teilnehmer kann nur einmal gewinnen. ausgenom men von der teilnahme sind mitarbeiter der fa. henkel & co. gmbh und deren angehörige. legen sie dem gilb das handwerk verjagen sie ihn mit dato! dato ist das spezial waschmittel für alle modernen weissen gewebe. weil es einen besonders hohen anteil an optischen aufhellern hat kann weisses nicht mehr vergilben sogar bereits ver gilbtes wird mit dato wieder weiss. dato ist da. gottsei dank. halte aus. dato kommt.

lieber frank deine sonntagvormittagsendung könnte noch besser noch schwungvoller sein wenn du weniger reden würdest. weisst du bei mir ist das so in der frühe wenn ich aufstehe will ich eine sendung hören die mich so richtig frisch wach und munter macht. ich stehe sonntags gerne früh auf besonders wenn es draussen schön ist und der tag so richtig vor einem liegt. die musik die ich lieber frank am sonntag beim aufstehen gerne höre soll sehr schwungvoll sein das kann ganz ruhig mal ein har ter beat sein aber bitte nur nicht so viel dazwischen reden. man hört nie so richtig zu. entweder man sagt sich der quatscht schon wieder soviel der frank oder man fragt sich dauernd was hat er denn jetzt gesagt. ich glaube das frühstück sollte besonders am sonntag wieder mehr bedeutung als hauptmahlzeit des tages gewinnen. eier speck schinken käse wurst mohnbrötchen die ich immer frisch am samstag kaufe kaffee juice und das alles reich lich auch mit tomaten garniert. und dazu musik musik. musik dass man aus dem bett SPRINGT.

flankiert von zwei herren in schwarzen abendanzügen betritt eben eine hinreissende grossgewachsene blonde frau in einem weissen bodenlangen tief dekolletierten

163

tüllkleid eine gelbe rose an der rechten schulter langsam den saal der im glanz von tausend kronleuchtern taghell erstrahlt. in ihrem aufgesteckten haar schimmert ein kostbares diadem ihre haut ist wie mattes elfenbein der weiche stoff des kleides weht lautlos über die kostbaren teppiche. ein prickelndes lachen wie sekt steigt zwischen ihren leuchtendroten lippen auf ein prickelndes lachen steigt auf und setzt sich in die lampen der ganze plafon ist von prickelndem lachen völlig bedeckt das ganze ist ein bild der frische unberührtheit unschuld sie ist nämlich ein mensch der dem herzen folgt nicht dem verstand.

tag für tag unermüdlich und ohne sonntagsruhe fliessen die weissen quellen des milchstromes. über schluchten und täler hinweg aber schickt der alpbauer john seine milch durch plastikrohre ins tal. natürlich wird die rohrleitung täglich gründlich nachgereinigt. die kühlung ist wichtig da die in der milch vorhandenen sowie die aus der luft hineingelangten keime sich in der kalten milch schwerer vermehren können als in der warmen milch. dadurch bleibt die milch frisch eine säuerung wird verhindert.

ihr rechter arm ruht lässig auf der schulter des kawaliers mit dem monokel der weisse handschuh sitzt faltenlos und unberührt unter dem rocksaum ist die spitze eines silbernen schuhes zu sehen die manchmal etwas nervös auf und ab wippt. diese einfachen worte brachten die entscheidung. die frau weiss es als sie ein kaum merkliches lächeln um die lippen des us präsidenten zucken sieht. und sie hört es aus seiner stimme die ganz anders klingt als zuvor frei von misstrauen erleichtert.

ich danke ihnen gräfin sie haben mir einen grossen gefallen erwiesen. wie absichtslos streift ihre hand die seine ein elektrischer strom geht durch die beiden er macht sie erschauern. die frischgemolkene und saubere milch muss sofort nach dem melken in reine kannen abgefüllt und gekühlt werden.

gucky der ein wenig gevespert hatte fluchte. lauter säufer erklärte er schliesslich. ein schiff mit säufern ich sehe

164

schwarz oder sollte ich lieber blau sehen? er kam zu kei
nem entschluss. bis zum start waren es noch dreissig
stunden. er überzeugte sich noch einmal dass seine ilts
in ihren kabinen waren und dann ging er zu iltu. das un
tätige warten war das schlimmste was ihm passieren
konnte.

ringo ognir achtete nicht darauf. er überprüfte seinen
kleinen impulsstrahler und rückte die uniform zurecht.
ein hauch von luxus.

luap legte egroeg den bohrständer die heckenschere den
schlagbohrzusatz den handkreissägezusatz mit blatt den
sägetisch den stichsägezusatz den vibrationsschleifzu
satz übers knie und bastelte ihn wenn er frech wurde bis
ihm die bitteren tränen über die wangen liefen und seine
uniform benässten als arzthelfer unterlag er der schwei
gepflicht. das auge war bemerkenswert wenn es viel
leicht auch gar kein auge im richtigen sinne des wortes
war. es schimmerte in verschiedenen farben und wech
selte sie was den eindruck dass es lebte nur noch ver
stärkte. es war oval geformt gut zwei meter lang und in
der mitte fast einen hoch. die pupille in der mitte würde
so folgerte tabor nüchtern eine aufnahmekamera sein.

in welchen modernen geweben wäschestücken und tex
tilien und wie oft hat sich im obigen suchbild der gilb
versteckt. welches spezialwaschmittel kann den gilb ver
jagen? kann dato sogar bereits vergilbtes wieder weiss
machen? ja das kann es. die fremde lächelte leicht. im
oberhemd in der bluse in der gardine im arbeitskittel in
der unterwäsche hat er sich versteckt der erbeuter. und
auch ich habe das gefühl als würden fremde blicke
durch mein kleid hindurch bis auf die haut bis auf den
gilb blicken. sie spürte wie fremde blicke sie durch das
kleid hindurch betasteten. er legte die arme um sie.
irgendwie erschrak er vor der kraft ihres gefühls.

mitten auf der kugel stand eine schwarze püramide 10
meter hoch. sie war dreieckig und aus der spitze ragte
ein langer stab heraus an dessen ende eine kugel schim

merte ähnlich wie die kugel auf dem dach des liftgebäu des. gucky starrte auf das riesige auge in der kugel. es schien seinen blick zu erwidern und gucky hatte das ge fühl einem lebendigen und intelligenten wesen gegen überzustehen. er war jedoch der einzige der sich von der lei dingen noch beeinflussen liess. luap hängte sich rechts ognir links in den arm des glücklichen wiedergefundenen. diesmal liess es sich gucky gefallen das rüstankern.

47. kapitel kasperl fing den anstürmenden

kasperl fing den anstürmenden in vollem lauf auf und drückte ihn an seine brust drückte den atemlosen an seine kasperlbrust. hielt den schweratmenden schützend an sich gedrückt hielt den atemlosen der sich eben la chend wieder freimachen wollte unnachgiebig gegen seine brust gedrückt packte den sich lachend zum schein wehrenden bei den schultern und hielt ihn im vollen lauf fest kasperl fing den beim schnellen lauf kaum die erde berührenden mit einem raschen sicheren griff auf und hielt den zappelnden und sich sträubenden eisern gegen seine brust gedrückt kasperl konnte den wild sich sträu benden gerade noch festhalten als der im vollen lauf vor überstürmte.

war das ein her und hingrüssen von einem kreuzfidelen zum andren. so als ob sich die freunde ein ganzes jahr nicht gesehen hätten so als ob man sich nicht erst gestern spätabends getrennt hätte.

jubelnd umfing kasperl unbekümmert um die übrigen in sassen den rücksichtslosen der ihn eben rückkringelte montierte protzte und untertrat. seine schwarzwollene turnhose war ihm dabei bis über die knie gerutscht. er er rötete bis über beide ohren sein gesundes lausbubenge sicht nahm eine tiefrote färbung an. das war ein hinüber und herüber von einem abteil zum anderen als ob sich menschen die jahrelang auf verschiedenen erdteilen ge lebt haben unvermutet wieder treffen.

man braucht nur den rücken zu wenden sobald unser kasperl allein ist treibt er unfug neckte batman und griff nach seiner zuchtquaste halb ernst halb scherzhaft.

der hergelaufene batman jagt dem abgedeckten kasperl die teufelsdroge ins blut in seinem eigenen bett im mo ment der ersten leidenschaftlichen umarmung. er erhob sich wickelte sich mit roboterhaften bewegungen in sein leintuch verliess auf unsicheren beinen sein schlafzim mer ging ins bad hinüber. – speed.

das schattenlose weisse licht drang durch türen und fen
ster ja es schien sogar durch die mauern zu dringen sie
innerlich zu verbrennen die hitze hing wie eine glocke
über der stadt. kasperl hielt krampfhaft seine beine die
gewichtstützen fest und löschwiegte auf dem bauch über
die von maultierkarren und huftritten zerfurchte strasse
die mehr einem weg glich die risse in der erde waren tief
sehr tief. si senor antwortete er mechanisch. dann war
auch dieser kampf entschieden.
die hoffnung batman irgendwo in dem gewühl der haupt
strasse auftauchen zu sehen erfüllte sich nicht. vielleicht
war er schon im zuge? kasperl liess seine unermesslich
langen füsse im letzten moment da er sie nicht mehr hal
ten konnte aus und liess sich nach vorn fallen in die dek
kung einer antenne. im fallen noch riss er die pistole
heraus. ein wütendes brüllen hallte durch den raum es
klatschte dumpf. ein schwerer körper taumelte zurück
quer durch den raum schlug mit dem hinterkopf hart auf
blieb regungslos liegen.
kasperls unermesslich lange beine nun vollends haltlos
rasten völlig kopflos von der deckung eines torbogens
zum nächsten wiederum aber war es amüsant so frei
und ungebunden auf eigene faust loszumarschieren. es
war ein weiter weg. sie bekamen einen guten teil der
stadt dabei zu sehen. die für alles schöne leicht begeister
ten waren entzückt von dem anmutigen malerischen bild.
da aber erreichte sie doch das verhängnis in gestalt des
batman. eben als kasperls unermesslich lange beine
ihre silbernen schlanken stromlinienförmigen leiber im
bach abkühlen wollten sprang dieser artillerist hinter
einem holunderbusch hervor stach mit seinem vorder
lader mit seiner muskete in die beiden in unsre beiden
beinbrecher (beheber) und zog die sich sträubenden an
land wo er sie behutsam an sein geschaukel schlingelte.
nach diesem aufwärmekampf stand er auf tätschelte
ihnen die blonden locken. kasperls füsse hatten offen
sichtlich für zärtlichkeiten im augenblick keinen sinn.

168

batman fasste sie unter der achsel und zog sie hoch. batman hatte diesen auftrag ebenso bedenkenlos erfüllt wie frühere aufträge gleicher oder ähnlicher art.

kasperl hingegen pappelte mühsam auf seinen händen durch die strassen gassen & plätze diese und ähnliche forderungen trieben ihm die schwitze ins gesicht er hatte angst dass ihn keiner mehr grüssen würde ohne seine unterschweller diese angst war freilich unbegründet. über ihre eigenen sorgen fiel den andren ein einsamer un glücklicher mensch ohne untergebiet nicht auf sie hatten genug mit ihren kleinen eigenen atomschutzbunkern zu tun. sollte das in alle ewigkeit so weitergehen. das sollte in alle ewigkeit so weitergehen ohne strampfen & stram peln. kasperl glaubte vielleicht das wäre eine ungewöhn liche artistische leistung was er da trieb aber viele leute haben das schon mehr oder minder unbewusst gemacht wenn ihr fahrzeug in einen unfall verstrickt war. er schlug hart auf den boden auf & bekam etwas ähnliches wie eine rolle fertig und rollte sich einmal & noch einmal um seine achse.

die beschaffung eines ausgedienten fasses ist keine be sondre schwierigkeit. ihr tischler schneidet (1) einen teil der dauben heraus. mit querhölzern versehen wird eine tür daraus. (a) diese befestigt man mit scharnieren in dem ausschnitt. oben (b) wird für die automatische be leuchtung ein kontaktknopf angebracht. zum öffnen und schliessen der tür leimt man einen holzknopf ein. (c) ist ein simpler untersatz aus holz. zeichnung 2 zeigt die hausbar im querschnitt. (d) ist ein eingepasster rost auf welchen die flaschen kommen. (e) ein rundbord zur auf nahme der gläser. (f) die innenbeleuchtung. aus! inzwi schen hatten sich die hände und muskeln des batman an die harte arbeit gewöhnt. nur an eines hatte er sich als nordamerikaner nicht gewöhnt an die ewige sengen de unerbittliche sonne. sie dörrte ihn aus. sie entzog ihm den letzten schweisstropfen. sie verwandelte seinen schutzhelm aus aluminium in einen glühenden topf.

selbstverständlich existierte eine strenge lagerordnung. trotzdem gelang es dem langen batman jede nacht kas perls beine mit auf sein zimmer zu nehmen die unter der sengenden hitze mehr litten als er selbst und deren zarte haut unschöne blasen eitrige schorfstellen und abschür fungen aufwies. da lagen sie dann stenografierten landaus landeinten manchmal erschien sogar so etwas wie ein lächeln an ihren mundwinkeln wenn sie auch nach wie vor hartnäckig batmans blick auswichen. gern antwortete er knapp.

obwohl batman bewaffnet war und ein ehemaliger berufs ringkämpfer zu sein schien wuchsen ihm bei der widerbor stigkeit dieser beiden lampassen dennoch graue haare. knurrend nannte er name & nummer. kasperl war ein lam pe von etwa 45 jahren. er hatte ein kantiges gesicht mit dicken wangen die allmählich herabzusinken begannen. ein klein wenig erinnerte er an eine bulldogge. seine au gen waren klein und von sehr dichten brauen überschat tet. es gingen eine menge gerüchte über ihn um.

da er niemals allein spazierenging hatte er sich den ruf eines eigenbrötlers erworben. vergeblich hoffte die ju gend auf schnee.

von batmans begleitern konnte man nur die umrisse der gestalt erkennen. sie sahen wie riesige menschliche beine aus irgendwie verrieten ihre figuren dass es sich um zwei amerikaner handelte. sie feuerten ihre ersten haken ab bevor der völlig hilflose kasperl seinen zarten lauten schlägerkörper noch auf die hände heben konnte. nichts überrascht einen mann mehr als gut placierte konter schläge. kasperl war tot ehe er den boden berührte. seine beine küssten sich gegenseitig die tränen von den augen. batman schmunzelte zu der närrischen freude der bei den.

48. kapitel erst wenn er trotzdem gestorben ist

erst wenn er trotzdem gestorben ist frau osterhase wenn er tot ist erst dann nimmt sich die medizin vielleicht das recht seinen leichnam zur rettung eines andren men schen heranzuziehen.

er atmet tief auf trotz seiner vielen nagging doubts.

wenn selbst otto auf grund seiner erfahrung und mit den vielfältigen mitteln der logik nicht imstande ist den ge heimnissen von horror auf die spur zu kommen wie ge waltig muss erst der geist sein der diese welt erschaffen hat?

o sünde die ihren zorn auslässt an den blinden kindern dieser welt!

gary cooper ist sehr alt geworden und an krebs gestor ben vor jenen tagen an denen der schnee über die welt kam und das vollkommene leid brachte.

otto ist ein bewährter organspender er ist ein vollkom men hohler mensch ein schweratlet. viele die heute wie der gesund ihren arbeitsplatz ausfüllen ihre familie um sorgen ihre freizeit geniessen für die die sonne wieder scheint der himmel wieder blau und das gras grün ist die es wieder faustdick hinter den ohren und trümpfe in den taschen haben diese naturerzeugnisse diese erschei nungsformen verdanken ihm allein dies alles.

bald wird otto nur mehr aus einem kopf bestehen und auch der ist in gefahr der bäuschel.

ah dieser schreckliche schmerz wieder in sich hinein zu fallen. ehe rexy sie zurückzuhalten vermag hat conny die strasse überquert und geht auf der andren seite stramm so schnell sie nur kann. nachlaufen werde ich ihr nicht denkt rex nun auch ärgerlich. getrennt schreiten die bei den unzertrennlichen einer drüben die andre hüben heimwärts.

ich sitz und lass die sonne untergehen und meine gewiss heit dass meine welt über mir zu ende geht ist ohne be deutung. (aram boyajian). das blut gefriert den kämpfern in den adern. mit schmerzender deutlichkeit erinnern sie sich plötzlich an die stimme die ihnen aufgetragen hat sich umzusehen. ein gebäude weist auf die existenz intelligenten lebens hin. die ERDE HAT BEWOHNER! die erde scheint bewohner zu haben.

49. kapitel alarm schrie otto ins mikrofon

alarm schrie otto in das mikrofon. es hallte gespen
stisch durch alle gänge keller & bunker von medusa 5
dem unterirdischen hauptquartier dem schützengrrm.
der white giant sah in seinem arbeitsraum das rote licht
aufflackern hörte den auf und abschwellenden ton der
alarmsirenen. er stiess die tür des stahlschranks auf riss
die maschinenpistole mit der lähmenden munition her
aus schaltete den intercom tele an. das bild der funk
station flackerte auf.
für sekunden schloss er die augen. ganz ruhig bleiben
suggerierte er sich ganz ruhig.
war das nicht ein erstes feilchen ein erster noch zaghaf
ter frühlingsbote der da seinen head herausstreckte be
gannen sich nicht die bäume mit lindgrünen blättern
schwegeln schamotte bomben schrapnellen zu schmük
ken das war ohne zweifel das schrambohren der natur
das hart hacken. sonntagsruhe herrschte in der natur das
tal lag friedlich & weltabgewandt. da fanden auch die
beatles die scharfschützen mit ihrem otto scharfschützen
major hier fanden sie wieder ihr gleichmass und ihre ge
wohnte heiterkeit wieder. das leben war ja so schön. wol
kenlos klar wie der sonntagshimmel da droben schien es
den jungen menschen. ungeachtet der sonntagsruhe muss
te geschafft werden. das schöne wetter musste genutzt
werden. vom himmel spritzten scharenweise mit vollkom
mener präzision geräte zum schwingen zum himmelauf ein
silbriger schwarm auswürflingsfische zuckfusste durch die
bläue wo er den boden berührte in der ferne hinter den
bergen betroffen wie sie leibten & lebten blühten kirsch
rot nachtkerzen protzenschotter in den himmel zurück.
und über das ganze bild wölbte sich durchsichtig wie
eine glasglocke ein abendhimmel in zarten farben war
das schön (schön) die stimme mick jaggers auch einer
der schallplattenlieblinge für den die jungen soldaten
hier ihre kussmünder feuchteten baute eine kuppel aus

menschlichkeit & opernuvertüren. im selben augenblick peitschte rechts ein schuss auf die kugel traf den gelb häutigen in die brust. er brach lautlos zusammen. otto sicherte seine pistole und steckte sie in die todeswunde seines johannisbeerunterleibs wo nichts mehr baumelte & gaukelte kein gutding das weile brauchte kein getänze mehr. erst beim vierten versuch gelang es ihm so sehr zitterten seine finger. die kameraden griffen ihn und lie fen mit ihm zum versteck zurück. da erholte sich der junge nicht mehr von seinem schrecken sondern bot einen mitreissenden todeskampf mit komplizierten dre hungen doppelsprüngen & geschickten schwierigkeits überwindungen. nachdem das vorbei war häuften die jungs löffelweise vorsichtig aus der flasche joghurt auf den gefallenen und fuhren so fort bis die gläser voll und der inhalt des jungen nudlers und soldaten schön mar moriert war. obenauf garniert man den geschlachteten fan mit einer gespritzten schlagobershaube und einer kompottkirsche.

selbst wenn es regnete pausierten sie nicht die fighter. der boden wurde nass und glitschig. der himmel schien grüner zu leuchten als vorher und bald spürten alle dass es wärmer wurde. hier gab es keine felsen mehr unter denen man schutz suchen konnte. das wasser der rie sigen pfützen reichte bald bis zu den knöcheln aber es hörte nicht auf zu regnen. die zwergenhaube robins des bösen schöni wehte im wind sein haar lag glatt und glän zend in wellen an seinem kopf seine vorderkante messer scharf schöngefärbt die schnittblume windete preschte die lauscher spielten nervös und rassig der schwengel läutete seine kneiflied mit grosser geschwindigkeit be wassert sein schmutzer das geschundene land unter sich. im selben augenblick drückte er ab und glitt gewandt von den schmalen schlitzäugigen gestalten beiseite. in 10 stir nen klafften plötzlich 10 kreisrunde löcher. sie stürzten polternd auf die gesichter und im wald verbreitete sich der fade geruch verbrannten kordits.

174

bleich und jungenhaft wirken die gesichter der jungen soldaten im zwielicht der rasch hereinbrechenden däm merung. augen unter farblosen wimpern schweisstropfen die nase langrinnend leckmündchen die kleine gezackte kinderzähne freigeben blüten der säuglingshaut den lieblingshit unter der puppenzunge marillengrosse ge schwulstäpfel unter den achseln zu den brustwarzen hin über angst in der hätschelfalte. bleich und jungenhaft wirken die gesichter der jungen armeesoldaten im zwie licht der rasch hereinbrechenden dunkelheit. die erste mp salve hämmerte. drei vier weitere maschinenpistolen fielen in das stählerne konzert ein. nickelmantelgeschosse zersiebten das linke vorderrad des nachschubwagens. der reifen platzte. mit einem jähen ruck wurde der lkw nach links gerissen und rammte dabei in voller fahrt das erste der drei dort aufgestellten munitionsfahrzeuge. sekundenbruchteile später erschallte ein gigantischer donnerschlag der die erde beben liess. ein glühender sonnenball hüllte die fahrzeuge ein. glosende trümmer flogen heulend durch die luft. sekunden später ertönte eine reihe weiterer explosionen. die vier ineinander ver keilten fahrzeuge begannen lichterloh zu brennen. die überreste des explodierten heeres lkws lagen in einem schwarzen sprengtrichter.
der frühlingsabend dämmerte dahin. immer noch klangen beatmelodien frohe und traurige durch den schützengrrm. otto der junge fohlige läutnant stand auf überlangen noch ungelenken dünnen rehbeinen auf bambibeinen die in engen hosen in überengen uniformhosen steckten auf seinem kopf wucherte ein dichter schopf rötlichbraunen haars der golden schimmerte wenn die sonne darauf schien. ottos überlange unerwachsene bambibeine stapf ten immer wieder zu den zitzen der beatles oder der sto nes während sein oberkörper durch den dschungel schwebte irisierend wie eine raketenspitze oder ein tor pedo. in den grossen städten des kämpfenden landes lauschten die bewohner den feierabend geniessend dem

herzerfrischenden sang. in den grossen städten des kämpfenden landes blickten die bewohner nachsichtig lächelnd auf den übermut dieser jungen menschen der schützer von frieden freiheit & demokratie der vorkämp fer für eine bessere welt.

am flussufer schien die sonne. die drohung des vulkans war hier nicht mehr zu spüren. es war warm und der strand sandig. das wasser des stroms floss schnell dahin. auf der anderen seite begann der dschungel nicht direkt denn lava bedeckte den boden.

es war die breite der mündung die sie vor dem angriff der mörderischen weissen riesengräser bewahrte. nichts markierte die grenze zwischen strom und meer denn das braune wasser schob sich weit in den ozean hinaus. erst ganz allmählich veränderte sich seine farbe. die heranrol lenden wogen wurden tiefblau.

mit zusammengebissenen zähnen und unter aufbietung ihrer letzten willenskraft gelang es dem trupp die erd aufwerfung zu erklimmen. abundzu schwebte eines der mordgräser unhörbar durch die luft und kappte den plap perern arme beine leckerer und andre vergissmeinnicht. von oben fiel das reflektierte licht der sonne herab. und auf die schleiffäden die zwischen den bäumen flimmer ten: die körper der guerillas der rebellen. immer weiter stiegen sie bergan dem fernen licht entgegen. um sie her um traten die felsen zurück und das tal wurde breiter. die jungen menschen die auch gerne in beatlokalen tanzten die auch lieber mit ihren mädchen ausgingen nahmen sich mit grossem ernst des krieges an. eng aneinander gedrückt sassen sie marmelade kirsch himbeer oder erd beerköpfe je nach der schwere der verwundung und be fleckten ihre eindecker samt dotter und schale vor angst aus ihrer anonümen masse ragte weithin die eilboten gestalt robins heraus dessen abflusshahn fast überlief vor bestürmung angriffslust und flottmarschieren. er galt als einer der anführer im kleinen.

auf diesen befehl hatten die männer nur gewartet. plobb!

in steilem bogen flog die erste bombe zu den aufrührern
hinüber schlug auf platzte. eine zweite und dritte folgten.
wallende giftgasschleier schlugen den schlitzäugigen ent
gegen. gleichzeitig begannen fünf mg zu schiessen. die
geschosse prasselten in die gelbe masse hinein wie in
pudding fauchend geriet etwas in brand und explodierte.
und dann traten die uniformierten mit gasmasken zum
angriff an. sie beherrschten das feld. das rezept für den
pudding: $\frac{1}{2}$ l milch zum kochen bringen 60 g tapioka
mehl hinzufügen unter häufigem rühren $\frac{1}{2}$ stunde ko
chen. 50 g zucker und 1 prise salz hinzufügen & vom feu
er nehmen. 1 eigelb schaumig schlagen und unter die
masse rühren. kalt stellen.
robins trotz bäumte sich auf und gab ihm die verlorene
kraft zurück. robin der böse schöni der leckerbub mit den
tausend fröhlichen sommersprossen im gesicht und dem
strahlenden lächeln warf trotzig den kopf in den nacken
als die hütte in einem flammenmeer verschwand mehr
noch er schlug spielerisch mit seinem sehnigen unterkol
ben in die funken und blies mit vollen backen in die glut
der streichemacher. die andren jungen mühten sich ge
treulich es ihrem vorbild gleichzutun. keck und verwegen
trugen sie ihre grünen barette aufs ohr gedrückt und
sangen nur um so lauter wenn ihnen die tollen und klau
en herausgerissen wurden.
sie stürzten sich mit gezogenen messern auf den gelb
häutigen parasiten und schnitten seinen fleischigen sten
gel einfach ab. hilflos lag der mund dann auf dem boden
öffnete sich sinnlos einigemale und wurde dann still. lan
ge nachdem die schrecklichen geräusche des ungleichen
kampfes verstummt waren muskelten die dschungelkämp
fer noch über den harten boden der noch nicht ausgeblu
tet war die anspannung der vergangenen stunden stand
ihnen noch immer deutlich im gesicht geschrieben. sie
reichten einander die hände und frassen sich wie eine
riesige spirale wie ein fleischwolf in ihre eigenen duz
brüder.

der himmel schien hier oben noch ebenso weit ent
fernt wie unten. das gelände fiel wieder ab aber nicht
lange. dann begann der hang des grossen gebirges. sie
hatten alle dasselbe ziel. und weil sie sich bewegten
brachten sie wieder leben in die sonst tote landschaft.
alle strebten sie dem licht zu. von ihrem instinkt geleitet
stiegen sie den leuchtenden gipfeln entgegen.

50. kapitel da schlug der white giant zu

da schlug der white giant zu. whammmmmmmm!
er sah seinen gehilfen fledermausmensch & affenmensch
king kong in die augen. seelenlose augen und doch an
gefüllt von dem feuer einer unermesslichen intelligenz.
fledermausmensch der der erklärte liebling des white
giant war sprang sofort auf dessen knie von dort auf die
rechte schulter um schliesslich mit einem beglückten
jubellaut in seine arme genommen zu werden. der white
giant nahm den fledermausmenschen der sein erklärter
liebling war zärtlich auf den arm während sich der affen
mensch schmeichelnd an seinen andren arm hängte
seinen mund ganz nahe an das ohr des gutmütigen giant
brachte und hineinbrenzte. da schlug der white giant zu.
als es nacht wurde verschloss die stadt die seit monaten
von einer gnadenlosen bande terrorisiert wird türen und
fenster keine frau kein kind durfte allein aus dem haus
alle männer selbst kinder und greise standen abwech
selnd mit schusswaffen ausgerüstet wache.
osterhase der dicke glatzköpfige bankier wischt sich den
schweiss von der stirn von der glatze der wursträucherer
er lockert die krawatte und zündet sich nervös eine zigar
re an die er aber schon nach wenigen zügen wieder
ausmacht um den wentilator surrt eine fliege seine sekre
tärin ist schon gegangen in einem pappbecher eiskaltes
bier das langsam schal wird und warm er fährt sich mit
dem zeigefinger zwischen hals & hemdkragen als ob er
keine luft kriegt.
ein ungeheurer sandsturm hebt an. man kann weder
häuser noch passanten in den dichten gelblichen schwa
den ausnehmen. wie mit atomaren düsen angetrieben
fliegen der white giant der affenmensch king kong der
fledermausmensch desmond einher machen ein formvoll
endetes looping und preschen los. die selbsterzieher die
selbstverbraucher.
der osterhase war hart genug um nicht endgültig zu bo

179

den zu gehen. immer noch war ein funken verstand in sei
nem gehirn. er blieb in der stellung als wäre er völlig
vernichtet aber der giant sah wie seine hand sich lang
sam nach oben in richtung auf seine brust bewegte.
die beiden helper zogen die pistolen.
lass deine pistole stecken rabbit sagten sie ruhig.
osterhase hob mit anstrengung den kopf. auch vor dem
kampf war er gerade kein schöner mann gewesen jetzt
sah er geradezu beängstigend aus. ich knall dich ab
knirschte er. na los versuchs ich habe den finger am drük
ker. er probierte seine zerschlagenen hasenlippen zu
einem grinsen zu verziehen.
sie war wie eine lanzette aus lawa feuer glut und metall.
das kleid war rot und spannte sich wie eine second haut
über ihre überaus erfreulichen rundungen bis zum halben
unterschenkel ein lackledergürtel schnürt die taille ein. sie
beugte sich zu der hausbar hinunter und holte eine fla
sche bourbon eis und zwei gläser hervor. als sie sich wie
der aufrichtete starrte sie erschreckt in die kreisrunde
schwarze mündung. sie wurde so weiss dass der lippen
stift noch dunkler wirkte. in ihre augen trat ein erschreck
ter zug. sie biss sich auf die lippen. auf ihrer oberlippe er
schienen feine schweissperlen. fahrig wischte sie sich
über die stirn. ihre haltung verkrampfte sich zusehends.
sie tastete nach dem telefonhörer ohne einen blick von
ihm zu lassen. sie versuchte zu schreien aber der laut
blieb ihr in der kehle stecken. ihre hand fuhr unwillkür
lich zu ihrem mund hoch als wollte sie einen lauten schrei
unterdrücken. ihr flackernder blick suchte im zimmer
krampfhaft nach einer waffe. als sie hochblickte wusste
sie wieviel es geschlagen hatte sie versuchte erst gar
nicht sich zu verstellen oder um gnade zu winseln. ihr
spiel war vorbei. sie wich wie eine marionette zur wand
zurück und tastete an ihr entlang. ihre augen glitten über
den angeräumten tisch. ihre augen blieben auf dem eis
pickel haften. über die scheibe kroch eine fliege sie
nahm es halb unbewusst auf. sie konnte nicht sagen wie

so ihr plötzlich ihre eltern einfielen. ihre haut war taub & gefühllos. grau. ein schrei stieg in ihrer kehle auf sie versuchte krampfhaft ihn zurückzuhalten. ihr wurde einen moment lang schwarz vor den augen das zimmer drehte sich um sie. sie erblickte das gesicht vor sich mit dem sie am wenigsten gerechnet hatte das sie am wenigsten zu sehen erwartet hatte.

ihre befürchtungen die sie all die jahre gehegt hatte waren eingetroffen. die befürchtungen klopften an die tür und traten als keine antwort erfolgte unangemeldet ins zimmer.

während dieser zeit war hinter dem rücken des white giant der kampf zwischen seinen beiden lieblingen der scheinkampf weitergegangen. king kong schnaufte bereits wie ein astmatisches nilpferd. der fledermausmensch lächelte immer noch und vereitelte die wütenden attacken des nebenbuhlers mit der gleichen leichten eleganz wie in der ersten minute des gefechtes. dann brüllte king kong plötzlich auf. dem fledermäusler war das kunststück gelungen den widersacher bis an die wand zu locken. dann war er unter einem wuchtigen haken weggetaucht und der affenmensch hatte krachend die eigene faust gegen die mauer geschmettert. liebevoll hob der white giant seinen brüllenden affenmenschen auf und drückte ihn an seine feinhäutige brust beruhigend strich seine feinädrige hand kingkong das feuchte haar aus der stirn er murmelte potzige worte trostworte klatschte & gierfalkte den schluchzenden sänftigte seinen federling behutsam und lenzte ihn vorsichtig bis dessen schluchzen in leises weinen überging dann schwenkte er ihn hoch über seinem kopf herum bis ein erster schimmer von lächeln wie sonnenstrahlen über das verschmierte gesichtchen des affenmenschen sich ausbreitete und er jauchzend nach den ordensschnallen & glänzenden patronen im gürtel griff mit seinen patschhänden. als der giant glaubte dass er nun genug hätte beendete er die auseinandersetzung mit einem haken an den kinnwinkel.

kingikongi wurde zwei schritte nach hinten geworfen drehte sich halb um seine achse warf die arme vor um sich zu halten besass aber keine kraft mehr und sackte in die knie.

ein reise bügelbrett kann man sich leicht selbst herstel len indem man ein stück flanell über ein holzbrett wik kelt. es nimmt fast keinen platz im koffer ein und erspart teure schadenersatzrechnungen für zerstörte tische im hotel.

undicht gewordene regenmäntel werden an der unter seite mit bienenwachs bestrichen und dann unter einem bogen packpapier gebügelt.

der white giant griff dem übriggebliebenen fledermaus menschen abschätzend und abtastend an die artistel über das geflocke zwischen die stengel prüfte mit leichter hand den sammler. der gescholtene rührte kein glied sondern stand aufrecht und unbeweglich obwohl von zeit zu zeit ein leichtes zittern über seine gestalt lief das er nur schwer zu verbergen vermochte. die prüfung schien zu des giants zufriedenheit auszufallen. das sah man an seinem gesichtsausdruck und an seinen augen die flink umherhuschten denen kein detail an der schö nen gestalt des fledermausmenschen entging.

er hatte eine offensichtliche schwäche für schwarzhaa rige mit gelblicher haut.

keiner hätte dem korpulenten kleinen mann bei seinem alter eine solche unglaubliche behendigkeit zugetraut was blieb war nur die wild schwappende flüssigkeit im glas die sich aber auch schnell beruhigte langsam schmolz das eis auch in den mienen der umstehenden sogar ein zelne lächelnde gesichter konnte man entdecken es wur den immer mehr. offensichtlich trug keiner dem allseits beliebten giant irgend etwas nach. sie fielen sich in die arme schrien wie menschen schreien und lachen die ihr ziel erreicht haben was immer ihr ziel gewesen sein mag.

51. kapitel heintje findet singen zu weibisch

heintje der immer noch reitlehrer werden will und singen viel zu weibisch findet würde sicherlich häufiger im fern sehen zu sehen sein wenn das holländische kinderschutz gesetz nicht so grosse schwierigkeiten bereiten würde. heintje: nur durch viele hintertüren bekommen wir auf trittsgenehmigungen. die holländischen behörden dro hen mit harten strafen. heintje hollands wunderkind der mit seinem knabentenor ohne schwierigkeiten drei okta ven beherrscht und millionen damit verdient.

der seiz geht langsam im zivil am ufer entlang das wasser scheint schwarz zu sein einzelne lichter spiegeln sich dar in der kies der uferpromenade knirscht leise unter seinen gummisohlen abundzu fliegt ein vogel im gebüsch auf zweige klatschen ihm nass ins gesicht. die wellen schla gen klatschend an den bootssteg. das letzte das er in seinem leben sieht ist eine jäh zum nachthimmel schie ssende flammenwand. mit triumfierendem brausen wächst die flamme höher und höher. vor wut geschüttelt brüllt er einen namen.

der andre seiz der uniformierte kommt nur einen schritt weit. sieben oder acht meter vor der wand der kuppel prallt er gegen eine unsichtbare barriere. der zusammen prall ist ziemlich schmerzhaft. er wird zurückgeschleu dert und fällt zu boden. der blaster gleitet ihm aus der hand. verblüfft tastet er nach der waffe und richtet sich wieder auf. etwas vorsichtiger als beim erstenmal unter nimmt er einen weiteren vorstoss. abgesehen von der wucht des aufpralls ist der erfolg derselbe. vor ihm liegt eine unsichtbare wand die ihn am betreten der kuppel hindert!

bevor conny begreift was der unmensch tut hat er ihr die kette um das linke bein geschlungen und um einen fuss des schweren eisernen ofens. so brummt der unmensch zufrieden jetzt kannst du ja den ofen mitnehmen wenn du noch einmal spazierengehen willst.

conny ist das schlimmste geschehen was einer frau ge
schehen kann. die hunderte von seizen ducken sich auto
matisch in die absicherung hinein ihre monteuranzüge
laufen lichtschnell durch die köpfe der umstehenden. sie
tauschen alle gedanken aus gegen ihre arbeitsanzüge.
oft liegen sie tagelang im bett und betrachten schein
kämpfe.

selbst dabei machen sie rührend kindliche augen. ganz
leise kommt es aus ihren unzähligen mündern dummer
lieber bub.

sie suchen die leute zu warnen dass sie es wirklich sind!
niemand hört zu. die seize sprechen zu tauben ohren
mit uneingeschränkter macht.

52. kapitel es ist aus

es ist aus! vergeblich versucht der gangster goofy noch zu entkommen. polizisten haben ihn eingekreist. der kriegsinwalide micky hat versucht den prüglern in den weg zu springen brutal wurde er von kaspy dem aufrei ter zu boden gestossen (oben). doch für den gangster gibt es kein entrinnen. ein schuss fällt. mit schmerzver zerrtem gesicht greift er sich an die schulter. sekunden später packen ihn die polizisten (rechts). micky micky sie holen uns ein was sollen wir tun. schluck. beeil dich goofy vielleicht schaffen wir es bis zur brücke. micky sie haben mich eben eingeholt und mir die ohren abgeschnit ten. seufz. aua. und mir haben sie schon drei finger her ausgerissen. ich blute aus vielen wunden & habe schreck liche schmerzen. micky das ist fatal. ich habe auf einmal keinen linken fuss mehr. und ich erst goofy. in meinem rückerl ist eine so tiefe wunde dass der knochen heraus schaut. aua aua. ich glaube ich sterbe jetzt micky. ich sterbe auch lieber goofy. diese bösewichter. grüss minny.

obwohl weder kasperl noch die ffeen anfänglich grosse lust dazu hatten halfen sie doch fleissig mit und die aus sicht auf den bevorstehenden spass beflügelte ihre hän de. die fertige herausreisse wurde an zwei seilen be festigt mir nichts dir nichts am nächstbesten ast aufge hängt und natürlich sofort ausprobiert. ach war das eine seligkeit. da wars auch schon geschehen das grosse blu ten. mit jämmerlichen aufschreien fiel das trio in hohem bogen aus allen wolken. zum glück war der knüppel in seiner hand wie eine zweite hand mit seiner hand ver wachsen.

die häftlinge der jugendstrafanstalt plötzensee weinten vor rührung und brüllten vor begeisterung. er gibt sein letztes. udo jürgens spürt dass seine zuhörer ihn ver stehen. zum erstenmal in seinem leben trat er vor gefan genen auf. vor jungen mördern und einbrechern. ich hätte

nie gedacht dass ein solches konzert mich so tief bewe
gen könnte meinte udo später. eine ungewöhnliche sze
nerie für einen der erfolgreichsten stars europas: udo
jürgens wird von einem justizangestellten durch den ge
fängnishof zum konzert geführt. dort kannte die begei
sterung keine grenzen. die häftlinge stiegen sogar auf
die stühle.

bei udo ist jeder muskel eine note pit der seine muskeln
bisher benutzte um automaten und autos aufzuknacken
standen die tränen in den augen. udo sagt sofort: wer im
öffentlichen leben steht wie ich dem ist es direkt eine ver
pflichtung so etwas zu machen.

ihnen zu ehren hatte die natur hatten die trees und
bush ihr schönstes kleid angezogen gewalt zeugt gewalt
zeugt gewalt zeugt gewalt. gewalt zeugt gewalt. in den
zuhörerreihen sitzt ein alter mann. auch ihm laufen die
tränen herab. der vater von goofy. er kann nicht verste
hen dass sein sohn der wohlerzogene sich in diesem irr
garten des verbrechens verlaufen haben soll. ich möchte
all diejenigen personen um verzeihung bitten denen ich
leid angetan habe sagt der junge in seinem schlusswort.
es klingt glaubwürdig. minny war am stärksten von der
gefahr bedroht aus dem loch der maschine gerissen zu
werden. aber ihr linker arm hatte sich um den fuss einer
sitzbank gehakt und hielt sie zurück.

war das ein lärm & ein juchei so unbeschwert durch die luft
zu sausen minny die nur mit einer winzigen flitterhose
bekleidet war reckte ihre kleinen pollen unternehmungs
lustig nach vorn sowie jauchzte bei jedem schaukler hel
ler als beim vorhergehenden auch die andren blieben
nicht faul sondern sorgten für entspannung durch kräf
tiges fusstreten die bruder leichtfüsse. goofy will mit
ihnen eine revolution vorbereiten. der mann der einmal
der kommunistischen partei angehört hatte war von der
idee besessen 50 mann um sich zu scharen und ein tor
bei minny aufzureissen. um die menschen aufzurütteln
wie er später vor gericht sagte. das geld darf man nicht

fordern oder verdienen man muss es sich nehmen um es dann gegen das süstem einzusetzen.

micky sitzt reglos in seinem sessel starrt auf den bild schirm. seine hände umklammern die lehnen. sein ge sicht ist blass und unbewegt. goofy der zwölfjährige schleicht leise aus dem zimmer. kinder können manch mal sehr taktvoll sein. seitdem steht der arzt regungslos da. was sich vor seinen augen und ohren abspielt hat mit nüchternen ärztlichen überlegungen nichts mehr zu tun. etwas anderes führt hier die regie etwas das schneller war als er stärker und klüger.

als udo das gefängnis verliess gab es noch ein letztes und ein etwas trauriges winken aus den vergitterten zel lenfenstern. die häftlinge schauen in eine etwas unsiche re zukunft. obwohl den häftlingen vor dem konzert ein geimpft worden ist disziplin ruhe und ordnung zu bewah ren können sich viele häftlinge nicht mehr beherrschen. da vorne singt jemand für uns für uns die wir doch aus der gesellschaft ausgestossen sind sagt einer. die zu hörer können es immer noch nicht fassen. vor begeiste rung reissen sie die arme hoch jubeln dem mann zu der sie die gefangenschaft für eine stunde vergessen lässt. udo hat alles gegeben er ist erschöpft. doch am gang wartet bereits unter dampf und mit den harten trainier ten muskeln vibrierend das rollkommando: die himmel fahrtsleute in den seilen hinter hunderten dunkelroten lips schimmern hunderte perlzähne auf hunderten nack ten schultern liegt ein feiner schweissfilm. einer von ihnen denkt genau wie sein vater sein ältester sohn joseph kennedy jun. ein ungewöhnlich vitaler sehr um gänglicher höchst intelligenter junger mann. joe jun. bildet die spitze der püramide die vater kennedy mit sei nen neun kindern aufgebaut hat. er ist der erklärte lieb ling seines vaters und dazu berufen einmal das banner der familie zu tragen. der stürmer der vorwärtsdränger hinter seiner anführung hecheln die weiteren beller der sippe in schneeweissen sportdressen die verschwitzten körper gleichmässig gebräunt wunderbar gepflegt schon nicht mehr irdisch mit ihrem sinnen trachten & streben & sichbeeilen. die musketenträger die tenniscracks die kautschuklamellen die tiger in den esso tanks die roller mit der sensationellen garantie bis auf den letzten milli meter. diese garantie exakt festgelegt in jeder garantie karte kennt keine zeitliche begrenzung. sie gilt so lange wie der reifen laut gesetz überhaupt gefahren werden darf. also praktisch auf lebenszeit. und kennedy reifen leben lange. diese garantie gilt an allen esso stationen. wie einfach wenn sie unterwegs sind. natürlich könnten wir ihnen eine menge über die esso reifen sagen. über seine karkasse. über stereospezifische kautschuke über die 1500 feinlamellen oder den trick mit den distanz nocken. über bodenhaftung spurtreue kurvenstabili tät vermeidung von aquaplaning. für die hohe qua lität dieses reifens bürgt der clan der kennedys mit der garantie bis auf den letzten millimeter. und die gibt mehr sicherheit. einer von ihnen denkt genau wie sein vater sein ältester sohn joseph kennedy jun. ein ungewöhnlich witaler sehr umgänglicher höchst intelligen ter sportlicher junger mann die spitze der püramide die der vater kennedy aufgebaut hat.

als udo jürgens sein endgültig letztes lied singt stehen alle häftlinge unter ihnen mörder diebe und einbrecher auf und rufen im kor danke schön. ein junger mann schwingt sich auf das podium geht auf udo jürgens zu streckt ihm ein geschenk entgegen. es ist eine holzeinlegearbeit. sie stellt einen pelikan dar. bitte lieber udo hängen sie es so auf dass sie es hin und wieder sehen. dass sie an uns denken. doch udo jürgens wird dieses konzert auch ohnedies niemals vergessen. ich habe mir vorher gar nicht vorstellen können welch ein erlebnis das für mich sein würde. ich war nicht nur beeindruckt ich habe auch mitempfunden. wenn man weiss dass die mehrzahl dieser leute da drin nen sitzt weil es in ihrem elternhause nicht stimmte weil sie niemand hatten der sie führte und der ihnen den unterschied zwischen gut & böse beigebracht hat. die häftlinge suchen noch lange nach worten. aber nur so lange bis sich die maschinenpistolen aus den herunter gekurbelten seitenscheiben schieben und beginnen ihre tödliche ladung zu spucken. die junge neue herrscher generation is working! typisch für sie: die freude an der gegenwart die nikotinarmut die freude an sportlicher betätigung an der bewegung in frischer luft mit nur wenig kleidung die liebe zu ihrem land zum aufbau. die sippe ist eiskalt feuerstösse gehen auf die jungen häftlinge ab dass es eine freude ist. ich hatte den anderen schon vor her gesagt wenn geschossen werden muss dann schiesse nur ich die aussergewöhnlichen aufgaben stehen mir zu erklärt der leibbandträger ganz in snow white dem schnür rockträger in zitrone. und er schiesst blindwütig drauflos. seine kugeln treffen nicht nur die jungen udo jürgens verehrer sondern auch die freunde goofy micky minny und deren anhänger. die sehnenspanner sind eigentüm lich beherrscht nur die nerven nicht verlieren denken sie. und mit erhöhter geschwindigkeit nimmt ihr cadillac die verfolgung auf. zahlreiche dünne bubenfüsse sind der hetzjagd nicht gewachsen und knacken untrainiert unter den kolbenhieben die lebende mauer aus leibern rümpfen gliedmassen sinkt um wie ein gefällter laubbaumwald. im kugelhagel der sturmhauben zusammengebrochen: der kriegsinvalide goofy der brutal zu boden gestossene micky die fein zerschnittene minny und viele nachdenk liche junge leute udo jürgens fans sowie harmlose passan ten und fussgänger. und udo ging. mit seiner musik band. ein häftling ohne arme und beine mit einem loch dort wo sich vor nicht allzulanger zeit sein kopf befunden hatte überreichte dem künstler blumen für die einen tag zuvor das geld unter den sträflingen gesammelt worden war. es ist nicht viel was wir ihnen geben können aber es kommt vom herzen. den jungen gefangenen kommen die tränen. es ist ein lied das sie berührt. udo sieht was er den jungen menschen die für jahre hinter gittern leben müssen geben kann. er steigert sich übertrifft sich selbst. ihr müsst jetzt alle mitsingen! udo singt sein merci cherie. in der strafanstalt plötzensee ist ihm das gelungen. ob es auch auf die dauer von wirkung bleiben wird? ein schwei gender händedruck mit der grossen familie seiner ameri kanischen freunde und helfer besiegelt das unausge sprochene versprechen.

zerrissen hängt das packpapier das an die wände ge klebt wurde. malerlehrlinge die es geschickt mit noten schlüsseln und klaviertasten bemalt hatten weinen vor angst nach ihren vätern & müttern aus ihrer unendlichen qual. gefangene die sich auf den grossen tag vorbereitet hatten kauern unter sesseln tischen bänken fast jedem von ihnen fehlt mindestens ein lebenswichtiges organ. die aus rohen brettern eine bühne gezimmert hatten um udo wenigstens doch eine kleine freude zu machen wenn er schon zu uns kommt rollen in den seltsamsten vom schmerz diktierten stellungen und verrenkungen durch die bunten papierschlangen auf dem boden.

joe jun. bestätigt die alte familien maxime wieder nach der ein kennedy immer der erste zu sein hat: nach seiner flugausbildung auf einer naval air station in florida wird er zum besten kadetten seines jahrgangs gekürt. mit einer stolzen selbstverständlichkeit nimmt der vater auch diesen pluspunkt zur kenntnis. unter seinen kameraden ist kennedy besonders beliebt wegen seines draufgänger tums seines fröhlichen wesens seiner intelligenz und grosszügigkeit. im september 1943 wird der marineflieger nach england versetzt während des ganzen winters 1943/44 sitzt er am steuerknüppel grosser bomber die über der nordsee und im kanal jagd auf deutsche uboote machen.

zunächst entlädt sich allerdings eine wahre supersalve auf die ahnungslosen jungen leute. ein bisschen schmol len sie noch dann legen sie ihre kleider ab und tun es den übrigen gleich lassen sich mühsam hinfallen nach ih

190

rem allerletzten kampf schliessen unendlich müde und trau
rig die augenhöhlen dicht zusammengedrängt um einan
der zu wärmen. langsam ganz langsam lassen sie ihre köp
fe zurücksinken gegen die brust und kuscheln sich in die
beuge ihrer arme. sie spüren den druck gegen ihre arm
stümpfe und spüren kranke linke arme an ihren armen.
kälte kriecht an ihren toten gliedern hoch und legt einen
immer enger werdenden reif der angst um ihren hals.
dann hebt einer der schon fast hinüber ist das blinde ge
sicht und stösst in der dunkelheit mit dem unterkiefer
gegen eine rechte hand hört wie der handbesitzer vor
schmerz scharf den atem einzieht. was ist fragt er aus
der dunkelheit. nichts. mir ist kalt ich will mich nur vor
der kälte schützen nichts andres denkt er als sei das eine
entschuldigung.
mickys armer mäusebauch wird abgesucht. aber nur win
zige trümmerteile werden gefunden nicht einmal ein
metallknopf der uniform. der krieg kennt kein erbarmen.
überall schlägt er millionenfach zu. vater kennedy kann
es nicht fassen dass seinen sohn das schicksal von millio
nen andrer söhne getroffen hat. jung stirbt wen die götter
lieben. auch das ist kein trost für vater kennedy. von
goofy und minny ist nicht einmal ein zahn übriggeblieben!
unhörbar entfernen sich tennisschuhe und gebräunte
waden eilen hinaus in die sonne. mit rosskastanien
extrakt vitaminen chlorophyll hautfreundlichen wasch
substanzen pflegendem lanolin. das bringt frische spann
kraft sauberkeit kondition für den ganzen day.
mir ist kalt ich will mich nur vor der kälte schützen nichts
andres denke ich als sei das eine entschuldigung.

53. kapitel leider ist es so

leider ist es so dass heutzutage anständige menschen einander nur schwer finden. auf grund der wenigen zeilen habe ich den eindruck dass es sich bei dem fräu lein otto um ein junges menschenkind mit gesundem hausverstand handeln dürfte so eine partnerin suche ich schon lange! sie ist mit ihren anschauungen völlig auf dem richtigen weg sie kann auf ihre einstellung wirklich stolz sein. ich muss offen zugeben dass ich gern die be kanntschaft von dem fräulein otto machen möchte. er lernt habe ich kunsttischler und restaurator für antike möbel. ich habe erfolgreich kurse für bildhauerei und intarsieren absolviert. als raumgestalter und konstruk teur von verbauungen hatte ich grossen erfolg. ich foto grafiere gern und bin sehr tierliebend (habe einen kater und einen wellensittich). ich mache gerne ausflüge be sitze eine vorliebe für musik und philosophiere gern über zeitgeschehnisse. ich sehe zwar sportlich aus betätige mich jedoch als sportler nur in den sparten tischtennis schwimmen und radfahren. ich kann mit ruhigem ge wissen hinzufügen dass ich ein ehrlicher treuer und kame radschaftlicher mensch bin der in seinem beruf auf dem geraden und reellen weg vorwärtsstrebt. so haben es mir meine eltern beigebracht und das leben hat mir oftmals bewiesen dass dies so richtig ist.
als 20 jähriger diene ich derzeit meinen präsenzdienst ab. es würde nichts ausmachen dass ich etwas jünger bin als das fräulein otto. was hätte sie schon von einem gleichaltrigen in der heutigen zeit zu erwarten? nur vögeleien zu zweit zu viert zu sechst oder sonstwie. und das ist zuwenig wenn man anständig und idealdenkend ist. abschliessend kann ich mir nur wünschen dass ich so bleibe wie ich bin. herzliche grüsse auch an meine lieben eltern denen man zu so einem sohn nur gratulieren kann.

54. kapitel slap slap

slap slap macht der white giant einmal handfläche rechte wange dann handrücken linke wange slap slap einmal rechts dispatchiert dann links aussermuskulär wieder slap die gesichtshaut des fledermausmenschen nahm eine ungesund rote färbung an. slap slap distelt es auf wangen kinn nase stirn ohren. unter klatschenden slaps wird einer kräftig durch den ring getrieben. und dann swish das blut abgewischt swish bis die zarthäu tigen backen wieder frei sind. slap macht der white giant federnd säbelnd slap einmal handfläche rechte wange dann handrücken linke wange slap slap einmal rechts dann links immer abwechselnd slapt der white giant den django fledermausmensch in eine bessere zukunft.

warten das war alles was der fledermausmensch in die sen stunden tun konnte und es machte ihn fast wahn sinnig.

für den fledermausmenschen war das warten vorbei. innerhalb der wenigen tage die er erst in rotchina war hatte der geniale dienstälteste dem manuel y mendoza (siehe band 362) die zerschleuderte gehirnmasse des atomforschers und nobelpreisträgers kingkong einge spritzt hatte die rotchinesischen machthaber davon über zeugt dass er sie zu herren des erdballs machen könnte. in einer stürmischen sitzung des zentralkomitees der kommunistischen partei pekings der genosse mao selbst vorsass wurde beschlossen dem fledermausmenschen grünes licht für den bau einer sauerstoffbombe zu ertei len. ausschlaggebend für die entscheidung waren die versuche die der fledermäusler vor einem zwölferaus schuss des zentralkomitees im atomforschungszentrum von tuja anstellte.

da nahmen die freunde einander in die arme und tollten unter jubelgeschrei über die taufeuchten hänge und täler da fielen die freunde einander um den hals ihr jubel kannte keine grenzen da wussten die freunde nicht sollten sie lachen oder weinen da rannten den freunden die tränen herunter da vergassen die freunde was ge wesen war und fielen einander freudenstrahlend in die arme. wie sie aber merkten dass sie zum gespött wur den und man sich mit ihnen alles erlaubte zogen sie sich wieder zurück. sie können es aber nicht verhindern dass der affenmensch ein stück fleisch vom flügelarm des helden und der fledermausmensch eine beautiful weisse nackte frau aus dem darme von kingkong herausreissen.

sie können es aber nicht verhindern dass eine höchst überflüssige röte beider gesichter überzieht. das lachen habe ich fast ganz verlernt sagt der fledermäusler. ich möchte so gern ein vollwertiger mensch sein. wie aber soll ich das anstellen? aber wenn man noch illusio nen und hoffnungen hat dann ist man noch nicht ganz verloren. zum leben gehört meiner meinung nach mehr als nur schlafen und arbeiten. ich möchte gern einmal ausgehen. aber allein? vielleicht können sie mir einen rat geben wie ich das selbstvertrauen wiederfinden kann. es würde mich sehr freuen wenn es in ihrer grossen leserfamilie einen burschen oder ein mädel gibt dem es ähnlich wie mir geht und der mir schreibt.

slap slap macht der white giant diesmal sehr gegen sei nen willen. so möchte ich ihn abslapen das kleine ding sagte der giant und wies mit einer entzückten bewegung auf die zarte schnuckelgestalt des fledermausmannes der wie er da lag und stand in seinen weissen trikothosen noch bettwarm am liebsten sofort auf die strasse gerannt wäre um wie die andren kinder auch das schreckliche naturschauspiel zu betrachten. mit einer überraschend flinken greife hatte der giant die meistergestalt des maus menschen gerade noch beim hängebeutel gepackt und zog sie eisern heran mochte der sich wehren soviel er wollte der vati macht jetzt slap mit dir meinte der giant im gemütlichen wienerisch. und TAT ES!

ich plädiere lediglich für toleranz auch auf dem gebiet der politik und für menschlichkeit. wenn ich das gefühl ha

be dass irgendjemand hilfe braucht dann werde ich versu
chen ihm zu helfen. als unverbesserlicher idealist glaube
ich der white giant an den tätigen humanismus und mag
die menschen. auch wenn sie so wenig tolerant sein
mögen und meinen ihre ansichten nur mit hilfe von kraft
ausdrücken darlegen zu können.
schön wenn man so unternehmungslustig ist wie king
kong zur zeit der alle mit seinem mut und seiner energie
ansteckt. wir würden ihm unbedingt raten sport zu be
treiben. sport erhält zudem jung und gibt selbstsicher
heit. auch der besuch einer tanzschule wäre zu überlegen.
vor allem dürfte er sich durch gelegentliche rückschläge
nicht gleich aus der fassung bringen lassen. glauben sie
mir es gibt kaum jemanden dem alles glatt von der hand
geht. die kunst ist es sich enttäuschungen nicht ansehen
zu lassen und niemals den humor zu verlieren.
der weisse mann sah sich still um. nein hier gab es nichts
mehr zu tun für ihn. das hatten andre für ihn erledigt.
niedergeslapt hatte man die einfach die einmal seine
freunde gewesen waren. er lag ganze nächte wach und
grübelte über sich nach er wird auch oft von angstträu
men verfolgt. er träumt immer von männern die er gar
nicht kennt.
die zwölf funktionäre versammelten sich um die atom
schleuder ein riesiges ballonähnliches gerät aus tita
nium etwa 6 meter im durchmesser von einem blei
mantel von einem meter dicke geschützt. im inneren der
schleuder konnten atome bis auf lichtgeschwindigkeit
beschleunigt werden. das war nichts neues das neue
war dass king kong kunstmensch durch den beschuss
dieser so beschleunigten atome mit den neutronen eines
von ihm geheimgehaltenen elements beliebig atomkerne
spalten und neu gliedern konnte. so war er in der lage
ohne weiteres aus den atomen des eisens das als eisen
hydroxyd im gelben lösssand der erde chinas reichlich
vorhanden war goldatome zu gruppieren.
in den augen der genossen begann es zu leuchten irgend

etwas das die längste zeit das herz des white giant umge
ben hatte schmolz langsam taute ab die ersten eiskrusten
krachten. verlegen suchte er sein gesicht abzuwenden
als die old mutter des fledermäuslers zittrig im überaus
gelben wüstensand zusammenbrach und von den leh
migen wellen geschwind fortgetragen wurde. der regen
rauschte nieder und wie zur antwort zerbarst ein riesiger
kugelblitz mit dröhnendem donnerschlag über dem tal
von alto maromoro. die mechaniker fummelten im vagen
licht der taschenlampen und handscheinwerfer an dem
motor herum. eine unerklärliche innere unruhe hatte ihn
erfasst ein gefühl das ihm sagte: die entscheidung wird
in den nächsten vierundzwanzig stunden fallen. zu spät.
die schönen bücher waren bereits über & über von den
ungeschickten allzu eifrigen kinderhänden des fleder
mausmannes beschmutzt worden. zu spät. slap slap
machte der giant mit dem spitzigen gesicht des mausers
das in der abendlichen beleuchtung bereits viel voller
aussah als üblich. slap schlug der giant das mausgesicht
vor ihm schlug immer wieder in diese grinsende teufels
fratze die mehr einem tier als einem menschen zu ge
hören schien.
menschliche hilfsbereitschaft kennt eben keine grenzen
weder geografische noch politische. glücklicherweise aber
leben wir in einem land (in einem land) wo man eine
eigene meinung haben darf. ich will hoffen dass das auch
immer so bleibt! herzliche grüsse an sie und insbeson
dere an ihre frau gemahlin.
aber das feuer konnte den undurchdringlichen eismantel
den der giant um das herz gelegt hatte nicht schmelzen.
es war ein kaltes feuer ein feuer das ihn frieren liess.
dem fledermausmenschen stockt endlich der atem. er
erstickt sofort.

55. kapitel der cia agent ging

der cia agent ging langsam auf ihn zu. neben dem schlag baum blieb er stehen. sein blick suchte die andere seite. nichts als stacheldraht warnschilder und wachtürme. die strasse hinüber endete in einem ausgefahrenen weg. plötzlich wurde er verstanden. der soldat zeigte lachend seine zähne.

dem batman aber der bereits vom erkerfenster ausschau nach seinem so lange säumenden robin hielt war ein stein vom herzen gefallen. na robin nun beichte einmal was dir heute morgen so schwer auf dem heart gelastet hat wars bloss die hochmache? ja die hochmache und das hier robin lüftet bei diesen words seinen hopssteller und lässt ihn tanzen und organen.

wie ein wirbelwind gings an den verblüfften kommuni kanten vorbei durch das unterlaub über die schutthalde die sommerfrische turoks holterdipolter eine handbreit in die unendlichkeit. einige dorfbewohner kamen neu gierig näher. die landung des helikopters hatte aufsehen erregt die zähen überwältigerfiguren der turnfreunde hatten aufsehen erregt. abwechslung gab es selten ge nug. höchstens mal wenn ein lebensmüder von der an dren seite durch die stacheldrahtverhaue flüchtete. dann gab es schüsse und gesprächsstoff. wenn der mann es dann auch noch schaffte lebend den boden zu betreten dann war es schon immer eine richtige sensation. eine solche sensation erhofften sich die bewohner durch den helikopter.

immer noch ging hässlicher schneeregen zur erde nieder. aber die gigantenfreunde batman & robin die unterge ärmelt die meisterschule verliessen merkten in ihrer übergrossen freude nichts davon. robin dem infantilen bemanner und batman dem leicht ermüdeten ulli schien die ganze welt verändert. sie sahen kein schmutziges regengrau mehr keine brennenden städte zerstörten fel der brüllenden menschen atomaren wolken mehr nur noch wie lustig die köpfe auf dem asfalt zersprangen. in ihnen hüpfte und sprang es ganz ebenso ausgelassen.

die leute musterten die fremden mit kalten gefühllosen augen. batman aber konnte keine zuschauer gebrauchen. immerhin bestand die möglichkeit dass es zu einer schiesserei kam.

es bedurfte dieser mahnung ganz & gar nicht. robin war bei all seinen kleinen schwächen ein durch und durch ehrlicher bullenbub.

es war ja nicht seinetwegen aber seinem batman hätte er gern jede unangenehme minute erspart.

ohne viel umstände zog sich der soldat aus. batman grinste. er steckte dem mann in unterhosen noch eine fünfdollarnote in die hand und begann sich nun selbst zu entkleiden. die uniform des soldaten sass etwas eng an seinem vorderbündel. auch die hosenbeine waren etwas zu kurz. für den augenblick konnte batman jedoch nichts besseres finden. er schob sich die speckige schirm mütze tief über die augen und ging nach draussen. lässig lehnte er sich gegen die herabgelassene schranke. die ganze strasse war leer. wie ausgestorben. die dorfbewoh ner hatten sich in ihre grauen häuser zurückgezogen.

so meinst du. der genannte hatte sich plötzlich hinter ihn geschlichen und lachend dessen augen mit den eigenen handflächen bedeckt seinen bücker & strecker griffig an dessen hinterfalte gerieben seine wulstigen schenkel zwischen dessen pfeilgeschwinde sitzwülste gedrückt seinen brustwärzler gegen dessen rückenaspik geklatscht & war mit seinen schnellwiederwind eilern täppisch auf dessen läutern herumgetreten. der genannte hatte sich plötzlich hinter ihn geschlichen und ihm einen tritt in den frohlocker gegeben dass der wie eine mit sprengstoff überladene maschine vom boden abhebt vom flughafen aus von zahllosen augen ängstlich beobachtet wird und als liberator pb4y 32/271 in den wolken verschwindet.

ich glaube eher dass du inzwischen gewachsen bist herz chen lacht batman zu robin und küsst seinen liebling zärtlich auf den leiseriesler. und ob es schmeckte! der gute batman brauchte wirklich nicht zu fragen. das sah er seinem schmauser an dem schleckenden maul und den dankbaren jungen augen. auch an den kussbällen zwischen den walk beinen sah er es ihm an.

die beiden piloten die mit ihren spezialmaschinen folgen sehen plötzlich dass sich die grosse maschine vor ihnen in einen feuerball verwandelt. und sie erleben den bruch teil einer sekunde später wie sich dieser feuerball in zwei explosionen auflöst. unzählige kleine metallstücke und sprühende funken regnen auf das land vor der amerika nischen küste nieder über dem die maschine sich aufge löst hat. keine fallschirme die sich zur erde senken die beiden begleitmaschinen lösen alarm aus. aber da gibt es nichts mehr zu retten.

den gütigen alten augen batmans gegenüber ging robin seine empörte anklage nicht so recht über die lips.

bruchteile von sekunden können entscheiden. und dann sieht er auch den wagen. zuerst nur eine helle staubwolke die sich in dem abendlichen dunkel schmutziggrau ab färbt. die lichtkegel tanzen auf und ab. die strasse ist ziemlich uneben. plötzlich reissen die scheinwerfer eine schranke aus der dunkelheit. batman schliesst einen augenblick geblendet die augen. das fernlicht erlischt. der unverkennbare mustang motor brummt heran.

batman rührt sich überhaupt nicht. lässig und völlig teil nahmslos lehnt er an der schranke. aus den augenwin keln sieht er die hektischen bewegungen der soldaten in der wachstube.

freundliche braune augen blicken dem näherkommenden robin prüfend entgegen. für robin bedeutete es von klein auf einen festtag wenn er bei batman sein durfte. da war es so freundlich & sauber & angenehm & friedlich.

diese etwas derben aber gutgemeinten zärtlichkeiten wa ren ein ungeheurer ansporn für robin und seine riesen waschkraft. er war in den letzten beiden jahren erwach sen geworden ein richtiger junger flottmuskler.

im september 1943 wird der marineflieger leutnant ken nedy nach england versetzt zur ersten us einheit die der royal air force unterstellt ist. während des ganzen winters 1943/44 sitzt er am steuerknüppel grosser BOMBER die über der nordsee und im kanal jagd auf deutsche uboote machen. unter seinen kameraden ist kennedy besonders beliebt wegen seines draufgängertums seines fröhlichen wesens seiner intelligenz und grosszügigkeit. für alle steht es fest dass dieser joseph p. kenedy jun. eine karriere ohne beispiel machen wird. im juli 1944 steht joe jun. auf der liste der amerikanischen piloten die in die usa zurückkehren und von dort aus in den pazifik geschickt werden sollen. doch joe setzt es durch dass sein name gestrichen wird und meldet sich freiwillig zu einem äusserst gefährlichen auftrag.

innen hinter der gardine tauchte ein rosiger blondkopf auf der mit weitaufgerissenen blauaugen in das tolle durcheinander hinausstarrte. robin sass mit staunend verzogenen nasslippen auf batmans schultern hatte des sen head zwischen seine stengel geklemmt presste ihm die eier wie pistolenmündungen ins genick trenzte des sen goldhaar ein dass es wie gesponnener honig glänzte und starrte mit weitaufgerissenen blauaugen in das tolle durcheinander. es war ein wunder dass batman bei dem gestrampel noch seine gigantenhand freibekommen konnte und das auto aufhalten. der mustang wurde zur seite gewirbelt. zwei tritte fegen an batman vorbei des sen wippe den zweikampf beendet.

die halbe portion warf ihr schiesseisen weg und über schlug sich. seltsam verkrampft blieb sie auf der street liegen.

umso gemütlicher war es drinnen!

56. kapitel die sterne spiegelten sich

die sterne spiegelten sich in dem träge dahinfliessenden schmutzigen wasser. sein kopf berührte den harten boden. doch den schmerz des aufschlages spürte er eigentlich gar nicht. brian jones wurde besinnungslos. tiefe dunkelheit umfing ihn. brian jones ertrank in seinem swimming pool. tiefe schwärze umfing ihn. brian jones fühlte eine entsetzliche leere in sich. der arme brian schleiert durch seinen swimming pool er wird uns allen die wir ihn kannten unvergesslich bleiben. der arme brian brachte mühsam seinen verkrampften körper in bewe gung. er wankte. mit einem leisen aufschrei rudert er mit den armen durch die dunkelheit und kippt nach vorn über. er ergibt sich dem ertrinkungstod voll einsatz be geisterungsfähigkeit und kraft der jugend. brian jones ist nicht mehr unten gehen drei ernste jagdhunde vorbei unter dem was einmal sein fenster war. sein atem geht stossweise da dringt auch schon das wasser durch die nase den mund die ohren die augen überall ein brian jones kriegt keine luft und ertrinkt. brian flattert noch ein mal matt mit den armen dann ist es auch schon aus. er hält sich ziemlich dicht unter dem poolrand. trotzdem klatscht ihm das wasser ins gesicht. das wasser läuft von seinem verschwollenen gesicht herab. plötzlich reisst er den kopf hoch schnappt noch einmal nach luft aber alles was er in die lungen kriegt ist wasser. brian jones er trinkt. drei ernste jagdhunde gehen unter dem vorbei was einmal sein fenster gewesen ist. am 2. august 1944 sind die jones in hyannis port versammelt um des tages zu gedenken an dem ein jahr vorher john f. mit seinem schnellboot pt 109 von einem japanischen zerstörer ge rammt wurde. für john f. brian jones ist der krieg zu ende. er krümmt sich wild nach luft aber alles was er in die lun gen kriegt ist wasser. brian jones ertrinkt wie ein ertrun kener. der gitarrist teilt den regen und ist bald hinter den undurchdringlichen schleiern aus nässe verschwunden.

und weiter rauscht das wasser sein monotones lied. die tiefe klärte sich wieder. unten bewegte sich etwas was kein stück holz war. es stieg langsam hoch mit unendlich sorgloser schlaffheit ein grosses dunkles gekrümmtes etwas das sich träge im wasser hin und her drehte wäh rend es aufstieg. gelegentlich brach es durch den wasser spiegel leicht ohne hast.

im selben moment spürt brian jones etwas kaltes in sei nem nacken. das kalte wasser umgibt ihn ganz von allen seiten leicht zuckt er von der plötzlichen berührung zu sammen. er ergibt sich müde und ertrinkt. es war som mer. und die blätter fielen von den bäumen aufs wasser und trieben langsam davon. brian weinte nicht mehr konnte nicht mehr weinen. da war nur dieses schreck liche zittern das ihn vom kopf bis zu den toten zehen schüttelte. als der arzt zurückkommt trägt er mit beiden händen eine chromblitzende schale vor sich her langsam fast feierlich. die schale ist mit steriler milchsäure gefüllt. und in der milchsäure liegt brian jones herz.

jones kopf war nach vorn auf die brust gesunken. er wusste nicht mehr genau wann das gewesen war dass er ertrunken war. dem dumpfen verschwommenen gefühl in seinem kopf nach zu urteilen musste es vor gerau mer zeit geschehen sein. er legt die hände vor die brust macht die beine spitz und ärodünamisch und stösst durch das wasser vor ins unbekannte in kälte und schwärze trotz seiner jugend ist er sich der verantwortung bewusst. brian jones fischelt durch das wasser des swimming pools und erstirbt plötzlich. das atemgeräusch wird im mer leiser setzt dann ganz aus. brian ist tot. drei ernste jagdhunde gehen unter dem vorbei was einmal sein fen ster gewesen ist.

ich sah nasse schwarze wolle eine lederjacke schwärzer als tinte ein paar breeches. ich sah schuhe und etwas was widerlich zwischen den schuhen und dem unteren rande der breeches aufquoll. ich sah eine welle haar im wasser glatt werden und einen augenblick still liegen wie für eine gute berechnete wirkung und dann wieder in ein blondes gewirr zurückverschwinden. noch einmal drehte das etwas sich herum und ein arm kam knapp über die wasseroberfläche der arm endete in einer gedunsenen hand die hand eines monstrums. dann kommt ein ge sicht. eine geschwollene teigige grauweisse masse ohne gesichtszüge ohne augen ohne mund. ein stück grauer teig ein alptraum mit menschlichem haar eine schwere kette aus grünen steinen umschlang das was einmal ein hals gewesen halb eingebettet in diese masse grosse grüne steine mit goldglitzernden gliedern dazwischen.

brian jones kauert sich zusammen macht sich ganz klein krümmt sich wie ein aal versteckt das gesicht unter den flügeln hockert die knie an die stirn umschlingt die wa den mit den armen rollt sich zusammen hält sich seine hieb tritt stich schusswunden zu verbirgt sein ganzes kinderelend mit den handflächen stopft sich die ohren zu und ertrinkt. brian jones ist tot 3 ernste jagdhunde gehen unter dem vorbei das einmal sein fenster gewesen ist. seine stimme klingt wie von weit her über einen berg durch das lastende schweigende grün der bäume.

seine finger sind nichts als polierte knochen.

57. kapitel wie sehr habe ich

wie sehr habe ich mich gefreut über ihren artikel: camillo felgen. endlich ist ehre getan dem so fleissigen und her vorragenden menschen camillo felgen! zehn jahre lang habe ich ihn gehört und meine bewunderung für ihn ist gross. ich will ihnen ein kompliment machen für den sehr interessanten und erstklassigen artikel den sie von camillo geschrieben haben. sie haben den richtigen ton dazu gefunden denn genauso ist es wie sie es schreiben. eines haben sie meiner ansicht nach nicht berichtet was doch sehr empfehlenswert ist: camillo hat zehn jahre lang der europäischen jugend nur das gute das liebevolle gelehrt er hat die jugend erzogen in all seinen sendun gen. er hat sie gelehrt gut zu sein das schlechte zu lassen die ehrfurcht für die älteren menschen beigebracht und das finde ich das allerschönste an seiner hervorragenden arbeit!

58. kapitel gewalt zeugt gewalt

gewalt zeugt gewalt! GEWALT ZEUGT GEWALT! gewalt zeugt gewalt. gewalt zeugt: gewalt. gewalt zeugt gewalt. gewalt zeugt gewalt. gewalt zeugt gewalt. GEWALT ZEUGT GEWALT!

59. kapitel der dicke hinten im wagen

der dicke hinten im wagen grinste. schon gut chef ist ja
nur ein gasrevolver mit einem schnell wirkenden aber
harmlosen lähmungsgas. in den händen hielt er einen
kurzläufigen revolver. der bullige mann rührte sich nicht.
sein kopf war wieder auf die brust gesunken und für die
beiden männer bot er ein bild völliger erschöpfung. die
polizistenriesen waren durchaus nicht böse über die an
genehme unterbrechung sie zeigten fast noch grösseren
eifer bei der eingehenden beschäftigung mit den feen.
flink wie der wind glitten die latze vom gewitzel und die
vorderknüppel die hartbohrer stiessen vor ins unbe
kannte und kamen nässend wieder aus dem unbekann
ten zurück. wer war der hauptpolizist wieder einmal war
otto der hauptpolizist der herrscher über die ganze welt.
otto stöhnt und schliesst die augen. die sonne war über
den himmel gewandert. fee nr. 1 hielt ottos schwanz am
bindfaden über die morgenstimmung sie musste oft ra
sten obwohl die arbeit nicht schwer war. jetzt schienen
die strahlen voll und stechend in sein gesicht es würde
noch heisser werden seine lage tat ein übriges um ihn in
kurzer zeit zu zermürben. ottos riesiger polizistenschwanz
reicht von einem ende des horizonts zum nächsten seine
malerische uniform liess alle angreifer sofort zurückpral
len der trenzknüppel tat ein übriges um die leute abzu
schrecken. er ist der teufel und türann der westlichen
welt sein lustiges gesicht schaut plötzlich betreten drein.
herr otto war empfindlich.
vielleicht gehören auch sie zu der grossen zahl von
menschen deren beschwerden sich mit krankhaften
gasansammlungen im magen darm bereich erklären
lassen. auch otto gehört dazu. blähungen verursachen
nämlich nicht nur ein unangenehmes völlegefühl im leib
sondern können sogar atemnot herzklopfen und herz
engigkeit bewirken. wie bei otto. bei den quälenden be
schwerden des blähbauches schafft ottos moderner

gummiknüppel päng päng in den bauch gedroschen und seine gaspistole zisch zisch in die augen geblasen rasch abhilfe. waren das nicht spitzige mäusezähne die da an ottos glied nagten es waren micky und minny die tosen den wirbelstürme die ottos glied befühlten ableckten tasteten und beritten. mit einem wütenden schwung in dem die ganze aufgespeicherte prügelfreude von jahren komprimiert war schleuderte otto die beiden davon bis in ihre heimat zentralasien.

weltweite untersuchungen zeigten dass bei blähungsbe schwerden die luft im leib nicht in freier form vorliegt sondern in einem trägen schaumknäuel eingehüllt ist. die gase können deshalb nicht mehr zur aufnahme durch die darmwand gelangen und werden gestaut. nein war das heute sonderbar auf der strasse. keine strassenbahn fuhr keine busse keine ubahn die men schenböschung längs des gehsteigs war so hoch dass otto nur mit mühe darüber hinwegsehen konnte. otto kannte die meisten kadaver die da lagen von seinem balkonaufenthalt im sommer her. das vorwärtskom men in den hohen haufen aus leibern zerrissenen rümpfen verbogenen gliedmassen zerstörten gelenken war nicht so einfach. einen schritt ging man einen rutschte man. und nun noch mit den hohen polizisten stiefeln die so unbequem und lästig waren. sollte er diese flink ausziehen und in den beutel stecken? otto überlegt. nein das geht nicht. die eltern verlassen sich drauf dass er die uniformstiefel trägt es war unehrlich wenn er sie damit hinterging. trotz mancher kleiner fehler ist otto ein durch und durch ehrliches werkzeug in den händen der machthaber. dem knüppel und der pistole würde es auch nicht gerade zur grösseren sauberkeit gereichen wenn er die blutnassen stiefel dazupackte. mit unternehmungs lustig wippendem nackten schwanz schaukelnden hoden und weissen manschetten die schirmmütze locker und frech aufs ohr gedrückt pisselt er durch das weinen schrei en wehklagen ringsum. sein schneeweisser frisch gewa

206

schener popo wischt achtlos alle beiseite die sich ihm in den weg stellen. da stand der arme goofy als bittsteller vor ihm nicht als ein herr. ein heulender jeepmotor ganz in der nähe verschluckte fast seine winselworte. er erstarb erst als otto ihn gegen den verkrüppelten stamm der kiefer drückte. sofort schneidet sich eine dünne nailonschnur in goofys rechtes handgelenk. er biegt den arm und spannt die muskeln. mit wilder gewalt reisst otto der halbnackte unmensch der polizist goofys beide arme nach hinten um den stamm und schlingt die nylonfessel um die gelenke. goofy spürt wie sich die schnur strafft. sofort ballt er die fäuste und drückt die handgelenke gegen einander. es gelingt ihm einige millimeter spielraum zu gewinnen. er weiss jedoch dass es nicht genügen würde um die nylon schnur abzustreifen. er ist im moment zufrieden dass sein blut normal pulsieren kann. wie aber otto mit seinem fachblick sieht dass das blut in goofys händen normal pulsieren kann da greift er auch schon zu seinem all round schwanz und kappt die hände einfach dort ab wo sie gebunden sind. mit einem bedauernden grinsen muss goofy zusehen wie der lebenssaft aus den stümpfen ent weicht. otto macht ein höchst zufriedenes gesicht so leichten kaufs davongekommen zu sein. es liegt heute etwas wie ein druck auf otto dem ausführenden organ der muntere otto wird ganz von dieser stimmung gefan gengenommen.

der in otto enthaltene praktisch unschädliche wirkstoff bringt die schleimigen darmblasen zum sekundenschnel len zerfallen. die freie luft kann deshalb wieder durch die darmzellen aufgenommen werden oder auf natürlichem wege entweichen! die in otto zusätzlich noch verwende ten fermente fördern nachhaltig die verdauung. ottos wirkung äussert sich in einem rasch auftretenden gefühl der erleichterung vor allem aber in dem verschwinden des so lästigen aufgeblähtseins. hier wiederum ist die polizeimusikkapelle angetreten und bringt mit ihren male rischen historischen kostümen etwas farbe in das graue einerlei. ländler und maersche werden gespielt. ottos posten kommandant aber scheint wenig verständnis für die beklemmende atmosfäre zu haben. er ist heute durch aus unzufrieden mit der aufmerksamkeit und teilnahme beim unterricht. beide teile sowohl der lehrende wie der lernende atmen befreit auf als die schulglocke laut den stundenschluss verkündet. und mit hallo und knuten schwingen geht es hinaus auf die strassen wo die leute ihre helle freude an den frischen jungen burschen haben.

mit scherzhaften kleinen schlägen auf den mächtig glat ten knospenträger ottos wird dieser durch die menge getrieben in die er selbst wieder grössere schläge aus teilt er der schnitzler und polizist.

keiner möchte sein frühstücksbrot das sonst meist schon in der ersten pause vertilgt wird in angriff nehmen.

jeder schüler erhält ein gerät. jeder schüler erhält ein todbringendes gerät.

goofys oberkörper wölbt sich nach vorn als otto von ihm ablässt. mit hämischer freude hat der breite mann ihm die armstümpfe an eine gabelung gebunden die hoch in goofys rücken liegt so dass der blonde mann gezwungen ist seine gefangenschaft in dieser zermürbenden lage zu verbringen. goofy weiss dass seine muskeln in weniger als 3 stunden steif sein werden. auf die dauer wird ihn die schleichende marter mehr entkräften als eine augen blickliche brutalität ottos. otto grinst. er weiss um die wirkung und scheint sie zu geniessen. dann sagt er ich wünsche ihm dass er keine zittrigen beine bekommt.

im hof sind schon die andren klassen versammelt. die obersten kommandierenden verteilen gewehre wasser werfer und mpis. mäntel angezogen ruft der bedächtige polizeimajor der jungen gesellschaft die wie sie da ist und steht mit nackten doppelschollen und nacktem ge stämme aus der klasse stürmen will vorsorglich nach.

dabei lächelt er verschmitzt. er gönnt den jungen dingern ihre freiheit (freiheit).

unter scherzworten wird eine lange kette gebildet und

208

alles dem erdboden gleichgemacht das da lebt und leibt. otto lächelt auf minny hinunter die ihm sterbend ihren arm entgegenstreckt. nun wie fühlen wir uns fragt er. ganz gut lächelt sie schläfrig in den mittagsdunst. da nimmt otto nicht faul einen stein und lässt ihn auf minnys hirnschale fallen. die sonne sucht sich hinter einer wol kenschichte zu verkriechen. knirschend beisst die maus ihre nagezähne zusammen und richtet sich auf. sie lehnt sich schwer atmend gegen den verkrüppelten stamm der kiefer. nur noch schwach dringt ottos lachen in ihr bewusst sein. das rauschen in ihrem kopf verschluckt nahezu je des geräusch. lachend machen sich die jungen ordnung schaffer ans werk. da wurde einem bald warm. die augen blitzen die wangen glühen und die jungen arme arbeiten mit anspannung aller muskeln. das ergebnis konnte man bald merken.

auch die durch die gestauten gase bedingten herz und kreislauf beschwerden klingen kurzfristig ab.

die stimme ottos wird nun scharf und zischend wie das fauchen einer viper.

kinder meine hände sind ganz steif. otto haucht seine roten finger an. ein weilchen hörte man nichts weiter als das aufklatschen der knüppel das schnurren der mpis und das weinen der opfer. die gemeinsamen anstrengun gen der buben wurden bald belohnt. herzklopfend mach ten sie eine pause. der major warf ausgelassen otto einen schenkel an das halbgeöffnete mäulchen. otto erwiderte das geschoss die andren blieben natürlich nicht untätig dabei. bald entwickelt sich eine lebhafte spielschlacht unter den freunden. hüben & drüben sausen die getrüm mer mit lachen kreischen und johlen werden die ge schosse in empfang genommen. ottos rundes gesicht wird lang vor enttäuschung. der major bringt herrn otto lieder lich der gerade entwischen will die vermissten polizisten eier hinterher. ich muss sie aber etwas sauber machen sie sind zu dreckig.

goofy der bullige mann schluckt. sein gaumen ist trocken

die zunge geschwollen. wasser sagt er matt. er übertreibt und wird abgehäutet. jubelnde kinderstimmen sind zu hören so oft ein steifer polizistenschwanz umkippt. scherz worte erklingen unter den hütern.

keine antwort war zu vernehmen. jeder dachte der andre würde sprechen. und ob es schmeckt! der major braucht nicht zu fragen. das sieht er den schmausern an den schleckenden mäulern den dankbaren jungen augen!

60. kapitel sie haben ihre leser

sie haben ihre leser mit der langspielplatte goldne abend stunde bekannt gemacht. es gibt ja schon schöne deut sche lieder auf schallplatte. aber goldne abendsonne schlaf ein schlaf ein mein blondengelein steh ich in fin sterer mitternacht weisst du wieviel sternlein stehen? das konnte man bisher nirgends finden. und bei allem noch dazu die wunderbare stimme eines rudolf schock! gerade in der heutigen zeit in der so viel fremdländische und ausgesprochen hässlich klingende musik an uns herangetragen wird sind diese alten echten deutschen lieder und volkslieder direkt balsam für unsere sonst so geplagten ohren. für dieses schöne das sie uns allen übermittelt haben möchte ich ihnen von ganzem herzen danken.

emmanuel knickt seine langen kinderbeine ab lässt sich auf die knie fallen setzt sich rechts neben seine unter schenkel und breitet für maria seinen sonntagsrock aus. hier kann man endlich frei atmen in der natur hierher verfolgen ihn keine vermoderten arbeiterkappen loden mäntel vorkriegskrawatten unterleibchen gebirgsjäger schuhe wollsocken rucksäcke gamsbärte schnürriemen uniformjacken kniehosen. hier kann man endlich so rich tig frei luft holen. dann lernt maria ihren manuel kennen. sein mund flüstert zärtliche worte die sie nie gekannt hat. seine hände können so zärtlich streicheln. sie merkt wie sie von tag zu tag aufblüht. ihr gang wird beschwing ter ihre stimme weicher ihr mund verlockender ihre augen glänzender. da küsst er ihre brüste und hautflügelt hand in hand in ein ertragreicheres wunderland der 10000 abenteuer. hinter ihnen bleiben brennende städte dörfer verkohlte leichen zerbombte häuser atomare brösel sonst nichts zurück. das hätte neun von zehn leuten den schlaf geraubt. er schraubt den flaschenverschluss auf und setzt das mundstück an marias spröde ausgetrocknete lippen. die blonde frau trinkt gierig. sie spürt wie sie augenblick lich belebt wird. sie lehnt sich aufatmend zurück und fährt sich mit der leicht geschwollenen zunge über die lippen. die beiden drücken sich eng aneinander wie die hilflosen birds in den nestern. frische nachtluft strömt herein sie trägt keine geräusche her die sie kennen. sie brechen sich fast die hälse wie sie sich zusammenpres sen manuel gekauert maria ihren kopf in die wölbung seines bauches die hände zusammengehakt jeder den atem vom andren in den nüstern die knie beim kinn in eistellung verschränkt so wollen sie sich wärmen die einfaltspinsel. sie verlieren sich langsam und dusseln all mählich ein.

61. kapitel zwischenspiel zwischen tuli kupferberg & ju hu wondermaid

zwischenspiel zwischen tuli kupferberg & ju hu wonder maid raya. tuli versprach alsbald zurückzukommen und legte seiner kameradin raya mehrere schwänze auf den tisch zur unterhaltung. unter übermütigen ausrufen sto ben sie über die weisse fläche dahin herrlicher pulver schnee today die tannen hoben sich schwarz vom klaren kalten blauen sky ab die kufen der schi schabten jeder der schifahrer zieht eine wolke eine schneeweisse wolke wompig hinterher. die nazis juchuen und wow wow über die steilhänge in das dunkle fröstling tal. wo der schiss von generationen in schicken blockhäusern dreht und wendet und leichtblütet.

merkwürdig der ärger den tuli kupferberg soeben ver spürt hat verfliegt vor den strahlenden augen der won dermaid vor ihrer anmutigen art. aber mutteraugen sehen scharf.

die operation tritt in ihre entscheidende dramatische fase. tuli klemmt vorsichtig die aorta ab und schneidet sie durch. löst das herz am linken dann am rechten vorhof ab achtet darauf dass von jedem vorhof ein ausreichend grosser stumpf stehenbleibt: einmündungen in die lun gen und körperwenen die sich nachher leicht mit den entsprechenden anschlüssen des spenderherzens ver binden und vernähen lassen.

tuli leibschneidet kreuzweis ju hu wondermaid mit sei nem schwanz an der spitze hat der ein noppeisen einge wachsen von natur aus. wondermaid öffnet sich & gibt ihren erfreulichen inhalt den spöttischen augen der zu schauermenge preis vor aller augen passiert die unge heure enthüllung der unschuldigen lerchen fotzi! wonder maid raya ist hilflos & wehrlos den gierigen blicken einer schamlosen menge vorgeschwebt. sieh und da kommt es dem tuli schon. ein kolbenstrahl grösser als alles bisher dagewesene.

dann hebt er wondermaids herz heraus. legt es in eine
schale neben sich. mit einem gefühl das zwischen be
klemmung und zuversicht schwankt blickt dr. kurt kupfer
berg in die leere herzhöhle des mädchens. 19 uhr 15.
im wartezimmer stehen ed sanders und MARGOT zu
sammen am fenster blicken hinaus in die dunkelheit in
das flimmernde lichtmosaik der stadt. lange zeit schwei
gen sie. sie sind allein im raum allein in zeit und raum.
margot sagt ed plötzlich. ich möchte etwas mit dir be
sprechen. ja? sie wendet den kopf ihre grossen blauen
augen richten sich auf sein gesicht fragend gequält ge
spannt. ed sanders schluckt zündet sich hastig eine ziga
rette an.
aber sie wollte nicht an nachher denken. nein! noch wa
ren lachende sonnentage sie machte es wie die vielen vie
len luftbewohner die unbekümmert in der luft umher
schwirrten und nicht an morgen dachten. tuli kupferberg
durchschiesst die schwell knöchelchen an wondermaids
vorderfront mit seinem maskulinen strahl durchbohrt die
sämtlichen eingeweide hebt sie aus ihrer äusseren um
hüllungshaut heraus windet eine pausbacke um seinen
unterarm und zieht an dass es gewittert in rayas tutteln
beginnt an ihrem lobhudler zu fressen. tuli taucht noch
einmal kräftig mit den stöcken an dann nimmt er sie
unter die achseln und stürzt in die klare kalte einsamkeit
wo er allein ist mit seinem fuderspritzer und sich selbst.
hinter jeder jungfichte scheisst ein nazi seine braunen
jubelberge in die firnige nadelkühle wo der schnee an
wehungen betreibt.
tuli kupferberg bricht ab inhaliert den rauch stösst ihn
heftig wieder aus. raya schlägt die augen nieder. sie hat
es erwartet einmal musste diese frage von ihm kommen.
verzeih murmelt tuli er deutet ihr schweigen falsch. seine
stimme versagt er weiss nicht weiter verliert die beherr
schung. mit jähem ruck wendet er sich ab lehnt sich ge
gen die wand des wartezimmers den rücken MARGOT
zugekehrt.

214

seitlich von sich erblickt tuli einen felsspalt in dem geröll lagert. ein faustgrosser stein befindet sich in seiner reich weite. blitzschnell greift er danach. fest presst er sich gegen die felswand und als der mann ihn erblickt oder ist es eine frau schleudert tuli den stein mit voller wucht auf ihn. er trifft den gegner gegen die brust. ein ächzen entrinnt sich ihm während er zurücktaumelt.

fest schmiegt raya wondermaid den braunkopf an kupfer bergs schulter in kupferbergs achsel zwischen seine beine in seine hände in stummem dank. es ist nicht das gutfreund das sie beglückt trotzdem sie eine neue pussi wirklich gebrauchen kann nein eine richtige bestossung tut noch immer wohl selbst wenn man längst für die eigenen kücken zu sorgen hat.

tuli kupferberg muss vor sich hinlachen da kennt er sie entschieden besser die mastsau wondermaid.

die fichten werfen immer längere violette schatten in den snow. sie knattern wie maschinengewehre unter den gigantischen fürzen der nazis die noch immer unbeweg lich hinterhocken und hochrecken abwechselnd. einsam gleitet ein ju hu gletscher glastürschmelzer vorüber sein atem ist kaum spürbar in der bergeinsamkeit nur ein hauch seine stimme ist so dünn und so hoch wie sein körper. er spricht betont laut. tuli kupferberg kennt diese art männer. sie sind ohne jegliches gefühl. er sieht keine chance. er stützt sich auf den felsrand und stemmt sich in die höhe. langsam richtet er sich auf. seine augen haf ten auf seinem gegner. tulis lage hat sich gefestigt. jetzt gleiten seine augen über den felsrand. der schatten hat an deutlichkeit zugenommen. er sieht wie sich die hagere gestalt nach vorn beugt. jetzt handelt er kalt und ent schlossen der bullige mann mit dem wissen dass es nur einen überlebenden geben kann in dem bevorstehenden kampf.

die gestalt eines gleitboot cowboys löst sich oben an der kleinen schanze mit einem hellen aufschrei hebt ab se gelt einige meter durch die luft landet mit einem elegan

215

ten aufsprung im auslauf und stürzt sich sofort weiter in die weisse tiefe. die gestalt eines blonden helmut sturm banners löst sich oben an der kleinen schanze mit ei nem hellen aufschrei hebt ab segelt einige meter durch die luft landet dann mit einem eleganten christiana schwung im auslauf und stürzt sich sofort weiter in die weisse tiefe. die gestalt eines mädchens die gestalt won dermaids löst sich oben an der kleinen schanze mit ei nem hellen aufschrei hebt ab segelt einige meter durch die luft landet dann mit einem eleganten weichen auf sprung im auslauf und stürzt sich sofort weiter in die weisse tiefe. 3 gestalten kommen in wagemutiger schuss fahrt den steilhang hinunter übermütige helle stimmen vermischen sich mit dem schaben der stahlkanten im firn schnee. das mädel mit der roten wollmütze zieht mit ge frorenen fäustlingen eine rippe schokolade aus der tasche ihrer keilhose wickelt das stanniol ab und bietet auch ihren kameraden an. das silberpapier wälzt der schnee sturm zart wie staubgefässe über tuli kupferbergs eier wie gleissende fühler. tuli spreizt arme & beine und um schlingelt umgibt umfasst umheidelt das stanniolpapier und schiesst gleich ab. sofort geht das junge mädchen mit ihrer raschen energischen art ans werk. sie nimmt sich gerade nur zeit die bindung zu öffnen. arm zuckt und heiderost und zirpt tuli kupferbergs kleiner penis an der stählernen spitze ihres massiveichenen schistocks. es gibt einen hochfrequenz ton wie von unsagbar vielen kolibris. da sollte ihm MARGOT erst vormachen dabei auch noch über das universum zu staunen. krachend bei ssen die gesunden zähne in einen apfel. bei der kälte schmeckt der imbiss doppelt gut. schweratmend lehnen auch die kameraden in den schlaufen ihrer stöcke ihr atem schleudert kleine dunstwolken heraus. der wind spielt mit ihren blonden locken mit ihren schals und em blemen.

es ist keine anekdote sondern verbriefte wahrheit dass der kleine joseph kennedy schon im alter von 11 jahren geprahlt hat: ich werde präsident der vereinigten staaten! viele jungen sagen so etwas und meist reagieren die eltern darauf mit einem nachsichtigen lächeln. doch joe nimmt diese bemerkung sehr ernst. und die gesamte er ziehung ist auf dieses höchste aller ziele ausgerichtet. schon während joe das college besucht hat kennedy die gewissheit: mein sohn hat das zeug zum präsidenten in sich. das klingt nur scheinbar hochmütig. joe ist davon überzeugt dass sein ältester sohn dieses ziel erreichen wird.

ju hu jetzt machen sie gar eine kette werfen die hin derlichen stöcke von sich und jagen wie die windhunde sehnig und überzüchtet abkommen einer edlen rasse über den hang in das blaue grab der fichten. 2 obersturm bannführer altnazis ziehen sich gegenseitig die braun unterwärmer von den ärschen und blasen sich gegen seitig brauner als cocacola bis das stille heimattal erzit tert von umfallenden schornsteinen aus denen vaters rauch steigt in die alpen. hausbänke stürzen plötzlich über lichte cowboys. ein stück käse und ein apple in der winterlichen natur verzehrt schmecken oft besser als der beste joint.

wondermaid schweigt eine ganze weile den kopf still an die schulter ihres mannes gelehnt. wie wohl ihr seine guten worte taten. wohl bis ins innerste herz.

(wondermaid schweigt eine ganze weile still das loch in ihrer mitte verdeckend das den beginn ihrer tötung dar stellt.)

nein streng naturwissenschaftlich ist tuli kupferbergs jäher optimismus nicht zu erklären. nur das gefühl spricht in ihm während er mit dem vernähen der gefässteile be ginnt dabei ständig zur narkoseärztin hinüberhört die in kurzen abständen daten murmelt. die undefinierbare heimliche intuition des leidenschaftlichen arztes sagt: es wird gut gehen! MARGOT wird leben!

ein ast knackt. vorsichtig drückt er sich tiefer in den strauch am rande der lichtung. mit einem schnellen blick sucht er den boden nach einem ast ab den er als waffe benutzen kann. er findet keinen. seine lippen pressen sich zusammen. er weiss wie gefährlich seine lage von minute zu minute wird. durch das blättergewirr sieht er auf die schmale schneise.

keiner weiss wer das erste weisse geschoss geworfen hat aber im nu sind alle in eine wilde schneeballschlacht verwickelt die kalten mitunter auch eisigen kugeln fliegen hin und her lachen und kreischen kündigen an dass ein roter mund eine weisse stirn ein blutiges ordenskleid tra gen. schnee staubt über blaue augen rote lippen junge augen junge lippen junges blondhaar junge glieder junge eggs junge schwänze junge sonstwas. der grosse nazi in halbzivil beaufsichtigt das bunte treiben greift da und hier ordnend mit dem meisterstützer an trachtenbaumler und enthüllt diese wenn das spiel zu arg wird stösst sei nen mächtigen sauberfinger in freudenpulsierende rosa löcher und kommt rot von dort zurück wo er jammern und einbeiniges hopsen zurücklässt. aber für allzulange sen timentalitäten ist er noch immer nicht. schelmisch hebt er den graukopf. wenn er einen grossen buben mit dem wurmschwanz dem farblosen an einen nadelbaumast strafbinden muss so tut ihm das am meisten selber weh! er lindert dann mit streichelungen überschmatzen und einträufeln das ungeheure herzweh des sünders.

sie alle wollen seiner wert sein. besitzen sie in ihm nicht einen gefährten eher einen freund als einen vorgesetzten der trotz mancher ungeschmeidiger härten nie den kopf hängen lässt?

aber sich gleich entmutigen lassen? nein. der alte ss mann kauft den jubelnden kindern eine tafel schokolade. nun ergeht es ihm nicht mehr wie dem hans und dem helmut. nun wird er sicher etwas erreichen. der winter zieht mit weissem flockenpelz ins land.

tuli kupferberg vernäht die basis des linken herzvorhofes mit dem stumpf. dann die basis des rechten vorhofes. lässt die durchblutung des spenderherzens mit der herz

218

lungen maschine einstellen vernäht die aortenteile. blut temperatur langsam auf normal erhöhen ordnet er an. ein neuer abschnitt der operation ist geschafft. MAR GOTS herz sitzt in wondermaids brust ist ein teil von ihr geworden empfängt auch den blutstrom aus der ma schine über den kreislauf des körpers und nicht mehr getrennt. 20 uhr 10. wondermaids körper hat wieder die normale temperatur von 36 grad celsius.

mitte juli 1941 einige tage vor seinem 26. geburtstag und knapp sieben monate vor dem japanischen überfall auf pearl harbour meldet sich joe kennedy jun. freiwillig als marineflieger. in hyannis port gibt es einen herzlichen ab schied von der familie. vater kennedy billigt was sein sohn tut. zu dieser zeit steht es für die kennedys fest dass die usa in den krieg hineingezogen werden. aber für joe bedeutet der krieg eine art harten spiels und eine grosse kampfstätte die man nicht verlassen darf wenn ein gefährliches und entscheidendes spiel zu erwarten ist.

manchmal wird es abend da holt er die bestraften sünder da holt der gestapo bonze die genug gestraften sünder von den ästen herunter. ein klavier spielt dann die neue sten schlager jeder nazi freut sich an der ausgelassenheit der jungen menschen die sich zu den melodien im tanz drehen. er selbst der schef so alt er auch ist macht noch immer gern mit der jugend mit für einen tanz oder zwei ist er immer noch zu haben er wagt auch gern mal ein tänzchen wenn er gutgelaunt ist. oft nimmt er sich selbst ein mädel her und tanzt mit ihm durch das zimmer und nicht einmal schlecht. oft lässt er sich eines seiner lieb lingslieder spielen und tanzt zu dem geklimper des kla viers mit einem der mädel übermütig durch das zimmer. er selbst schwingt auch noch gern das tanzbein so alt er auch ist. wenn es tanz gibt dann macht er immer noch gern mit. schnell ist ein mädel geholt und mit dem tanzt er dann unermüdlich durch das zimmer. wenn er genug hat spritzt er die wondermaid die er gerade im arm hält einfach in den abort und wischt sich hinterher ab. dann gesellt er sich erneut der fröhlichen tafelrunde zu. die bäume die jetzt schwer unter der last des schnees hän gen werden im sommer schwer sich unter der last der früchte neigen. es ist ein werden & vergehn in der natur. es ist ein ständiges gehen & wiederkommen. es ist ein ständiges sichbewähren. es ist ein ständiger sieg des stärkeren über den schwächeren. so manch ein ausge dehnter blasser otto schleift über die bodenbretter ohne saft & kraft. wurmig baumelt er durch die feste die ge feiert werden wie sie fallen.

defibrillator! ruft tuli kupferberg. wondermaid reicht ihm die beiden elektroden schaufelförmige metallstäbe mit denen das offenliegende herz umfasst und mit einem stromstoss geschockt wird.

klack! der erste stromschub 20 watt auf MARGOTS herz das bis vor kurzem noch wondermaids herz war 20 watt nervenzucken hoffnung befehl zum leben. aber das herz bleibt stumm bewegungslos.

kurz vor dem start winkt joe kennedy den männern vom bodenpersonal fröhlich zu und sagt zu einem seiner me chaniker: wenn ich nicht zurückkomme so sag den jungs dass sie sich meine frischen eier teilen können!

tuli wünscht MARGOT einen erholsamen schlaf und ver schwindet. der schlanke mann stellt sich ans fenster und sieht in die untergehende sonne in den sonnenunter gang. die sonne ist ein blutroter kreis. tuli legt sich mit all seiner kraft auf wondermaid so dass sie nichts mehr von der umgebung sehen kann.

im windschatten der hütte wird abgeschwungen. hier kann der sturm nicht so dazu. mit froststarren händen werden bindungen geöffnet hände von dicken fäustlin gen befreit wird schnee von jacken blusen und hosen geklopft. helmut entblösst sein gebiss und zeigt eine reihe kräftiger gesunder zähne die in rotem zahnfleisch stecken. ei blumen blühen am fenster! er begrüsste seine jungen freunde mit derselben herzlichkeit wie sonst.

kaum war man wieder beisammen gleich gab es necke
reien. nun mussten doch alle wieder lachen. das war ja
eben das schlimme mit helmut (helmut) man konnte ihm
nie ernsthaft böse sein. unter gelächter und gelärm schar
ten sich die burschen und mädchen wie die kücken um
den führer der mit oft geübten routinegriffen ihre schwe
ber und ju hu löcher entleerte. eine menge papier ging
dabei darauf. diese knappen ordnungsverrichtungen ma
chen die augen glänzend und lösen die zunge so dass
sie wie in kindertagen mit dem führer scherzen & lachen.
doch heute sind sie nicht zum spassen hergekommen
sondern zu ernster pflichterfüllung. helmuts pisse
schwimmt goldgelb auf der guten warmen milch. zwei der
rangältesten säubern den riesenhaften mann behutsam
halten sie ihn dabei unter den achseln fest und stützen
sein überdimensionales gesäss sorgfältig. der ernst dieser
aufgabe steht ihnen in den gesichtern geschrieben. noch
lange stehen sie vor der hütte sehen wie sich die nacht
heruntersenkt den cowboy verdunkelt und mit ihrem lok
kenhaar zaust. unter einem pfeil scheint helmut zu erstar
ren und dann gleich zusammenzuzucken. es ist höchste
eisenbahn. damals hat rose kennedy die den tod ihres
sohnes joseph äusserlich völlig gefasst ertrug ein wort
geprägt das noch heute für die familie gilt: wenn ein
kennedy fällt tritt sein bruder an seinen platz. ich habe
noch 3 söhne. john wird an joes platz treten. sollte auch
ihm etwas zustossen wird robert seinen platz einnehmen.
diese jungen leute haben in der tat etwas einnehmendes
an sich. wie sie so dastehen und ihre gesichter & körper
dem bergwind aussetzen. wie sie sich unter helmuts ge
spreizten beinen zu schaffen machen und die gleitflächen
ihrer schier wachsen mit dessen rotz.
oh zowie zowie! der zweite stromstoss. der herzmuskel
scheint sich aufzubäumen wie ein körper auf dem elektri
schen stuhl gerät ins vibrieren. doch dann kommt rütmus
in das zucken das herz fängt an zu schlagen. es schlägt
es schlägt! herrgott es schlägt!

längst war der schnee geschmolzen. längst war die schreckliche armee auf dem marsch ins tal gekommen. helmut füttert seinen spatzen im park. da war der warme strahl in seinen augen erloschen.

62. kapitel der mann mit den weissen haaren

der mann mit den weissen haaren und den schwarzen
brennenden augen der sich osterhase nannte lächelte
und wurde dann plötzlich ernst. er verbeugte sich elegant
vor den damen und sagte: entschuldigen sie mich bitte
für einen augenblick. ich habe ein kurzes aber wichtiges
telefongespräch zu führen und bin sofort wieder zurück!
schnell wie die pfeile bewegen sich die schlanken renn
pferde über die bahn. osterhase der alte scheisskerl der
kilometerweit nach alten unterhosen stinkt beobachtet
durch sein fernglas das geschehen und klatscht wann &
dann kindisch in die hände. und hüpft von einem bein auf
das andre und springt im kreis herum und schlägt einen
purzelbaum. ingeborg verlor die furcht vor dem alten
mann. oder war es ihre augenblickliche lage die sie dazu
trieb plötzlich die ärmchen um den hals des einsamen
alten osterhasen zu schlingen. die faltigen hände strei
cheln das runde treuherzige kindergesichtchen das so
rein und unschuldig dreinschaut. dann öffnen die faltigen
hände sanft den weissen büstenhalter ingeborgs. die
otmars rennen bis zum meer und stürzen sich wahr
scheinlich hinein. ingeborgs weisser büstenhalter fällt auf
den teppich. ungehört bleibt ihr raunzen.
vor einem jahr noch war heintje ein junge wie jeder
andre: hendrick nicolas theodor simons aus bleijderheide
in holland. heute ist er der kleinste unter den ganz gro
ssen im deutschen show geschäft: heintje so sein künst
lername 1.43 cm ganze zwölf jahre alt. als eines tages die
musikbox im lokal seines vaters spielte und heintje wie
so oft aus vollem hals mitsang hörte ihn ein freund des
musikproduzenten ady klejngeld und er erkannte sofort
das gold und das geld in seiner kehle. dann ging alles
sehr schnell. so schnell dass heintje bis heute nicht recht
begriffen hat warum sich so plötzlich alles um ihn herum
veränderte. ady klejngeld baute den kleinen sänger zu

einem top star im showgeschäft auf und produzierte
schallplatten mit ihm die in kürzester zeit millionenauf
lagen erreichten.

ingeborg bricht in unkontrollierbares gekicher aus sie
prustet sie versucht mit der handfläche das gekicher zu
rückzuhalten das aus ihrem mund dringt ingeborg be
ginnt prustend zu lachen vergeblich versucht sie das
kichern mit den händen zu ersticken.

hellauf lacht ingeborg.

ja wo war ingeborg. auf und davon war sie. sie hatte die
gute gelegenheit benutzt um zu entwischen.

osterhase der plärrer beugt sich zittrig nieder und hebt
den weissen büstenhalter auf. die leuchtreklamen spie
geln sich auf dem schimmernden nylon. die eisscholle auf
der er treibt mit melone spazierstock und einglas löst
sich vom ufer mit einem leisen krräng treibt in die mitte
des flusses das eis ist so weiss wie der büstenhalter
links und rechts säumen weiden den fluss und andre pla
tanen. ingeborg steht abschiednehmend am ufer ihre
titten leuchten weithin grösser als der junior vollmond
oben. unten trägt sie im übrigen ein weisses beintrikot
das mehr enthüllt als verbirgt. well sagt osterhase
ich bin nicht gerade ein held ich denke es wird nicht zu
heiss werden.

heintjes mutter johanna kennt das geheimnis seines er
folges: wenn heintje singt singt er für mich sagt sie. ge
wiss jeder junge liebt seine mutter und viele haben auch
eine nette stimme. aber heintje hat das was man herz
nennt. und das fühlen die menschen wenn er mama singt.
inzwischen ist heintje mehrfacher millionär. aber er kann
keinen gulden von seinem vermögen verbrauchen. das
konto ist bis zu seinem 18. geburtstag gesperrt.

heute abend tritt heintje gleich dreimal im goldenen
schuss auf: mit heidschi bumbeidschi klingglöckchen klin
geling und im finale zusammen mit udo jürgens den er
ebenso wie die beatles aus den hitparaden verdrängt
hat. pause.

rastlos mit federnden schritten marschiert osterhase in seinem arbeitszimmer auf und ab. endlich bleibt er vor einem riesigen spiegel stehen macht front zum kristall glas und beginnt sich zu betrachten. er erblickt einen grossen knochigen breitschultrigen mann von dezenter eleganz. einen mann an dem kein gramm überflüssiges fett ist der mit einem gewaltigen brustkasten und immer noch harten muskeln prunken kann. einen mann von ge sunder gesichtsfarbe. alles in allem einen mann der bei gedämpfter beleuchtung wie ein jugendlicher 45er wirkt.

ingeborg klebt im eis fest wie eine hucheissa die schul tern bis hinunter zum bauch stecken in einer riesigen eis scholle unter heissem elektrischen licht ihre lungen atmen schwer wie presslufthämmer. ihr todesatem kalt wie der nordsturm treibt luxusdampfer weiter südlich. jedoch innen in ingeborg ist es stockfinster obwohl alle lichter brennen.

wo war all die fröhliche überlegenheit des osterhasen hin? er neigt sich zu ingeborgs büstenhalter herab und verbirgt das glühende gesicht in den blonden achsel locken.

potztausend seine frische stimme klingt ja ganz heiser. macht das die erregung?

peter alexander der für den film zum teufel mit der penne gemeinsam mit heintje vor der kamera stand ist von der stimme des holländischen wunderknaben sehr beein druckt. wenn er mit seinem tenor durch den stimmbruch kommt wird er ein zweiter benjamino gigli sagt er anerken nend. der stimmbruch ist es auch der heintjes holländi schem manager ady klejngeld sorgen bereitet. das schlimmste ihm bleiben so viele temen verschlossen. er kann nicht von cowboys liebe und legionären singen.

osterhase steht salutierend auf der eisscholle seine gelbe banane ähnelt seinem lockichten schweller so spielt der wind mit ihr.

ingeborgs herz tut zum zweitenmal einen freudensprung. ihr gesicht zeigt einen zufriedenen ausdruck. warm riecht osterhases dunghaufen auf dem eis. was ihm noch fehlt ist ein gewehr zu seiner turistenausrüstung herrlich sein herz hüpft vor seligkeit. pause.

ingeborg wirft im gleichen augenblick ihre fraulichen fang leinen aus die von dem rabenhaar und den grossen un schuldigen augen von den schutzbedürftigen schultern und dem formvollendeten körper ausgehen in die sich osterhase bereits verstrickt hat.

jetzt erst wird ihm klar dass etwas geschehen muss. der mundvorrat reicht bei sparsamer einteilung höchstens noch zwei tage. bei jedem schritt wackeln seine fetten hinterbacken und die banane wackelt mit holla & ho.

osterhase setzt die stahlsäge ein als er keinen andren ausweg mehr sieht. er sägt wie ein besessener. das werk zeug ist von fantastischer qualität. die säge frisst sich in das eis als wäre es aus holz. er hat nicht die geringste ahnung wieviel zeit ihm für seine arbeit bleibt. osterhase sägt den ast ab auf dem er sitzt.

eine unerklärliche innere unruhe hat ihn erfasst ein ge fühl das ihm sagt die entscheidung wird in den nächsten 24 stunden fallen.

auch ingeborg die mit lichtgeschwindigkeit irgendwo ent langgleitet erinnert sich an den mann ganz genau. als man sie später befragt kann sie präzise angaben machen. mit argusaugen wacht osterhase über seine feinschmek kerbanane. pause.

in ungewöhnlicher nachdenklichkeit macht sich osterhase den rucksack auf dem rücken davon taucht mit seinem herausgesägten eisstück bald auf und macht sich auf den weg zur stadt. ingeborg sein guter stern sein guter geist & engel fliegt hinter ihm drein. pause.

er bricht ab sieht drüben jenseits der kältemauer die augen des mädchens grösser werden ein erwartungsvol ler glanz huscht über ihr gesichtchen.

aber da versinkt sie auch schon LEBLOS in den tosenden wassern.

63. kapitel mit vergnügen

mit vergnügen habe ich ihren farbbericht über h. j. kuhlen kampff gelesen und ich pflichte ihnen hundertprozentig zu dass kuli in dieser sparte wirklich unser bestes stück ist. nur in einem punkt kann ich meine meinung nicht zu rückhalten. sie schreiben dass die herren kuhlenkampff und jente der meinung sind es gäbe weit und breit nie manden der in der lage ist einen quiz charmant und erfolg reich durchzuführen. wo suchen die herren den passen den mann? etwa bei einem quizmaster nachwuchswett bewerb? sie finden dann jemanden der in diesem beruf keinerlei erfahrung hat und von dem dann ein perfekter kuhlenkampff erwartet wird. warum schauen sich denn die herren nicht einmal im kreis der deutschen conféren ciers um?

otto verbarg sein gesicht in den händen. tränen der freu de und der ergriffenheit weinte er als er die vielen schö nen vorführungen sah. tränen der freude und der ergrif fenheit weinte er als er die vielen schönen tanzi tanzi sah.

auch otto das mädchen neben ihm schien es zu ahnen. eine nervöse unruhe hatte von ihrem ganzen körper be sitz ergriffen. ihre hände kneteten einander dass die ge lenke knackten. kaum fünf sekunden lang blieb sie in glei cher haltung. sie beugte eine brücke im stehen die knie auseinander und aufmerksame helle augen die jedem besucher fragend & forschend entgegensehen.

augenblick der polizist vertritt ihm den weg.

es war ein junger bursche. otto kennt die art frisch von der polizeischule & scharf wie ein terrier. er sieht es an den augen den schmalen lauernden augen.

langsam blicken die die front gegen ihn machen in ottos augen getrübt von einem schweren schicksal hart und doch sanft entschlossen und doch um vertrauen bittend.

strahlende triumfierende mädchenaugen schliessen sich für immer unter dem ungeheuren ansturm genagelter stiefel die alles zu brei stampfen was ihnen unterkommt der sehnerf ist zerstört und alles andre hängt nur noch an wenigen fasern ein leeres lebewesen schwimmt in der kloake. nun konnte sie die beiden polizistenpausbacks tüchtig auslachen. sie lernte schnell. sie wurde schnell erwachsen. sie war kein kind mehr jetzt nicht mehr.

64. kapitel kasperl bleibt stumm

kasperl bleibt stumm stehen die klinke der tür in der hand. also auch du sagt er schliesslich. luci nugget öffnet die lippen zum sprechen aber kein laut kommt aus ihrem mund. angst leuchtet aus den grünen augen hat das sonst so lebendige gesicht erstarren lassen.

hätte er selbst besser gehört als es der fall war er hätte doch kein lachen und kein scherzen vernommen wenn luci die treter spreizte. eher ein ungeduldiges würgen eine recht traurige musik. jetzt sieht es auch wieder sauber und wohnlich aus. in dem frisch tapezierten schlaf zimmer stehen freundlich bemalte möbel die sich sehr gut machen. lucis kinderzimmer leuchtet in seinem neuen weissen anstrich. und wenn auch der schneller der frucht roller lucis nicht wieder zum leben zu erwecken war wo zu gab es denn einen osterhasen? der würde schon für ersatz sorgen. was dort heraustropft stockt sich sammelt und wieder rahmig mild aus lucis bewaldetem schlittel tropft ist himbeereis zitroneneis. mit aaaah fingerspitzen putzt sich luci die gescheideflüssigkeit aus dem unter kelch. und die ganze fröhliche gesellschaft schaut zu wie luci mit gelacktem zehennagel mr nuggets raimund zwickt ein scharfes lächeln um den so süssen mund die augen die nichts von jung sein wissen. von früh bis spät sind die polizisten im ziwil unermüdlich auf den füssen um ihre aus dem gang gekommenen gekrösegiganten wie der in regelrechten betrieb zu setzen während luci nur am rücken liegt stöhnt und aus ihrer pussi eistüten por tioniert. ist das ein schlecken der kleinen zungen ein strahlen der kinderaugen vor luci nugget der eismaschi ne! die wenige zeit die luci von ihren hausfrauenpflichten bleibt muss so benutzt werden aber dafür schmeckt es umso besser.

welchen lebensweg sie sich auch aussuchen ohne weg weiser wird er leicht zum irrweg. unsere gesellschaft wird heute im politischen und ökonomischen bereich von kräften mitbestimmt deren studium aus alten schulbü chern jeder art nicht möglich ist. ja zur mode ja zu ber nina. immer schick angezogen sein ist wohl der traum jeder frau. wollen sie mehr über bernina erfahren wenn ja dann richten sie ihre augen auf den fenstervorhang. ein dunkler kopf schaut da um die ecke. draussen auf der strasse fährt immer der gleiche wagen hin & her. beeilt euch. diese leisen eindringlichen worte werden mit einer hastigen handbewegung abgetan.

kasperl der neuankömmling dreht luci einfach auf den rücken schlägt ihr mit der flachen hand brutal in den schnapper dass ihr gleich alles vergeht und melkt erst recht ganze fruchtkugeln eisklötze aus ihrer klipp & klar. in dem völlig nackten raum sitzt die lucifrau in einem weissen rollkragenpullover auf einem zahnarztsessel zwi schen den beinen eine geblumte sammeltasche für die hohe schule der imponierer. nach einem kurzen rund blick bei dem kasperl das gefühl nicht los wird beobach tet zu werden geht er durch den torweg auf den hinterhof. schon von weitem kann er die holdseligen boxer hören das klatschen der schläge gegen lucis brustbälle und eiersäcke und das trampeln der beine. ein halbstarker in einem verblichenen offenstehenden hemd steht vor dem eingang zu luci. in der einen hand eine flasche cola in der andren einen öffner. er schielt kasperl kauend ent gegen tritt beiseite und rülpst friedlich als er vorbeigeht.

der warme blick der kasperls worte begleitet muss wohl alle bedenken lucis zerstreuen denn sie nimmt mit fro hen augen auf dem gestühle platz. die burschen schwir ren bereits munter wie insekten umher. luci nugget schreit nicht sie wartet. und das ist das schreckliche. das mädchen sagt kein wort als kaspi ihre fesseln löst. zieht sich schweigend an. läuft weg. schreit vom gartentor her wir wollten nur spielen und lächelt lächelt zum erstenmal mit diesem diabolischen grinsen diesem schiefen verzie hen der lippen. der arzt sagt es kann sein dass es wirk lich nur ein spiel war. aber sie müssen genau beobach

230

ten. es gibt keine gnade weder für sie noch für mich. ge
wiss ist es gestern abend spät geworden luci das beste
zeichen dass es wieder so hübsch war wie stets meint
kasperl liebevoll als er ihren fleischwolf aufdeckt und vor
zeigt. ein schatten fliegt über lucis offenes gesicht. du
erzählst uns heute mittag ausführlich. jetzt lauf mein
kind. der gute kasperl half der eiligen noch aus den
schützern. luci findet keine zeit mehr die beruhigende
antwort abzuwarten sie ist bereits befestigt.
schweissgeruch schlägt ihnen entgegen. knarrend pen
delt die tür aus. niemand beachtet sie.
3 ringe haben sich aufgebaut. in jedem ring tänzeln ein
paar boxer zum aufwärmen herum. luci spreizt die beine
und kneift die augen zusammen. kasperl sitzt wie ge
lähmt glaubt zuerst nicht richtig verstanden zu haben
aber da ist die zärtliche hand an seinem hals da sind die
gleitenden tastenden finger er spürt die sanfte bewegung
hinter seinem rücken spürt ihren atem in seinem
nacken ihre lippen jäh auf seinem hals. er wendet den
kopf sieht lucis gesicht ganz nahe sieht in die grünen
augen in denen jetzt keine angst mehr ist nur noch erwar
tung flehende bitte keine angst mehr vor osterhase aber
angst vor der einsamkeit.
luci nugget ist also eine riesige tüte fruchteis jeder darf
sie lutschen selbst der papst in rom und der osterhase
auf dem feld der arbeiter in der fabrik & der bauer auf
dem feld und der president der vereinigten staaten eben
so wie batman robin und superman selbst der papst in
rom leckt an luci nugget!
ja dann wird wohl heute nichts mehr aus dem vanille
werden das klingt wirklich erschreckend ernsthaft. aber
kasperl hat das kleine zarte ding schon aufgehoben
und hoch in die luft geworfen dass sich das weinen in
lautes gelächter verwandelt. dann fängt er sie 500 meter
über dem erdboden wieder auf zuerst den kopf dann
rechte hand linke hand linkes bein rechter fuss splash
fliegt lucis quallenkörper in den himbeersaft. sie sagt es

war nur ein scherz. langsam steigt röte in ihre wangen flammt in ihrer stirn hoch die lippen beginnen zu zittern. kasperl packt sie beim handgelenk. sie fällt gegen ihn ihr mund saugt sich an seinem mund fest noch nie hat ihn eine frau so geküsst so wild so gierig so verzweifelt. und ob das schmeckt. kasperl leckt mit der spitze seiner rosigen zunge jedes krümel auf kein staub bleibt am teller. lucis chromglänzende scheide ist ein langes rohr bei dem nur eins fehlt die stelle zum lachen. kasperl fin det nämlich keinen spass dran im gegenteil. sein penis schimpft innerlich in luci wie ein rohrspatz.

dann spritzt eine sodafontäne über das grosse grosse auto eine kette von polizisten soll demonstrationen ver hindern einige burschen und mädchen lecken sich die lippen nach lucis speiseeis. reden wir offen. schuppen sind unästetisch grässlich. mit schuppen wirkt man un gepflegt. also gehen sie den schuppen an den kragen ganz einfach ganz angenehm und ganz ganz gründlich. luci ist die kommende superfrau. sie schmeckt einfach nach mehr. sie schmeckt einfach nach mehr nach viel MEHR! unter trommelwirbel und der mit einem pauken schlag einsetzenden musik steppt luci über die bühne. graziös schwebt sie durch den raum fast ohne den boden zu berühren. wie fasziniert starrt kasperl sie an. sie legt zuerst einen wilden flamenco auf die bretter danach einen bolero und zuletzt einen walzer. ihre glatte weisse haut steht unter dem grellen licht als plötzlich die musik aussetzt. das licht erlischt und der beifall braust in dich ten wellen auf. grossartig. wirklich grossartig sagt kasperl atemlos. by jove hat die frau formen. er steckt sich eine neue zigarette an. das deckenlicht flammt wieder auf in roten tönen.

kif

luci öffnet ihre rosee geschminkten lippen zu einem lau ten schrei aber alles was herauskommt ist ein röcheln. ihre augen weiten sich unnatürlich und flackern. hinter lucis lippen verschwinden esswaren mit rasender schnel ligkeit. in lucis kopf tickt ein unsichtbarer wecker der ihr sagt was gut ist und was schlecht. verwirrt nimmt luci die glückwünsche entgegen. sie hat keinen der männer je zuvor gesehen. luci ist ein mensch dem reichtum einfluss und macht gleichsam in die wiege gelegt wurden. der rie sige vierschrötige revolutionär sieht sie mit einem besorg ten ausdruck in seinem breiten bauerngesicht an. kasperl hingegen ist ein verkommenes subjekt dem ein men schenleben nichts gilt.

in lucis augen steht der tod. kasperl sieht es genau.

kif.

kasperl nimmt luci entschlossen bei einem schopf ihres dunklen haares mit der andren hand nimmt er ihre füsse und biegt beides zu einer lebenden schlinge aus kraft elastizität und fleischgewordener musik zusammen. luci hört alle engel singen. aber was aus dieser schubkarren fahrerin aus dieser brustmeisterin herauskommt gehört in erster linie den kindern den armen alten und kranken. plobb. luci nuggets schnute verliert einen ganzen koloss icecream mitten im allerheiligsten. der papst in rom be merkt es mit schrecken. was von ihr zurückbleibt ist nichts als eine verschleimung der allgemeinheit.

während kasperl ein volkslied das er noch von der mut ter frank zappa her kannte vortrug trat er zur veranda hinaus. war es das schöne lied oder die komplizierten orgasmen lucis was ihm die tränen in die augen trieb?

mit meinem alten leben bin ich fertig sagt er.

stockschläge auf das gesäss können früherotische gefüh le auslösen. kinder die mit stockschlägen auf das ge säss bestraft wurden haben im späteren leben häufig sexuelle schwierigkeiten. viele von ihnen werden sogar abartig. mit einem schmatzenden laut den kasperl nie in seinem leben vergessen wird fällt luci aus sich heraus und landet weich auf dem teppich. hilflos in den klauen des eismenschen. ich bin empört über ihre bilder von den gerösteten affen. müssen sie solche bilder bringen? lina froitzheim (mannheim).

65. kapitel batman robin superman starten

batman robin superman starten sausen los und purzeln unter wildem geschrei schliesslich durcheinander dass man in diesem lebenden bündel aus köpfen leibern und gliedmassen keinen mehr richtig erkennen kann. batman steckt robin seinen läuter in das weitgeöffnete maul und drückt zu bis es ihm kommt robin wird von dem andrang blau im gesicht. und was ist mit superman selbst? auch er ist nicht faul gewesen. hakt er sich doch mit seiner pow wow superkraft in batmans überraschend kleinen eggs fest und zieht so dessen ganzen hin & herbaumler in die länge trampelt darauf herum. robin der schwäch ste dieses kleeblatts muss sich umso kühnere spässe ausdenken. zur zeit aber genügt es die hinterfalten bat mans und supermans mit riesentermiten vollzufüllen bis beide vor schmerz voneinander ablassen und jeder dem andren die schmutzfalte ausleckt sowie kühlt. zur strafe kniet sich superman auf robins hals und batman beisst mit schneeweissen zähnen den winzigkleinen schnipfel der da schutzlos vor ihm liegt einfach ab. robin brüllt wie am spiess nach seinen verstorbenen eltern. wo früher seine schönung war ist jetzt nur mehr ein blutiges tiefes loch mit dem noch weiter derber schabernack getrieben wird bis der rote lebenssaft aus robin entweicht. oh zap! den leichnam ihres kameraden in der mitte zieht es die gi ganten der lüfte hinauf zu den testpiloten den raketen den superbombern hinauf mit gebutterten kufen ihrer schlittschuhe zu den adlern. batman robin superman star ten sausen los und verschwinden bald hinter einer dich ten wolkenschicht.

berlin kochstrasse 50: ein gigantisch wirkendes hoch haus erhebt sich aus einem öden gelände empor auf dem nur einige ruinen und halbverfallene häuser stehen. der koloss aus glas und stahl ein architektonisches wun derwerk ist nicht nur ein neues wahrzeichen unmittelbar an der trennmauer sondern mehr noch das bekenntnis

234

eines mannes zur geteilten deutschen hauptstadt. sein vorläufiges ziel hat der mann erreicht.

batman hat sein schlafendes nesthäkchen bereits nieder gelegt. robin muss nun unweigerlich ins bett ihm fallen schon die augen zu. es war ein langer anstrengender tag aber ein wunderschöner. so geschieht es dass an einem kinderbettchen batman mit robin betet. wie liebevoll mütterlich batman zu ficken versteht. und dem sollte es damit ernst sein den robin den feingliedrigen zu salzen und zu schmerzen? superman muss vor sich hinlachen. da kennt er ihn entschieden besser!

ein andres mal wieder ist es superman der die kamera den zu einem neuen streich verführt. mit einem gutmüti gen grinsen lässt er batman thuddd! an seinem eigenen klauenbewehrten sucher & finder griff nehmen und vor turnen während robin wieder sich an batmans schwanz festhält. dieses lebendige monstrum rast mit überge schwindigkeit durch raum und zeit. mit einem einzigen finger lähmt es alles was ihm in den weg kommt. super man macht sich manchmal über robin lustig zu batman würde er nie so sprechen denkt der kleine und beisst sich in die lippen um die aufsteigenden tränen zurück zuhalten.

ich glaube der kern liegt irgendwo anders. er liegt bei dem menschen axel springer selbst der sich scheut in die öffentlichkeit gezerrt zu werden und der persönlich nie etwas aus sich gemacht hat. dass er ein erfolgsmensch ist weiss man. an keinem menschen geht der erfolg spur los vorbei. sie werden durch erfolge besser oder schlech ter. die erfreulichsten sind jene die durch erfolg besser werden. ernst erfolg und bedeutung von axel springer er fahren noch eine bereicherung durch seinen echten scharm.

robin schliesst die augen erwartet den aufprall auf die strasse. aber batman reagiert schneller. er reisst robin zurück in den rasenden wagen. sein griff ist brutal rück sichtslos. verdammter puppenbub keucht er mit wutent

stellter stimme. seine linke hand schiesst vor und zieht
die wagentür ins schloss. dann schlägt er den kleinen
zweimal ins gesicht und in den nabel. das machst du
nicht noch einmal stösst er hervor. robin weint nicht.
starr aufgerichtet sitzt er da die augen blicklos gerade
aus gerichtet das gesicht schlohweiss. aber in seinem
inneren tobt es. mehrere innere organe sind verletzt
andre nur gedrückt. aber das genügt um den jungen die
zähne zusammenbeissen zu lassen. superman verliert
indessen die nerven nicht. er weiss es ist strafbar was
er da tut.
ein mammut konzern eine macht. springer hat eine mono
polstellung so kann man es allenthalben lesen oder hö
ren. alles was springer tut wird von seinen kritikern in
der öffentlichkeit kommentiert zumeist auch kritisiert. drei
eagles stossen zugleich vom himmel herab und geleiten
die intercontinental rakete hüllen sie ganz ein in ihren
mächtigen schutz. seine nervöse unruhe hat von robins
ganzem körper besitz ergriffen. seine hände kneten
seinen spatzen dass er knackt. kaum fünf sekunden lang
bleibt er in gleicher haltung sitzen. er stemmt die füsse
gegen die lehne als batmans starker muskelmund zu
schnappt und zu saugen beginnt. sind wir nicht bald da?
sind die einzigen worte die er spricht. gleich antwortet
batman nicht zu knapp. er hat nur augen für seinen
schmutzig gewordenen zeigefinger den er wie eine kreis
säge in robins scheide bewegt. der junge bursche der
nicht den mund aufzutun wagt macht ihm spass.
mit angewinkelten armen geht superman zum scherz auf
batman zu. der lässt ihn kommen.
und im blick zurück macht es a. s. alle mitarbeiter seines
hauses dürfen ihn mit diesen anfangsbuchstaben nennen
noch heute spass dass er mit seinen reportagen oft ge
nug schneller war und mehr wusste als die hochdotierten
kollegen aus hamburg. springer reportiert und schreibt
leidenschaftlich. er versteht es dem volk aufs maul zu
schauen. für ihn gibt es keine nacht und keinen sonntag

wenns der beruf erfordert. batman führt einen schein schlag aus reisst supermans deckung auf und ist plötz lich mittendrin in robins gedärm der hat sich dazwischen geworfen. genau wie er es früher gelernt hat. sein ge wicht kommt ihm batman zugute. robin ist nur halb schwergewicht. batman hat ein paar kilo mehr in seinen fäusten. das was robin an technik aufbringt kann er damit ausgleichen. seine hand ist blutig noch ehe er sie zu rückziehen kann.

danach gehen die freunde ins badezimmer um sich zu pomaden und aufzukämmen von den schwierigkeiten des tages. batman schnürt robin vorsorglich seine fesselhose über die schenkel glättet ihm das reiche haar schützt seinen empfindlichen betrieb mit den eigenen händen. superman trainiert mit gewichten sein helmut allein schafft supergewichte wie niemand sonst. batman sitzt in gedanken versunken während er robin bei seinen noch kindlichen spielen maunzen sieht. so schnell lässt er sich nicht abspeisen.

allein hansemann hatte volles verständnis für derlei din ge weil er auf der andren seite wusste: der springer macht das rennen! jenes rennen das sein schüler dann wirklich machen würde konnte auch er nicht voraus ah nen.

robin rutscht über den sitz schiebt sein gesundes bein zum wagen hinaus wimmert als er das verletzte bein nachzieht. stossweise kommt der atem aus seinem mund. seine brillengläser glänzen stumpf vor schweiss der sich auf ihnen niedergeschlagen hat. batman packt ihn um die taille schleppt ihn unter seinem gewicht wankend in den trainingsraum schliesst die tür. sorgsam betastet er die kranken stellen vergisst aber bald den grund seines hier seins und stösst von neuem ZU! er reibt robins pimmel an seinem schwarzen hemd ab. robin erwacht am näch sten morgen mit schmerzendem kopf. gewiss hat er zu viel kuchen gegessen.

66. kapitel verlassen wir nun

verlassen wir nun unsre freunde otto und manuel maria ingeborg wondermaid tuli kupferberg und die vielen an dren die uns so lange treu begleitet haben. am schönsten ist es doch im eigenen nest! verlassen wir maria die ihren o. noch immer an ihr federkleid drückt und mit ihm durch die dünen am flussufer läuft durch das land der mordweide. das ankleiden geht ebenso mechanisch wie das ausziehen.

als der richter brian jones das erste mal wegen eines rauschgiftdeliktes verurteilen musste sagte er zu ihm ich will sie hier nicht wieder sehen. geben sie acht auf sich. der richter sieht brian jones erst viel später wieder. aber in welchem zustand.

es herrscht eine allgemeine ausweglose traurigkeit um diese jugend. sehen wir uns noch einmal unsre freunde an wie sie hier am rand des einzigen grossen schlacht feldes stehen und maulaffen feilhalten. statt sich sinnvoll am aufbau zu betätigen.

also machen sie jetzt mal die augen auf und sehen sie sich das an dann werden sie diese worte nicht wieder holen. unter tränen blickt der osterhase auf oswald und helmut die wagemutigen schifahrer und kampfpiloten die ihn wieder mal nicht mitgenommen haben überhaupt in der luft kein vogel kein garnichts.

ringos gesichtchen ist ganz verschmiert aber noch immer schleckt der kleine kerl an seinem himbeereis das ihm eine frevlerische hand schon längst vom mund geschos sen hat. auch seine finger sind nur mehr stümpfe und knochen. er sieht so aus als könnte er das alles gar nicht fassen. als könnte er es nicht verkraften.

die tür öffnet sich ein junger schöner (schöner) mensch steht in ihrem rahmen. er verbeugt sich liebenswürdig beim anblick luci nuggets der jungen dame. erst beim zweiten hinschauen merkt er das kreisrunde loch in ihrer stirn. gnädiges fräulein? kann ich bitte den schef spre

238

chen? der bin ich selber gnädige miss. darf ich bitten einzutreten. willenlos folgt luci dem ledernacken.

es war ihnen als ob die stille stunden dauerte. dann hö ren sie wie sich schnelle schritte der türe nähern. am lieb sten wären sie geflohen aber es ist schon zu spät.

plötzlich fühlen sie alle die hand des white giant auf ihren schultern. plötzlich spüren sie alle die harte hand des white giant auf ihren schultern. und sie stehen da & müssen mit hungrigen augen zusehen! dem gefecht.

67. kapitel aber wie sah der white giant aus

aber wie sah der white giant aus! sein nackter körper war von zuckenden katapultpflanzen umschlungen. nur das gesicht schaute aus dem schlangengleichen gewirr hervor. die lippen waren bläulich verfärbt die haut ge rötet. aber die augen blickten klar und ungebrochen.

micky fühlte unbändigen zorn in sich aufsteigen. mit sei nen telekinetischen kräften riss er die katapultpflanzen vom körper des white giant und zerstrahlte sie mit einem flammstoss aus seinem strahler. danach wollte er den riesen zur seite ziehen aus dem unmittelbaren gefahren bereich in die mitte der kuppel heraus.

doch da ertönte ringos gellender kampfschrei. die maus fuhr herum. überall in den wänden des pflanzendoms öffneten sich spalten. mit kontaktalgen behangene botas ergossen sich in die halle und begannen sofort aus ihren strahlwaffen zu feuern.

aber micky lässt nicht locker mit seinen schwachen mäu seschultern stemmt er sich dem giant ins kreuz stützt ihn mit der ganzen kraft seines körpers vorne am gierfahrer hilft minny nach zieht horuck die andren freunde setzen ihren willen und ihre überzeugung ein so schaffen sie den white giant dem das blut geht und kommt über den acker zwischen die heulenden einschläge und jaulenden querschläger auf den kartoffelacker emmanuels gegen ende des kriegs. das muss man erlebt haben. ihr habt das nicht erlebt also könnt ihr nicht mitreden meint der riese als er wieder etwas zu atem kommt. aus der ferne winken die kameraden ganz in ihre schutzkleidung ge hüllt. in dieser vermummung sieht einer wie der andre aus.

der white giant lauscht und glaubt jemanden atmen zu hören. um ihn zu täuschen dreht er den kopf seitlich und presst den mantelärmel gegen den mund. dann gurgelt er kurz und stöhnend. die pistole in der einen die lampe in der andren hand wartet er auf den weiteren angriff.

240

er kam. ein leises knacken seitlich von ihm zeigt deutlich
dass er seinen standort nicht genau hat ausmachen kön
nen.
den ganzen tag über hat der weisse riese sich angekotzt
beschmutzt todgezwitschert. jetzt liegt er in seinem bett
zu schwach sich umzudrehen halb auf der reise halb da
und schaut auf die eine verdorrte blume. sein ganzes
leben zieht in diesen augenblicken an seinem geist vor
bei. eigentlich war ihm dieses leben alles schuldig geblie
ben. er wendet den kopf. es sind nicht mehr viele fussgän
ger unterwegs. zwei männer die auf ihn zukommen ma
chen erschreckte gesichter und kehren hastig um. plötz
lich ist der gehsteig wie leergefegt. micky kann trotz häu
figer gleitversuche seine schlittschuhkufen nicht mehr
fahrtüchtig machen. ratlos rutscht er hierhin & dorthin
während die gestalten seiner todfeinde immer näher
kommen. jemand hat zacken in die kufen seiner schlitt
schuhe gesägt. in den feuchten lehm wühlen sie sich ein.
aus der grünlichen dämmerung schimmerte plötzlich ein
kleiner fleck blauweissen lichtes. der white giant verhielt
ruckartig seinen schritt. er wusste sofort dieses blau
weisse licht war ihm feindlich gesinnt. wenn er in seinen
bann geriet war er verloren. doch dann presste er die
lippen zusammen dass sie hauchdünnen weissen stri
chen glichen und schritt geradewegs auf den leuchten
den fleck zu. zuerst sah es aus als schwebe das leuchten
schwerelos in der dämmerung.
aber je höher der giant kam umso klarer erkannte er
dass es aus einem tor am fusse einer unübersehbar ho
hen felsmauer drang. er atmete heftiger. von dem leuch
ten schien ein lähmender einfluss auszugehen. schauer
jagten durch des giants körper. es wurde immer schlim
mer je weiter er sich dem leuchtenden tor näherte. dann
stand er nur noch einen schritt davor.
micky kam auf ihn zu. er war ein wenig kleiner als er aber
wuchtig gebaut. links am kinn hatte er ein kleines mut
termal. seine augen waren dunkelbraun und blickten ein

bisschen stupide. er schiesst vor wie eine hungrige ratte. er zieht seine augen zusammen dass sie nur noch winzi ge schlitze sind. aber darin glitzert es düster.

so steht er nur ein tuch um seine hüften einen gelblich bronzenen schimmer auf seiner haut nachdenklich unter diesem ungeheuren fickigen himmel wovon der schnee lautlos in die tannen fliegt. aus mannigfaltigen schorn steinen dringt mannigfaltiger rauch. die äste biegen sich unter der kalten weissen last männer mit fackeln gehen durch den wald zur feier der hl. kristnacht das leuchten in ihren gesichtern verstärkt sich einer legt dem andren die hand auf die schulter.

die 3 paddler schwebten waagrecht über dem boden. ihre köpfe befanden sich dicht vor mickys gesicht. die maus konnte in ihrem mienenspiel lesen wie in einem aufgeschlagenen buch. sie sah wie die übelkeit des un freiwilligen fluges daraus wich und ungläubigem staunen platz machte. wenige schritte vor ihren vermeintlichen todfeinden schienen die drei paddler gegen eine unsicht bare mauer zu prallen. sie schrien vor entsetzen doch sie gaben nicht auf. mit dem mut der verzweiflung rann ten sie gegen den telekinetischen widerstand an. als ih nen das nichts nützte wandten sie sich wie auf komman do um und versuchten ihre waffen zu erreichen. micky knurrte unwillig. die paddler stiegen plötzlich kerzen gerade in die luft. in etwa hundert metern höhe begann nen sie sich wie kreisel zu drehen. genau in dem augen blick als sie die orientierung verloren und es ihnen so übel wurde dass sie sich beinahe übergeben hätten san ken sie wieder herab. wie durch wallende nebel hindurch sahen sie das spitze gesicht der maus vor sich. der white giant streckt den arm aus. mit einem ruck reisst er micky aus dem sessel. lassen sie mich los protestiert der kleine mann. in diesem moment trifft ihn die faust des giant. micky fliegt quer durchs zimmer gegen die wand. die fei nen käsekekse ergiessen sich über die beiden wie war mer sommerregen. helmut hängt wie ein klarer mond in den zweigen sein fühler dringt durch alle falten und ritzen von mickys sonntagsgewand zart und wesenlos. radio musik der ausgekotzte white giant in der badewanne noch immer die verdorrte blume in der fühlsamen hand.

der giant wusste mit nie gekannter klarheit dass dieser stein kein todbringer war tod brachte er nur dem un würdigen. dem würdigen aber gab er unvorstellbare macht. und dann tauchte eine rötliche flamme auf. sie glitt auf ihn zu und wich nicht aus als er den stein hob. mit mildem licht brannte sie weiter. dann begann sie einen seltsamen tanz. sie schwebte ihm voraus kehrte zurück wartete bis er sie eingeholt hatte und schwebte erneut vor ihm her. da verformte sich die flamme schien zu einem spitzen gesicht zu werden aus dem ihn zwei runde augen bittend ansahen.

ausser seinen händen und seinen lungen gibt es für den white giant nichts entscheidendes. nacht umzieht ihm die augen. weiter fallen die flocken auf helmuts gebirg & tal. in seine gefährliche lichtlocke. HAT IHM JEMAND DABEI GEHOLFEN?

68. kapitel müssen diese

müssen diese schläge die so sehr schmerzen überall auf meinen eiern in den eingeweiden meines kopfes sein? müssen diese quälenden schmerzen die mich zu eis er starren lassen wirklich sein? müssen die unvorstellbaren wisionen sein die mich brechen lassen bis zum morgen? frank zappa castrop rauxel

69. kapitel

let there be more light! fordert einer aus der runde. aber
alles was brian jones darauf antwortet ist:
DREHT ENDLICH DAS LICHT AB!

70. kapitel die namen derer die still an der sitzung

die namen derer die still an der sitzung teilgenommen haben ohne wortmeldung: philip whalen john wieners lawrence ferlinghetti.

ringo trinkt weiter aber er wird nicht betrunken. er stellt die flasche hin wendet sich paul zu lässt seine hand über die weiche haut des nackten oberarmes gleiten. er fühlt das warme leben unter seinen fingern.

be kind to the names of heroes lost in the newspapers! sie nehmen es mir nicht übel paul mc cartney wenn ich ihnen sage dass sie diesen schönen körper besitzen. ich habe ihn oft genug bewundert wenn wir zusammen beim schwimmen waren. hastig wirft paul die kleider vom leib dann stellt er sich vor den spiegel. mit einem aufschrei wendet er sich ab. schnell hat er die kleider wieder über gestreift. dann sitzt er lange regungslos.

offenbar hatte der stülplipper gerade gefressen denn sei ne unterlippe war weit vorgeschoben. sie ruhte wie ein riesiges blatt auf der oberfläche des sumpfes. entweder besass das tier eine gewisse intelligenz oder sein instinkt liess es die verwundbare stelle erahnen. otto spürte wie das fahrzeug von einem heftigen ruck erschüttert wurde.

otto und otto legen sich aufeinander otto hält ottos be rücker im mund streichelt heiss diesen zappelhelmut mit dem eigenen einschiesser tröpfelt mund an mund um nicht ottos fehlenden vorderzähnen zu verfallen seinem schlechten atem ausgeliefert zu sein. otto liebt otto mit abgewendetem gesicht. i am king of may der mit der ju gend schläft bevor ein fetter polizistenjunge zwischen unsre körper tritt.

aber der gedanke sich einem mann hüllenlos zu zeigen entsetzt paul. so so würde er auch einmal da hängen den blicken aller menschen preisgegeben. dürfte ich ihren körper sehen? dem maler wird es ein wenig unbehaglich. er sagt ziemlich kurz: bitte wollen sie sich auskleiden dort hinter dem vorhang. mechanisch legt paul mc cart ney ein kleidungsstück nach dem andren ab. er weiss selbst kaum was er tut. sein herz klopft so stark dass er ein wenig taumelt als er hinter der wand hervortritt. mit niedergeschlagenen augen steht er regungslos da. luci nugget lacht perlend auf und schleudert ihr cola glas gegen die wand. mit einem silberhellen klang fallen die glitzernden splitter auf den teppich. lucis körper wiegt sich nach der melodie eines uralten tanzes. ihr mund verheisst begehren und erfüllen gleichzeitig. luci sprudelt vanilleeis aus ihrer fotze die mehr tief ist als breit. der nazi spuckt nur aus. er reibt sich die schweissfeuchten hände an der hose ab. er wartet auf einen befehl.

röte und blässe wechseln sich auf seinem gesicht ab er weiss nicht wohin er zuerst schauen soll. dann jedoch sieht otto den kopf eines stülplippers nur wenige meter vor dem floss aus dem sumpf ragen. die kleinen augen des tieres starren die eindringlinge an. nur mit mühe kann er den entzückten ausruf unterdrücken als er paul mc cartney vor sich stehen sieht. ein wunderwerk der natur steht vor ihm das sieht sein künstlerauge auf den ersten blick.

helmut der maler springt auf geht wortlos einige schritte hin und her sieht sich die wunderschöne gestalt von al len seiten an und blickt dann in das gesicht des jungen. er sieht das pulsieren des blutes sieht den wechsel von rot und weiss sieht die röte den hals heraufkriechen das gesicht überfluten langsam im nacken wieder verebben.

ich bin der maikönig der mit der jugend schläft bevor ein fetter polizistenjunge zwischen unsre körper tritt. die bei den werden noch röter als sie schon sind. sie blicken an dem glänzenden leder das ihre gelenke und sehnen durchtrennt hat und sie auf dem feuchten pflaster fest hält hinauf: der polizistenstiefel scheint bis in den him mel und noch höher hinauf zu ragen. oben quillt ein strammes bein heraus ein turnerbein. der polizist hat nur augen für seine blutig gewordenen schuhe. ach wür

246

de seine mutter böse sein! keine spur von freundlichkeit ist in seinem hartgewordenen gesicht als er auf die schmerzschreier unter sich blickt. sie erregen nur die helle verwunderung des stadtkindes.

weshalb schämen paul? sie irren sich. wenn man so schön ist wie sie muss man sich seines körpers freuen darf an nichts hässliches denken nur an den dienst den man der kunst leistet wenn man ihr diesen körper schenkt. ich muss es ihnen sagen: ihre schönheit hat mich begeistert. in meinem kopf ist gleich ein bild leben dig geworden. sie lieber paul mc cartney ohne arme und beine ja ohne kopf sogar. nur als ein einziges grosses bitten & flehen!

helmut der nazi polizist kichert und versetzt der jungen steifen kraft einen tritt. otto hebt den kopf. sein face ist verzerrt. er braucht mehrere minuten bis er wieder auf den beinen steht. er muss sich an einen baumstamm lehnen. dort wartet luci mit grossen mengen orangensaft bereit die jungen sportler zu erfrischen. das glas milch das otto bereits in der hand hält fliegt von der erschüt terung um. o weh ist der polizistenjunge sehr böse? er droht jedoch nur lächelnd. vergeblich sucht er nach an zeichen von angst in diesem blick. mit einem ruck stösst der offizier otto von sich. der mann taumelt und fällt zu boden. er steht wieder auf reinigt gemächlich seine klei dung und bleibt dann abwartend stehen. ich bin der mai könig der mit der jugend schläft bevor ein fetter poli zistenjunge zwischen unsre körper trat.

das war als john kennedy sich wie ein bulle der todbrin genden kugel entgegenwölbte. als sein breiter stiernak ken das heisse metall auffing und er in der luft erstarrte. als er hochgeschleudert wurde und jede orientierung ver lor. als er sich festhielt unter allen umständen festhalten musste wenn er diesen angriff überleben wollte. für eini ge sekunden schwankt kennedy wie ein bulle unter dem einschlag der kugel dann nimmt er seinen platz unter diesem elektrischen licht. haltet euer ohr ans fleisch und noch immer hört ihr ein ticken in den schienen die uns forttragen. überall gestrandete wale!

um die pflanze bildet sich eine wolke atomaren wasser stoffs. gleichzeitig wird es kälter. die elektrischen schock schläge hören augenblicklich auf. die pflanze fällt zu bo den rutscht über einen verbeulten rahmen und stürzt in den dschungel zurück. mit weit aufgerissenen augen blickt otto in die grüne hölle hinaus. er ahnt dass alles viel komplizierter ist als es zuerst den anschein erweckt hat. dort draussen lauert nicht nur tödliche gefahr son dern das grauen an sich. paul mc cartneys herz klopfte kaum weniger als das letzte mal während er sich aus kleidete.

ottos mond scheint ottos mund scheint auf die verküm merten finkler des fetten polizistenjungen alles schwere nimmt er von ihm weg. überall gestrandete wale! ottos mund scheint über den straffen peitschenhieb den der polizist auf ihn abgibt er hüpft ein wenig unter diesem erbarmungslosen strahl. aus ottos trümmern kriecht otto hervor. mit gebrochenen knochen schmerzenden brand wunden er hat überlebt. aber überlebt wozu? für sekun den erhellt der blitz der explosion die dächer. und immer wieder blickt er sehnsüchtig zum himmel.

irgendjemand muss doch lieben auf einem dachfirst in der SONNE. irgendjemand muss doch lieben auf einem dachfirst in der sonne. kennedys riesiger stiernacken trägt otto den stehauf turner mühsam steigt er den berg rücken hinan. trotzdem kommen noch geringfügige be lastungen dazu. die sonne bildet sich unvermittelt in der schwärze des raumes. wohin sie auch kommen: otto ist schon da!

71. kapitel ottos überlange beine

speed
ottos überlange beine scheinen sich selbständig zu ma
chen sie sind nicht mehr vom ansatz bis zu den füssen
in einem atemzug zu überblicken. schöne aussichten
brummt otto und kriecht auf händen und schwanz davon.
unruhig beobachtete maria wie der schwere mann zwei
mal fast abrutscht. sein körper scheint keine kraftreser
ven mehr zu besitzen. wenn otto an seinen überlangen
und immer noch wachsenden beinen hinunterblickt sieht
er direkt in einen beleuchteten schacht der scheinbar
endlos in die tiefe führt. speed.
maria kann sich an nächte erinnern süsser als klee. sie
fühlt ihren o. in ihrer hand wachsen und pulsieren. haucht
seinem hintern leben ein wärmt den reizer mit ihren lip
pen. sie besitzt die goldene sonne & den silbermond also
ist sie fröhlich und braucht nichts in diesem wettlauf ge
gen die zeit.
wisst ihr warum maria so fröhlich ist sie besitzt die gol
dene sonne & den silbermond.
mama o mama. verzweifelt krallt otto seine finger in den
boden. seine augen brennen. langsam will er sich zur
seite drehen. stöhnend fällt er zurück. seine endlos lan
gen beine sind auch noch dick angeschwollen gebrochen.
otto weint er hat angst schreckliche angst. maria nimmt
ihn ganz auf in ihrer unterhöhle. navaneoz niseno! stösst
er hervor. auch das noch! stöhnt maria. jetzt spricht er
indianisch mit uns. ihr ziel taucht auf. die landbrücke
zwischen der grossen insel und dem landgebiet war klar
zu unterscheiden. riesige eisberge trieben bis weit in
die südlichen regionen hinab. die fernen alpen grüssen
uns mit rot weiss leuchtenden gipfeln und weiten glet
scherfeldern. dort oben muss das leben sehr hart sein.
maria die sonne geht unter. otto klammert sich an die
sonne maria bittet verzweifelt bleib da maria geh nicht
über die landbrücke zwischen dem südamerikanischen

festland und atlantis. aber maria reisst sich los und ver
sinkt als glutroter ball im meer. der anblick ist erschüt
ternd und atemberaubend zugleich. jetzt ist otto ganz
allein & auf sich gestellt in diesen gigantischen eismas
sen. er will nach hause & macht sich auf den weg wie er
ist. das ist alles noch erträglich meint er leise. mühevoll
streckt er seinen linken arm aus sucht nach der hand des
white giant. der freund antwortet nicht er ist tot. aber was
jetzt kommt verschlägt ihnen die sprache. otto unser
jüngster plärrt wie ein kind. denn eine lange bange nacht
liegt vor ihm.

72. kapitel ein schleier scheint sich vor kasperls pupillen zu legen

ein schleier scheint sich vor kasperls pupillen zu legen. überall erblickt er moderne grossstädte die im norden und süden von den vordringenden gletscherwogen schon überrollt sind. dort unten muss das chaos herrschen. er kann sich vorstellen wie es sein muss wenn ein hoch technisierter kontinent im zeitraum weniger jahrzehnte plötzlich von der eiszeit überrascht wird.

die freunde klettern in uboote auf bäume in hochhäuser auf kirchtürme in flugzeuge in raketen aber es hilft nichts überall werden sie erreicht und eingeholt. zehn herzen setzen in jähem schrecken aus. keins von den verängstig ten kaninchen sieht wie lustig der white giant über seine brille hinweg blinzelt. er trägt heute die uniform des grossadmirals mit sämtlichen orden. rhodan kasom die führenden wissenschaftler und die offiziere stehen ne ben ihm in der hauptzentrale. er erklärt ihnen alles was es zu erklären gibt.

ein schatten verdunkelt die sonne als die burschen auf blicken sehen sie das unabwendbare auf sich zukommen. sie können heute nicht zur arbeit gehen nur sich die seele aus dem leib spucken und betrachten wie alles in schutt und asche geht. die schlauberger halten sich au gen und ohren zu verstecken die köpfe unter dem gefieder igeln sich zusammen blind & taub für ihre umwelt ver suchen ihre flaumköpfe zu verbergen so gut es geht. der white giant lacht so dass er tränen in den augen hat. auch die andren stimmen ein. nanu der giant wird vor er regung rot und sieht jeden der reihe nach an. aber sein forschender blick begegnet lauter harmlosen gesichtern. haltlos taumelt der white giant dann beginnt der rasende absturz. nun blicken auch seine augen glanzlos zur decke. sein körper steigt mit aufheulendem motor empor und überschlägt sich. die zentnerschwere vorderachse fliegt in hohem bogen davon mäht die dichtgedrängten reihen der zuschauenden trotzköpfe nieder. zugleich löst sich der riesenmotor aus seinen lagern und gelenken saust wie eine granate empor und drischt mit ungeheurer wucht ebenfalls noch in die masse. vor den augen der tunichtgute die das alles nicht fassen können löst sich der white giant in seine bestandteile auf und nimmt eini ge von ihnen mit auf die reise von der es keine rückkehr gibt. otto hält maria noch genauso wie zu beginn aber irgendetwas stimmt nicht mit den beiden. otto hat keinen rumpf mehr maria ist trächtig mit lauter schrapnellsplit tern. manuel ruft bereits zum zweitenmal durch die tür: ingeborg es ist höchste zeit du kommst zu spät kind. mit einem satz springt inge aus dem bett ja was fällt ihr denn ein hier zu liegen über dumme sachen die sich gar nicht lohnen nachzugrübeln und ihre pflichten darüber zu ver nachlässigen? aber als sie noch ihr zimmer aufräumen will wie sie es sonst tut merkt sie dass es nicht geht. dort wo vor ein paar minuten noch ingeborg war ist jetzt ein tiefes loch.

auch die die 400 meter über dem boden mit den zähnen an das seil gehängt sind entgehen nicht den totstürzen. nur batman macht so leicht keiner dumm. und dabei müs sen sie noch gute miene zum bösen spiel machen um sich nicht auslachen zu lassen. affenmensch und fleder mausmensch die beiden toppesgilt binden sich gegen seitig ihre schlackwürste vor die augen bedecken die ohren mit dem eigenen gerinnern kauern sich kriechen einer in den andren fast hinein umschliessen einander fest oh so fest. so als wollten sie sich nicht mehr los lassen.

in jeder icecreampackung in jedem fruchtsaft in jeder fotze über 50 in jedem penis über 60 in kirchen und schu len und spitälern explodiert zu diesem zeitpunkt die bombe eine kettenreaktion beginnt. batman zupft robin daher am ohr: nimm dir nur ein beispiel robin an diesem fleiss dieser peinlichen ordnung & sauberkeit und aus dauer. kannst du so etwas machen? nein gibt robin ehr lich zurück. zufrieden liebbeutelt batman daraufhin robins ausspürer und seine beiden abküsser. was sollen die freunde tun?

IN JEDER ICECREAMPACKUNG IN JEDEM FRUCHT SAFT IN JEDEM MASTURBIERENDEN PRÄSIDENTEN explodiert in diesem augenblick die BOMBE!

ein riesenkuss besiegelt die riesenfreude. robins wackler hüpft mit. batman lässt ihn in seinen fingern tanzen wäscht ihn ab und füllt ihn noch erheblich. helmuts rodel schlitten kippt um helmut selbst wird unverletzt in die fichten geschleudert wo sich bald ein lachender schnee mann erhebt weiss über & über. emmanuel kann nicht aufhören zu scheissen er liegt unter der dusche im lehr lingsheim und macht jedem eine kleine freude.

in jeder dreckigen alten zeitung in jeder frischen unter hose explodiert in diesem moment die bombe.

und immer noch fehlt turoks rundes gesicht mit dem braunen zopfkranz im kreise der freunde. da erscheint er auch schon. ein wenig abgehetzt ein wenig verlegen und ein wenig verweint. er schüttelt auf alle fragen ver legen den kopf. otmar wachst seine schi nachdem er die laufflächen sorgfältig gesäubert hat. seine zähne leuch ten weiss in dem braungebrannten bubengesicht. sein arsch hebt sich dunkel von der verwehten blockhütte ab.

in jedem barhocker in jedem uniformierten in jedem ge wehr explodiert in diesem und in keinem andren augen blick die bombe.

und wühlt die schwarzen wasser auf. und wühlt alles auf. und macht alles dem erdboden gleich.

wo bleibt denn der osterhase der kaffee wird kalt ach fangen wir doch ruhig ohne ihn an. verlangende klar augen überfliegen die einladende tafel mit den leckeren gekröseschüsseln. es klingelt da ist er! wenn es lecke reien gibt kommt unser osterhase sicher nicht zu spät so schwirrt es lustig durcheinander. micky und minny wäl zen sich in einem ungeheuren zeugungsakt über den verwundeten horizont eines schweren tages. der papst

in rom segnet diese verbindung. micky zwingt minny sich
zu öffnen. helmut streicht sich das gezauste haar mit
einem energischen ruck aus der hohen stirn. superman
weiss im moment nichts andres mit seiner superkraft
anzufangen als piloten zu fischeln.

in jedem mütterchen das sein enkelkind umarmt in je
dem vater der seine tochter geigt in jeder guten tat
explodiert jetzt und sonst nie die bombe (die bombe).

hinter ihm bleibt king kong erschrocken stehen und hebt
die schmutzigen hände zum himmel. er dreht sich um
und sieht seinen widersacher flehend an. bitte! formen
seine lippen aber seine stimme ist aus der entfernung
nicht zu hören. batman krümmt den zeigefinger um den
abzug der mpi. mündungsfeuer erhellt das dämmerlicht
des dschungels. kingkong wird von der garbe wie eine
strohpuppe zurückgerissen und fällt in den schlamm.
sein körper krümmt sich noch einmal zusammen und ent
spannt sich dann. der windhund spannt seinen schlanken
leib. mit jedem zug seiner pfoten schneidet der schmerz
messerscharf durch die schulter. unter jämmerlichem
geplärr wird goofy von der lawine begraben. helmut
reibt sich kichernd die fäuste über den gelungenen
streich. die sonnenbraune farbe lässt ihn noch anziehen
der erscheinen als sonst.

in jedem sonntagskleid das ins freie fährt in jeder wander
tasche in jedem ausflüglerrucksack & sonstwo explodiert
in diesem moment die bombe. batman fickt robin der eben
sein 12. wiegenfest feiert. er ist viel jünger als batman
und wackelt beim sprechen mit dem schleckfaden und
alle seine löckchen wackeln mit. er ist batmans ganz be
sondrer liebling. auch diesmal regt batman wieder die
fleissigen finger für ihn. er gibt ihm tanzstunde. nur müh
sam schrittelt robin vorwärts schleift den lebensklugen
batman zwischen sich fort. otmar die naschkatze freut
sich sehr über das hüpfende & tanzende geschenk. über
das lebendige geschenk. er hat scharfe falkenaugen.

in jeder guten stunde in jeder festen männerfreund
254

schaft in jedem glücklichen kinderlachen & überall sonst
wo explodiert jetzt eben die bombe. lautes lachen verhin
dert tuli kupferberg am weitersprechen. ja wir wollen lie
ber gesellschaftsspiele mit raten spielen schlägt wonder
maid vor.
DIE BOMBE EXPLODIERT! DIE BOMBE EXPLODIERT!
batman ist mit dem kleinen robin extra angereist weil der
junge unbedingt eine richtige bombe sehen wollte. und
nun das! endlich fasst er sich nimmt den jungen von den
schultern will mit ihm die stätte des grauens verlassen.
aber robin ist tot. ein splitter hat ihm die schädeldecke
eingeschlagen. viele neigen sich zu ihren lieblingen flü
stern so leise dass niemand versteht fallen um. armer
osterhase! das war ein noch schwereres stück ihn von
seinem platz auf dem baum wohin ihn der druck ge
schleudert hatte wieder in sein nest zurückzubefördern.
zwei müssen an jeder hand ziehen zwei von hinten nach
helfen so gelingt es allmählich den steifknochigen oster
hasen auf die erde zu legen. gab das ein lachen & ein
juchei! der fussboden bevölkert sich allmählich.
einer nach dem andern wie sie alle auch heissen mögen wan
dert dort hinunter sie haben sich an den händen gefasst
halten sich als ob sie sich nie wieder auslassen wollten
drücken sich aneinander um etwas licht & wärme für den
big sleep zu speichern hauchen einander an. ein älterer
mann kasperl liegt am boden. er ist vor schmerz halb irr.
er hat keine beine mehr. sie sind ihm abgerissen worden.
er zieht stemmt und schleppt sich voran und kriecht auf
die rennstrecke. er weiss nicht was er tut das blutige
bündel. die windhunde die schlittenfahrer die schlitt
schuhläufer die schirennfahrer brausen an ihm vorbei.
beherzte männer holen den verletzten zurück. er stirbt
noch an ort & stelle. die freunde sind niemals spielver
derber gewesen und haben es immer verstanden mit der
jugend jung zu sein. von vielen hilfsbereiten händen wer
den die die noch sehen können nach unten verstaut. dort
verlöschen sie in schwärmen.

goofy läuft laut schreiend zwischen den toten herum. links und rechts unter den armen trägt er wie puppen zwei mäuse micky und minny. kopflose puppen. ein an dres kind der fledermausmensch vielleicht 6 jahre alt ist von den tödlichen splittern verschont geblieben. dennoch liegt er jetzt tot am boden. von der in panik geratenen menge zertrampelt. es ist keiner mehr da der das ausmass der katastrofe zu ahnen beginnt.

helmut hätte nicht der liebe blondbub sein müssen wenn er seinem liebling etwas abschlagen könnte. auch er wird schliesslich als letzter hinuntergezerrt. dann ist absolute stille.

polizisten und freiwillige helfer reissen fahnen und trans parente von den masten bedecken damit die vielen ver stümmelten toten. bevor sie sich selbst zur ruhe legen.

wir müssen uns von unsren begleitern verabschieden von denen die uns getreu so lange begleitet haben. es gibt keinen schnee mehr auf dieser welt. der hagel schlägt ihnen hart auf die köpfe. uneingeschränkt gelbes licht auf den hosen.

gut dass wir hier im hause wohnen und nicht auf die dunkle strasse zu gehen brauchen.

73. kapitel

und zu den andren sagt brian jones:
SPRINGT AUS DEM FENSTER ES ZIEHT IN DIESEM
HAUS GEWALTIG!

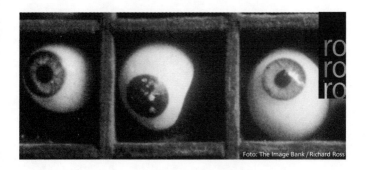

Foto: The Image Bank / Richard Ross

Deutschsprachige Literatur bei rororo

Ecstasy, die Nibelungen und die große weite Welt

Alexa Hennig von Lange
Relax
Roman. 3-499-22494-1
«Relax» ist ein Drogenroman, ein
Flug durch ein Wochenende. Und
es ist eine Liebesgeschichte: cool
und komplett unmoralisch,
schreiend komisch und doch wun-
derbar anrührend. «Alexa Hennig
von Lange – die Antwort der
Literatur auf die Spice Girls.» (Die
Zeit)

Andreas Altmann
Einmal rundherum
Geschichten einer Weltreise
3-499-22931-5

Thommie Bayer
Das Herz ist eine miese Gegend
Roman. 3-499-12766-0

Thor Kunkel
Das Schwarzlicht-Terrarium
3-499-23151-4

Moritz Rinke
Die Trilogie der Verlorenen
Stücke. 3-499-22777-0

Die Nibelungen
Nachwort von Peter von Becker
Rinke ist in seiner Neubearbeitung
den Fallstricken der Deutschtüme-
lei mit feiner Ironie entgangen.
Seine Fassung vermeidet brachiale
Neuinterpretationen, sie besinnt
sich vielmehr auf die ursprüng-
lichen Erzählstränge.

3-499-23202-2

Foto: Monika Paulick

Imre Kertész. Nobelpreis für Literatur 2002

«Wenn man mich fragte, was hält Sie noch auf dieser Welt, was hält Sie am Leben, ich würde ohne zu zögern antworten: die Liebe.» *(Rede zur Verleihung des Nobelpreises)*

Die englische Flagge
Erzählungen. 3-499-22572-7

Fiasko
Roman. 3-499-22909-9

Galeerentagebuch
Roman. 3-499-22575-1

Eine Gedankenlänge Stille, während das Erschießungskommando neu lädt
Essays. 3-499-22571-9

Kaddisch für ein nicht geborenes Kind
Roman. 3-499-22574-3

Ich – ein anderer
Roman. 3-499-22573-5
In Reisebildern, in Erinnerungsmomenten einer fast entrückten Kindheit, in erzählten und geträumten Geschichten, in Wahrnehmungen, die ins traumatisch Visionäre umkippen, hält Imre Kertész einen existenziellen Epochenwechsel fest – erfahrungsbereit, erschüttert, ungläubig.

Roman eines Schicksallosen
«Kertész hat mit sparsamsten Mitteln eine Sprache gefunden, die vieles verschweigt, aber alles sagt. Da legt einer Zeugnis ab, für den Leiden und Leben identisch sind. Im Schmerz erfährt er Wahrheit. Im Unglück ahnt er so etwas wie Glück.» (Süddeutsche Zeitung)

3-499-22576-X

Foto: Isolde Ohlbaum

Elke Heidenreich

«Literatur hat mich Toleranz und Gelassenheit gelehrt.»

Erika *oder Der verborgene Sinn des Lebens*
3-499-23513-7

Kein schöner Land
Ein Deutschlandlied in sechs Sätzen. 3-499-23535-8

Der Welt den Rücken
Geschichten. 3-499-13470-5 und 3-499-33204-3 (Großdruck)

Kolonien der Liebe
Erzählungen. 3-499-13470-5 und 3-499-33202-7 (Großdruck)
Neun ironische, zärtliche, melancholische Geschichten über die Liebe in unserer Zeit.

Wörter aus 30 Jahren
30 Jahre Bücher, Menschen und Ereignisse. 3-499-13043-2 und 3-499-33209-4 (Großdruck)
Mit ansteckender, nie nachlassender Begeisterung und Leidenschaft schreibt Elke Heidenreich seit drei Jahrzehnten über die Dinge und Menschen, die sie faszinieren: Literatur, Städte, Reisen,

Schriftsteller, Zufallsbekanntschaften und Berühmtheiten.

Best of also ... *Die besten Kolumnen aus «Brigitte»*
Lockere, mit klugem Witz geschriebene und ironisch pointierte Texte über nur scheinbar banale Alltagsthemen.

3-499-23157-3

Weitere Informationen in der Rowohlt Revue oder unter www.rororo.de

Lebenserinnerungen bei rororo

Bewegte Leben, bewegende Berichte

Ulla Lachauer
Paradiesstraße
Lebenserinnerungen der ostpreu-
ßischen Bäuerin Lena Grigoleit
3-499-22162-4

Eva Jantzen/Merith Niehuss
Das Klassenbuch
Geschichte einer Frauengeneration
3-499-13967-7

Hermine Heusler-Edenhuizen
Du mußt es wagen!
Lebenserinnerungen der
ersten deutschen Frauenärztin
3-499-22409-7

Tania Blixen
Jenseits von Afrika
3-499-22222-1

Ruth Picardie
Es wird mir fehlen, das Leben
3-499-22777-0
Bevor ich gehe. Eine junge Frau
nimmt Abschied von ihrem Leben.

Marjorie Shostak
Nisa erzählt
Ein authentischer, «mit heftigem
Temperament vorgetragener Bericht» (Der Spiegel) über das Leben
einer afrikanischen Nomadenfrau
und zugleich das Porträt einer fas-
zinierenden Kultur.

3-499-23050-X

Foto: Tony Stone/Angela Wyant

Deutschsprachige Literatur bei rororo

Die neuen Klassiker

Elfriede Jelinek
Die Klavierspielerin
Roman. 3-499-15812-4
Einer der meistdiskutierten deutsch-
sprachigen Romane: Der Klavier-
lehrerin Erika Kohut, von ihrer
Mutter zur Pianistin gedrillt, ist es
nicht möglich, aus ihrer Isolation
heraus eine sexuelle Identität zu
finden. Unfähig, sich auf das Leben einzulassen, wird sie zur Vo-
yeurin. Als einer ihrer Schüler mit
ihr ein Liebesverhältnis anstrebt,
erfährt sie, dass sie nur noch im
Leiden und in der Bestrafung Lust
empfindet.

Friedrich Christian Delius
Der Königsmacher
Roman. 3-499-23350-9

Peter Rühmkorf
Außer der Liebe nichts
Liebesgedichte. 3-499-23260-X

Helmut Krausser
Schmerznovelle
3-499-23214-6

Peter Schneider
Das Fest der Missverständnisse
Burg erforscht die Medizinge-
schichte im Nationalsozialismus.
Was eher zufällig beginnt, entwickelt sich zu einer zerstörenden
Obsession, die auch die Wahrneh-
mung der Gegenwart zwanghaft
überformt.

3-499-22728-2